Buena Vida

FLORENCE K

Buena Vida

Libre Expression

Une société de Québecor Média

Catalogage avant publication de Bibliothèque et Archives nationales du Québec et Bibliothèque et Archives Canada

K., Florence
    Buena vida
    Texte en français seulement.
    ISBN 978-2-7648-1006-4
    1. K., Florence. 2. Pianistes - Québec (Province) - Biographies. 3. Musiciennes de jazz - Québec (Province) - Biographies. 4. Chanteuses de jazz - Québec (Province) - Biographies. I. Titre.

ML417.K44A3 2015   786.2'165092   C2015-941739-2

Édition : Johanne Guay
Révision et correction : Gervaise Delmas, Isabelle Lalonde
Couverture et mise en pages : Chantal Boyer
Photo de l'auteure : Krissi Campbell

Remerciements
Nous remercions le Conseil des Arts du Canada et la Société de développement des entreprises culturelles du Québec (SODEC) du soutien accordé à notre programme de publication.
Gouvernement du Québec – Programme de crédit d'impôt pour l'édition de livres – gestion SODEC.

Financé par le gouvernement du Canada
Funded by the Government of Canada | Canadä

Les Éditions Libre Expression
Groupe Librex inc.
Une société de Québecor Média
La Tourelle
1055, boul. René-Lévesque Est
Bureau 300
Montréal (Québec) H2L 4S5
Tél. : 514 849-5259
Téléc. : 514 849-1388
www.edlibreexpression.com

Dépôt légal – Bibliothèque et Archives nationales du Québec et Bibliothèque et Archives Canada, 2015

ISBN : 978-2-7648-1006-4

Distribution au Canada
Messageries ADP inc.
2315, rue de la Province
Longueuil (Québec) J4G 1G4
Tél. : 450 640-1234
Sans frais : 1 800 771-3022
www.messageries-adp.com

Diffusion hors Canada
Interforum
Immeuble Paryseine
3, allée de la Seine
F-94854 Ivry-sur-Seine Cedex
Tél. : 33 (0)1 49 59 10 10
www.interforum.fr

Pour Georges-Hébert,
parce que, à chaque moment que je passe avec toi,
tu me manques de plus en plus, terriblement.
Parce que je m'ennuie des cliquetis de tes doigts
sur ton clavier d'ordinateur lors de tous mes week-ends
à Lachute. Parce que ce sont ceux-ci
qui m'ont donné le goût d'écrire.

Pour Alice Rose. Je t'aime.

30 octobre 2011

Lentement, j'enfile la robe de paillettes blanche et les escarpins. Je prends ma trousse de maquillage dans mon sac et tente de me remémorer tant bien que mal la technique que la maquilleuse de chez Chanel m'a enseignée avant mon départ. Une heure plus tard, je suis présentable. Je vais devoir puiser encore dans mes réserves pour l'heure qui suit. On me donne mon *belt pack*, mon micro et mes écouteurs, je me dis intérieurement que c'est ridicule, que ça ne sert à rien puisque je ne ferai que bouger mes lèvres. Quand c'est trop gros, on doit faire du *lipsync*, il paraît. Pourquoi m'ont-ils engagée ? Ricky Martin passe devant ma loge, avec son entourage. Il arbore un sourire magnifique et affiche sur son visage une joie à toute épreuve. Je donnerais n'importe quoi en ce moment pour être lui. Ou n'importe qui d'autre. Je passe devant un miroir. J'évite mon reflet. La dernière personne que j'ai envie de voir pour l'instant, c'est moi-même. L'énergie du stade est électrisante, tout vibre autour de moi, avec les cinquante mille personnes qui hurlent de tous bords tous côtés. De gigantesques marionnettes mexicaines dansent aux quatre coins de mon champ de vision. Le visage du président Calderón est diffusé sur des écrans géants. Je regarde la scène où je dois me rendre. Je devrai traverser environ cent mètres de stade toute seule, sur le grand plancher, avant de l'atteindre. Ne pas faire un seul faux pas. Marcher comme une reine. *Focuse, ma fille, focuse. Respire, tu vas y arriver.* Anne me regarde dans les yeux et prononce cette petite phrase qu'elle me dit avant que je monte sur scène. Un code secret. C'est notre code secret, donc je ne le répéterai pas. Et elle ajoute : « Flo, je sais que t'es capable. Vas-y. T'es la meilleure. » C'est le moment…

L'ENFANT DE LA FOLIE

Je viens d'un univers où la musique est reine, où elle a raison de tout. Où c'est en son nom que l'on avance dans la vie et où tout le reste revêt une importance secondaire. J'ai grandi en regardant mes parents se démener corps et âme pour en faire leur métier et gagner leur vie grâce à elle. Lorsque j'étais enfant, ils me bordaient le soir en me chantant *Scarborough Fair* à deux voix, assis sur mon lit, mon père la guitare à la main. Mes deux seules certitudes étaient la musique et l'amour de mes parents. Le reste était un flux incessant de changements, pas une journée ne ressemblait à l'autre, les mots « routine » ou « stabilité » ne revêtaient aucune signification, et je suivais mes parents dans leurs valises, m'endormant dans des étuis de guitare ou bien entre les robes de ma mère, au son de leurs voix, au rythme des mélodies qu'ils chantaient.

Plus tard, j'ai essayé à maintes reprises d'aller vers autre chose que la musique, de me tourner vers une autre profession, de m'organiser différemment, de m'installer dans un cadre et d'y rester. Je n'y suis jamais parvenue. Les sources de ma vie même, mes origines m'ont toujours rappelée auprès de la musique, et je ne connais le nirvana, le bonheur suprême, celui que l'on nomme en anglais *bliss*, que sur scène, lorsque mes mains s'activent sur le piano et que ma tête, ma voix et mon cœur sont tournés vers le public. La scène est mon quartier général, mon havre de paix, ma zone de sécurité absolue, mon terrain de jeu, mon paradis terrestre. Plus rien d'autre n'existe alors.

Il paraîtrait que la créativité est l'enfant de la folie. Ou bien de l'une de ses semblables.

MON PÈRE

Mon père, Hany, voit le jour au Caire en 1951. C'est le petit dernier d'une bonne famille qui fait partie de ces expatriés libanais prospérant en Égypte. Mon grand-père, Georges, est le patron d'une manufacture d'outils de construction et ma grand-mère, Alice, élève leurs cinq enfants. Elle en a de tous les âges, et vingt ans séparent mon père de l'aînée. Ce sont de belles années pour vivre en Égypte, malgré les tensions politiques qui conduiront le roi Farouk Ier à démissionner au profit de la nouvelle république, un an après la naissance de mon père. Dès son jeune âge, ce dernier montre un grand intérêt pour la musique. Enfant, il chante déjà si bien qu'il participe à l'âge de neuf ans à un concours de grande renommée qui a lieu au Caire, concours dont Orlando, le frère de Dalida, est juge, et que mon père remporte haut la main.

Ma famille habite au cœur du Caire dans un édifice de style art déco construit dans les années 1920 et qui rappelle le célèbre immeuble Yacoubian, si bien raconté par l'écrivain égyptien Alaa al-Aswany dans son roman du même nom. Un jour, tandis que des réparations sont effectuées au système des portes d'ascenseur, et que le trou laissé béant par l'absence de l'ascenseur en question n'est interdit que par un simple cordon, mon père, alors âgé de dix ans, s'apprête à aller jouer au foot dehors avec ses amis. Il sort de l'appartement familial et marche d'un pas décidé en direction de l'ascenseur. Il ne voit pas le trou, il trébuche et tombe par-dessus le cordon. Une chute d'un étage, violente pour un petit garçon. Il atterrit dans la cave, où un ouvrier le retrouve dans une mare de sang. Il survit de peine et de misère à une énorme fracture du crâne. Mes grands-parents sont au désespoir, mais mon père s'en tire au bout d'une longue convalescence. Il reprend l'école, il reprend le foot, il reprend les jeux et, surtout, il apprend la guitare, instrument qu'il comptera dès lors parmi ses meilleurs amis.

Mon père est un adolescent gentil et débordant d'imagination qui se met à créer toutes sortes de mélodies et à les chanter à tous ceux qui mettent les pieds chez lui. Les Beatles font leur apparition dans le monde et il est entièrement subjugué par les quatre gars de Liverpool. C'est avec leurs chansons qu'il commence à apprendre l'anglais. Il décide, à l'instar de son idole Paul McCartney, de former un groupe de musique, les Grasshoppers, dont les autres membres sont des camarades de quartier.

Puis la guerre, évidemment. Comme elle se plaît à apparaître régulièrement dans ce coin du monde que l'on dit sacré. La guerre des Six Jours, pour laquelle l'armée viendra chercher mon oncle de force et l'emmènera dans le désert du Sinaï, où il devra se battre. Il reviendra sain et sauf dix-huit mois plus tard, mais dans un contexte où la vie est de plus en plus dure, surtout pour les hommes d'affaires, les expatriés et les chrétiens. La différence de religion commence à déranger, et Nasser lance des mesures à caractère socialiste qui mèneront à la nationalisation des usines à l'implantation desquelles mon grand-père avait consacré tant d'années et de travail. Ma famille perd tout. Mon grand-père Georges meurt d'une crise cardiaque au beau milieu d'une partie de backgammon avec mon oncle. Mon père, âgé de dix-huit ans, est témoin de la scène. Celle-ci le suivra toute sa vie. Ma famille fuit alors l'Égypte pour le Liban, afin d'y rejoindre leurs proches. Et la vie recommence, comme elle seule sait le faire.

Mon père s'inscrit aux beaux-arts à l'université, en architecture d'intérieur, mais il passe plus de temps avec sa guitare qu'avec ses crayons. Il la traîne partout et la gratte dans les restaurants, au bord de la mer, dans des fêtes, chez les cousins, chez les amis, dans les rues du centre-ville. Il forme un autre groupe de musique, avec trois jeunes femmes, les Honey Bees, et obtient un contrat d'enregistrement. Il sort son premier simple, une chanson intitulée *Dear Joe* qu'il a composée et qui parle de guerre et de paix, et qui devient rapidement numéro 1. Il est beau garçon, n'a pas vingt ans, est charmant, parle couramment arabe, français et anglais et possède le «petit quelque chose» qu'il faut pour percer. Il fait la tournée des radios libanaises, des plateaux de télé, on l'apprécie, on lui dit qu'il ressemble à Paul McCartney, qu'il devrait aller faire carrière en Europe. Francine, Alain et Roland, des amis français du Liban avec qui il passe beaucoup de temps, l'en convainquent. Mon père ne terminera jamais ses études aux beaux-arts. Il fait sa valise, met sa guitare sur son dos et choisit de se rendre jusqu'en France en auto-stop en passant par la Turquie et les Balkans. Il se trouve dans la Ville lumière lorsque les premières bombes éclatent au Liban. La guerre, encore et encore. On lui suggère fortement chez lui de ne pas revenir. Les caves et les abris se remplissent à Beyrouth, on veut partir, on veut fuir ce pays d'Éden qui se transforme peu à peu en enfer. Papa écoute sa famille, malgré sa douleur d'être séparé d'elle. Il signe avec Warner Chappell, il chante dans des comédies musicales, il commence à tourner, ses chansons sont entendues, écoutées, on lui prédit un grand avenir dans la musique. Il côtoie les grands de la chanson française, il va un soir chez Gainsbourg et passe d'autres soirées chez Moustaki, vit au gré du vent, fait la tournée des radios et écrit de jolies chansons. Il devient citoyen français et prend l'accent du pays. Il retrouve Francine et Alain, désormais parents de deux petits, qui sont revenus vivre à Paris.

La montée incessante des tensions au Liban a abouti en guerre sanglante. Ceux qui auparavant étaient si enclins à gouverner ensemble, à s'épauler, sont désormais sur les dents, et la pire des guerres, la guerre civile, la guerre qui transforme les amitiés, le voisinage et la communauté en autant de partis ennemis, la guerre des couteaux plantés dans le dos, la guerre des vents qui tournent, bat son plein. Lors d'un cessez-le-feu, mon père retourne à Beyrouth voir sa mère, ma grand-mère Alice. Il constate l'ampleur des dégâts.

Puis, un soir, à Paris, au retour d'une belle soirée avec des amis, un moment d'inattention sur sa moto lui fera prendre une petite rue en sens inverse. Face à face avec une camionnette. Le choc est d'une violence inouïe. Mon père atterrit sur le pavé cinq mètres plus loin. Son casque se scinde en deux et il tombe dans un coma profond duquel il ne se réveillera que six semaines plus tard. Son frère médecin accourt à son chevet. Les dommages sont importants. Les médecins français ne croient pas que mon père s'en remettra. Mais, un jour, le miracle a lieu. Mon père ouvre les yeux. On lui parle en français et il comprend tout. Il n'est cependant capable de répondre qu'en arabe, sa langue maternelle. Cela dure plusieurs semaines. Le cerveau fonctionne, mais à l'envers. Sa réadaptation prendra deux ans. Sa carrière en prend un coup. Il ne gardera aucune séquelle physique, sauf une légère diminution de son ouïe. L'essentiel, c'est qu'il est en vie.

Il décide d'aller rejoindre ceux des siens qui ont quitté Beyrouth dans une barque à destination de

Chypre, à la nuit noire, pendant que les sirènes retentissaient et que les bombes explosaient, laissant derrière eux toute la vie qu'ils s'étaient construite. Mes oncles et mes cousins ont ainsi réussi à trouver refuge au Canada. Mon père emménage donc auprès de son frère et de sa sœur, à Côte-Saint-Luc. Il recommence à zéro dans un nouveau pays. Pour la troisième fois. Il a vingt-neuf ans. Il ne possède rien, sauf sa guitare et sa musique. Et c'est tout ce dont il aura besoin pour gagner le cœur de ma mère.

MA MÈRE

Ma grand-mère maternelle, José, vient au monde en décembre 1930. Elle grandit dans le Montréal de la récession, entre son grand frère et sa petite sœur. Son père, John, d'origine galloise, est journaliste pour *The Gazette*. Il perd la vie lorsque ma grand-mère n'a que cinq ans, et mon arrière-grand-mère, Berthe, prend son courage et sa fierté à deux mains et ne recule devant rien pour élever ses trois petits. Additionnant les boulots pour nourrir sa marmaille, elle se fait un point d'honneur d'organiser des activités pour ses enfants, les emmenant à la campagne (Laval) dès qu'elle a une journée de congé, faisant de son mieux pour qu'ils reçoivent la meilleure éducation possible. Les religieuses du Collège Villa-Maria acceptent généreusement de prendre ma grand-mère en pension, et c'est auprès de celles-ci qu'elle développera un goût pour l'écriture et l'art visuel.

Le Troisième Reich et la folie de sa vile guerre mettent l'Europe en lambeaux de l'autre côté de l'océan. Les familles ici sont rationnées. Ma grand-mère observe de loin le monde qui se déchire les entrailles, témoin à distance d'une réalité dont elle ne vivra heureusement jamais la violence innommable. Elle poursuit ses cours et aide sa mère en travaillant pendant ses journées de congé. Elle est prédestinée à faire de belles et grandes études, dotée d'une motivation et d'une ardeur au travail supérieures à la moyenne. Mais son frère est accepté en arts à McGill et pourra ainsi devenir journaliste, alors il faudra désormais que ma grand-mère travaille en tant que secrétaire pour l'aider à financer ses études. Elle ne lui en tient pas rigueur, c'est ainsi que sont les choses à l'époque. Les femmes viennent à peine d'obtenir le droit de vote, après des années de lutte. Mais, deux ans plus tard, lorsque les études de son frère sont bien entamées et couronnées de succès, elle envoie sa candidature à la Sorbonne et obtient une bourse pour y suivre un cours de civilisation française. Elle prend le paquebot et s'y rend pour étudier le dessin, l'histoire de l'art et de la France et la littérature. Paris a été libéré quelques années auparavant. Ma grand-mère a vingt ans, elle fréquente les caves de jazz et fait la rencontre de nombreux artistes. Ce sont les années de Sartre, de Vian, du jeune Gainsbourg, de Gréco, de Davis, de Piaf. Elle s'abreuve de culture, de musique et de littérature. Elle revient à Montréal un an plus tard, décidée à mener une vie remplie de voyages, et ramène avec elle un talent pour savoir rechercher l'art et la beauté en chaque chose.

Mon grand-père maternel, Guy, naît à Québec en 1927. Il est le quatrième d'une famille de huit enfants dont le père est un grand pianiste, un juriste et un politicien. Chacun des enfants deviendra avocat à son tour. Mon grand-père, nomade par nature, féru de linguistique et désireux de parcourir le monde, obtient vers la fin de son adolescence une bourse de deux ans pour aller étudier la culture, la langue, la littérature, l'histoire du Brésil et du Portugal à Rio et à Sao Paulo.

La Seconde Guerre mondiale tire à sa fin. À l'âge de dix-huit ans, mon papi devient ainsi le premier étudiant canadien à effectuer un échange culturel et linguistique en terre lusophone. Son trajet pour se rendre à Sao Paulo implique plusieurs portions de vol différentes en avion lent DC-3. La durée du voyage sera donc en principe de six jours, avec de très nombreuses escales. Mais, une fois à Miami, les forces armées américaines, qui ont besoin d'appareils de l'aviation civile pour le transport des troupes, réquisitionnent le DC-3, obligeant ainsi mon grand-père à passer trois semaines sur place. Il se plaît à merveille dans la péninsule floridienne. Il y passe son temps à découvrir les rythmes de la musique cubaine, qui est en pleine effervescence à 90 milles de là. Mambo, cha-cha, Son, Benny Moré, Chico O'Farrill, ce sont les années d'or des *orquestas*. On les entend sur les ondes, on les entend dans les clubs, et mon grand-père se surprend à rêver aux cabarets de La Havane.

Mais, pour l'instant, c'est le Brésil qui s'apprête à l'accueillir, lorsqu'il finit par s'y rendre après une longue attente et d'autres péripéties durant le trajet. Mon grand-père passe une année complète à explorer le pays, à en aimer la musique de l'ère pré-bossa-nova, la culture, les gens et leur métissage entièrement assumé. À la fin de son séjour, il maîtrise le portugais comme un vrai Brésilien et ramène tout ce beau bagage dans notre Vieille Capitale. Il finit son droit et est engagé aux Affaires étrangères, où l'on apprécie sa culture et sa facilité d'apprentissage des langues. Au cours des dix années suivantes, il apprendra ainsi l'espagnol, l'italien, le japonais et le russe, et remplira des missions gouvernementales à Tokyo, à Boston, au Pérou, à Rome puis à Moscou.

Au début des années 1950, on l'envoie à sa première mission étrangère à Paris. À son retour à Montréal, en 1955, il rencontre ma grand-mère et l'épouse peu après. Ils partiront vivre au Japon, où mon grand-père remplira sa deuxième mission étrangère. C'est à Tokyo que leurs filles voient le jour, tout d'abord la petite Marie-Claude, en 1957, et ma mère l'année suivante. Ma grand-mère adore le Japon. Elle y pratique religieusement la cérémonie du thé et la calligraphie japonaise à l'encre de Chine. Sauf qu'il n'est pas question de trop s'attacher à ces terres d'accueil puisque les missions gouvernementales ne durent en moyenne qu'entre trois et cinq ans et que, aussitôt arrivés, il faut déjà se préparer à repartir. Ce que mes grands-parents et leurs filles feront maintes fois par après, quittant le Japon pour Boston, puis les États-Unis pour Lima, le Pérou pour Rome et l'Italie, où ma mère passera la première partie de son adolescence.

Après les années italiennes remplies de musique, d'architecture, d'histoire, d'art, d'amitiés, de *pasta* et de vacances au bord de la Méditerranée ou de l'Adriatique, mon grand-père est envoyé en URSS par le gouvernement. Moscou constitue un choc radical pour ma mère. Nous sommes en pleine guerre froide. Et il n'y a pas que la guerre qui soit froide. Le climat y est gris et glacial, à tout point de vue. Le prestige et les beautés de la Russie sont écrasés sous le poids de la politique soviétique. Même dans le quartier diplomatique où ma famille s'installe, il faut faire attention. Les secrets s'ébruitent vite. On avertit le personnel de l'ambassade à son arrivée : il ne faut pas tisser de liens personnels avec les Russes.

On ne les fréquente pas, on ne noue pas d'amitiés, on ne tombe pas amoureux, bref, on se tient loin le plus possible. Tout le monde se méfie de tout le monde, et ma mère et ma tante sont confinées aux tours de béton grises dans l'une desquelles elles partagent un appartement, juste en face de celui de leurs parents. Elles ne vont pas à l'école, il n'y a pas de lycée français à Moscou et elles étudient par correspondance. Lorsqu'elles rentrent dans leur appartement, elles doivent, avant de prendre leurs aises, s'assurer que les espions russes n'ont pas caché de micros dans les téléphones, dans la salle de bain, dans les armoires de cuisine, ou qu'ils n'ont pas volé de soutiens-gorge, de bouteilles de shampoing, de serviettes hygiéniques ou de rouleaux de papier de toilette, objets rares et convoités en territoire communiste. La seule chose qui apporte à ma mère réconfort et motivation, ce sont ses cours de chant avec Mme Gromova, qui ne parle que le russe. Maman le baragouine. Mais elle comprend la musique, et elles s'entendent sur ce point à merveille. Ma mère apprendra auprès d'elle à chanter selon une technique digne des Jeux olympiques, où on réchauffe sa voix en chandelle sur la tête ou en pont, en plein effort physique. Pour Mme Gromova, le corps en entier est un instrument, et non seulement les cordes vocales. Ma mère prend sa décision : quand elle reviendra au Québec, elle fera ses études en chant classique.

LADY MARIANNE
ET ROBIN DES BOIS

De retour à Montréal, ma mère ne vit désormais plus que pour le chant. Elle est de nature extrêmement timide, mais dès qu'elle pousse la note, tout son être s'ouvre et s'épanouit. Un soir de concert de fin de bac, mon père se trouve dans la salle. Ma mère chante avec un des amis égyptiens de mon père qui étudie en percussions. Mon père est venu encourager son ancien camarade de classe. Il voit et, surtout, il entend ma mère sur scène, se tourne vers la copine de son ami percussionniste qui assiste au concert à ses côtés et lui dit : « Tu vois cette jeune femme sur la scène qui chante divinement ? Eh bien, je te le dis, je vais l'épouser. » Chose dite, chose faite. Mes parents convolent en justes noces à peine quatre mois plus tard, le 13 septembre 1980.

Ils gagnent leur vie avec leurs voix, chantent un peu partout, dans des restaurants, des concours, à La Ronde, dans des sous-sols d'église, des réceptions, des anniversaires, puis au parc d'attractions Canada's Wonderland, en Ontario. Ils y seront costumés en Lady Marianne et en Robin des Bois, et ils chanteront à longueur de journée des airs médiévaux entre deux châteaux de plastique et trois manèges. Peu après, ma mère tombe enceinte. Ils reviennent à Montréal où ils habitent désormais un petit appartement infesté de cafards qu'ils transforment en véritable nid d'amour et de musique, sur Côte-Sainte-Catherine, juste en face de l'Hôpital juif. Ma mère fait rentrer dans l'appartement le vieux piano droit de sa tante Pauline et elle enseigne la musique aux enfants. Un 5 février, en pleine tempête de neige et au beau milieu d'un cours qu'elle donne à une de ses jeunes élèves, elle ressent ses premières contractions, sur le banc du piano. Je vois ainsi le jour, ou plutôt la nuit, en plein cœur de l'hiver 1983. Je suis le résultat de cet amalgame de notes de musique, de langues et de voyages qu'ont pour bagages mes parents.

ENFANCE

Ma mère me trimballe partout avec elle et, lorsqu'elle enseigne, elle m'installe sous le piano, avec des crayons et une feuille de papier pour dessiner. Un jour, à trois ans, en sortant de la maison d'une des élèves de piano de ma mère, je la regarde et lui dis la petite phrase suivante : « Maman, moi aussi piano. »

C'est le début d'une grande histoire d'amour entre l'instrument et moi. Un de ces amours passionnels vers lesquels on finit toujours par revenir, peu importe le nombre de fois où l'on essaie de le quitter.

Nous avons déménagé dans un bas de duplex datant des années 1930, un de ces appartements aux longs corridors qui ressemblent à des wagons de train. Il y fait toujours sombre, mais c'est tout de même mieux que les cafards. Papa a tapissé les murs de la vieille cave de papier d'aluminium pour la décorer et y a installé son quatre-pistes, son clavier MIDI et ses quelques micros, la transformant en petit studio d'enregistrement. Je m'assois devant lui lorsqu'il enregistre et il m'apprend à faire fonctionner ses machines. Il m'encourage à dessiner, à monter des pièces de théâtre, à peindre, et organise des expositions de mes tableaux dans le long corridor qui traverse l'appartement. Il m'enseigne à écrire des chansons, me pousse à m'exercer au piano et invente toutes sortes de comptines pour sa fille unique.

Ma mère part souvent en Europe, où sa carrière commence à prendre son envol. Elle ne s'absente que de courts laps de temps à la fois, mais ceux-ci semblent être une éternité à mes yeux. Parfois, elle m'emmène et nous traversons l'Europe ensemble. C'est évidemment ce que je préfère. Elle revient complètement épanouie de ces voyages et je la sens heureuse de pouvoir réaliser ses rêves, de pouvoir faire ce qu'elle aime, monter sur scène, même si, pour l'instant, cela se passe surtout outre-mer. Parce que, à Montréal, c'est encore la galère. Elle chante un peu partout pour des miettes, mais elle

ne se plaint jamais de ne pas gagner convenable-
ment sa vie. Pendant quelque temps, elle travaille
de jour comme secrétaire-réceptionniste dans une
clinique d'acupuncture. Elle en profite pour réconforter les patients dans la salle d'attente en leur
chantant des airs de Puccini ou bien des chants
traditionnels de leur pays d'origine, mais surtout, et c'est ce qui est le plus important pour elle,
elle arrive à les faire rire. Parfois, lors des journées pédagogiques, elle m'emmène à son travail
et je dessine sous son bureau. Je ne comprends pas
pourquoi tous ces gens viennent se faire piquer par
des aiguilles pour guérir, alors le tout revêt une
apparence très intrigante pour moi. Mais, pour
ma mère, rien ne semble jamais être un problème
tant qu'elle va à la rencontre de son propre bonheur. Je me surprends parfois à me demander si
elle est réellement constamment heureuse ou si
elle cache quelque part au fond d'elle-même un
jardin secret où toutes ses peines, tous ses chagrins,
tous les obstacles qu'elle rencontre sont enterrés.
Ma mère est l'exemple parfait du « *Don't criti-
cize, condemn or complain* » qu'elle a appris sur les
bancs de l'école très catholique Saint-Dominique,
à Rome. Sa bienveillance n'a d'égale que sa bonté.
Je perçois alors sa personnalité comme un reflet
vivant de l'univers de Disney World. Son monde
n'est peut-être pas toujours ancré dans la réalité,
mais au moins il est amusant.

Mes plus beaux moments d'enfance sont ces
journées que nous passons ensemble, elle et moi,
et où, avant de monter sur scène, elle se dévoue
entièrement à son rôle de maman. Elle est drôle,

douce, affectueuse, généreuse et très créative avec moi. Elle n'a pas trente ans et elle a toute la spontanéité et l'énergie d'une jeune adolescente. Puis, lorsque sonnent 20 heures et qu'elle met les pieds sur scène, elle se transforme en reine, en fée, en grande et noble dame très gracieuse qui chante divinement et qui fait rire son public. Je comprends alors que je dois la partager avec celui-ci. Pour m'occuper, elle me propose parfois de vendre ses disques à la sortie de ses spectacles avec les employés de la salle. J'aime ce petit boulot, mais je déteste lorsqu'on m'aborde pour savoir si moi aussi je veux devenir chanteuse. Ma réponse est catégorique. C'est non. Moi, mon truc, c'est le piano. À cette époque, je n'ai pas du tout envie de chanter.

Comme je suis le rythme de mes parents, je me couche tout le temps trop tard et je suis en retard chaque matin à l'école. Mais on nous pardonne tout parce que ma mère et mon père sont charmants et sympathiques et qu'ils viennent chanter à l'école bénévolement dès qu'un événement spécial y est organisé. Même si je fais parfois les frais de la vie d'artiste de mes parents, le milieu dans lequel je grandis devient la normalité pour moi. Tout, absolument tout à la maison gravite autour de la musique, des arts, des langues, du voyage, de la famille, des amis. Il n'y a pas de place pour l'organisation, pour la routine, pour les REER, pour la planification, pour la ponctualité, pour la régularité. L'improvisation et la spontanéité règnent chez nous. Il y a assurément quelque chose de spécial dans l'air, même si, au fond, rien n'est spécial si l'on ne sait pas ce qui définit la norme. De mon côté, plus je grandis, plus je me rends compte, en faisant mon bout de chemin à travers cette enfance particulière, irrégulière et à la fois splendide, que tout m'affecte. Beaucoup. Extrêmement. Le beau comme le moins beau. La joie comme la peine. Peut-être que je ressemble en cela à mon père. Enfin, telle est mon impression. Je suis de ceux qui sont très sensibles aux piqûres d'abeille et qui hurlent dès qu'ils entendent le bourdonnement de l'insecte. Entre ceux qui se font piquer sans en faire un drame et ceux que la seule pensée du dard dans leur chair fait frémir, je ressemble à ces derniers. Et toutes mes émotions sont comme des dards qui restent plantés dans ma chair et qui ont tout le loisir de laisser s'épandre leur venin, puisque je suis trop occupée à pleurer ou à crier pour retirer le petit pic de ma peau, la désinfecter, la panser et passer à autre chose. Au jeu de la loterie génétique, j'ai dû hériter quelque part d'un chromosome avec l'étiquette «nature très sensible», et ce, pour le meilleur et pour le pire. Et déjà, enfant, lorsque quelque chose me pique trop ou trop fort, je pleure ou je prends la fuite. Je ne gère pas…

FOLLA

Pendant que ma mère essaie de se construire une renommée en Europe, mon père fait des pieds et des mains pour obtenir un contrat de disque à sa femme. Même s'ils m'ont toujours tous les deux couverte de tendresse et d'affection, leur amour, avec le temps, les déceptions, la galère, les échecs, les problèmes financiers et surtout avec leurs deux caractères complètement incompatibles, a rapidement cédé la place à une ambiance de discorde dont je suis le témoin silencieux. Cette union dissonante, c'est comme si Maria Callas et Mick Jagger avaient été mariés. Deux artistes dont la sensibilité se tient à des pôles diamétralement opposés qui cohabitent. Mais, étonnamment, ils ne cessent jamais de croire l'un en l'autre professionnellement et travaillent ensemble sans arrêt. Mon père écrit toujours de la belle musique pour ma mère, et cette dernière le lui rend bien en la chantant à merveille. Quand on les regarde chanter ensemble, ils sont beaux, ils s'aiment encore, ça se voit. Mais quand ils ne sont plus sur scène, les tensions remontent. Ils restent ensemble tout de même. Parce que quelque chose de plus fort que tout les tient encore. La musique, probablement. Et l'amour aussi. Et peut-être également ma présence dans leur vie. Même si, parfois, je préférerais qu'ils se séparent parce que je sens bien qu'ils ne sont pas si heureux que ça.

Ils m'offrent un chien. Un doberman, Folla, qui me fait office de petite sœur, puisque mes parents ne semblent pas partis pour m'en faire une. Et pendant qu'ils travaillent, je me fais garder par mes deux grands-mères. D'un côté, il y a ma mamie, ma grand-mère maternelle, qui habite la petite rue Perham, près de l'Université de Montréal, qui m'emmène dans le Maine pendant un mois chaque été, qui me coud des robes et des costumes, qui m'apprend à jouer aux cartes, à lire et à conjuguer, qui me fait découvrir tous les recoins de la ville et de la montagne, et qui m'accueille pendant de longues périodes. J'adore aller chez elle, j'ai l'impression d'être dans le petit château d'une comtesse qui a gardé tous les trésors des lieux où elle a vécu : ses poupées russes, ses tatamis, ses crèches péruviennes, ses toiles à l'encre de Chine. La maison de ma mamie est une véritable caverne d'Ali Baba à mes yeux. De l'autre côté, il y a ma téta libanaise, ma grand-mère Alice, que ma famille a réussi à faire venir du Liban, où elle a connu les bombes et les abris souterrains. Elle vit chez nous un bon bout de temps et elle dort dans ma chambre. La nuit, je l'entends qui rêve à haute voix, des rêves en arabe qui me paraissent assez violents. Elle a dû en voir de toutes les couleurs au Moyen-Orient. Elle a toujours le Nouveau Testament à portée de main ainsi que des images du Christ qui sont recouvertes de rouge à lèvres tant elle les a embrassées. Ma téta est une source intarissable d'amour. Elle me cuisine tous les jours de la *molokheya*, du *kofta*, du *fattouch*, de l'*okra*, elle m'achète en cachette des tonnes de barres KitKat, dont je raffole, et en fin d'après-midi elle ne manque jamais son épisode de *Dallas* ou de *Dynasty*, qu'elle visionne tout en donnant à ma chienne Folla les pelures de l'orange de ma collation. Folla lui en est très reconnaissante et l'adore. Ma téta, mon doberman et moi formons un charmant trio et sommes inséparables à la maison.

SI TU REGARDES SOUS LA NEIGE

Les efforts de mon père portent leurs fruits, une petite boîte montréalaise accepte de produire le premier album de ma mère. Mes parents sont au summum de la joie, d'autant plus que mon père a · sollicité ses relations de ses années parisiennes et qu'Eddy Marnay a accepté d'écrire avec eux. Mes parents travaillent fort, très fort. Je les vois s'agiter dans tous les sens, dans toutes les directions. Meetings par-ci, séances de studio par-là, séances de photo par-ci, séances d'écriture par-là... Ils m'emmènent aux studios, aux réunions, aux répétitions, je dessine en les observant. Je dessine tout ce que je vois. La scène, les chanteurs, les musiciens. Et je m'invente des mondes surréalistes. Je joue toute seule et je dialogue avec un ami imaginaire qui me suit partout lorsque j'accompagne mes parents.

Ils enregistrent l'album. Il est décidé que ma mère tournera un premier vidéoclip, pour sa chanson *Si tu regardes sous la neige*. Le scénario raconte l'histoire d'une petite fille qui voit le couple que forment ses parents se dissoudre. On me propose de jouer le rôle de la fillette. Pendant le tournage, je suis envahie par une sensation de déjà-vu. Je ressens réellement ce que mon personnage traverse et j'ai la drôle d'impression de jouer dans ma propre vie. De tenir mon propre rôle lorsque la tension entre les deux personnes que j'aime le plus au monde monte dans la maison. Leur couple ne survivra pas à l'échec commercial de l'album, échec qui mettra en évidence la dérive de leur mariage. J'ai dix ans lorsqu'ils se séparent. Étonnamment, je suis soulagée. La tension est enfin tombée. Peu après, les efforts de ma mère seront récompensés, son premier spectacle humour-opéra cartonnera à Montréal et, à ma grande surprise, mes parents deviendront d'excellents amis, une fois délestés de la pression de devoir à tout prix former un couple.

CATHERINE

Pendant que les adultes règlent leurs affaires, j'ai besoin d'être une enfant et de jouer. Je suis tout le temps avec les grands dans leurs histoires. Mais j'ai besoin de me sentir comme les autres enfants, même si on ne sait jamais vraiment ce que vivent réellement les autres. J'ai quelques bonnes amies à l'école, dont Catherine. Nous jouons ensemble dans la cour d'école, nous allons toutes les deux chez les scouts. Catherine est enjouée, elle est douée pour le bonheur, et ça se voit même à son jeune âge. Elle rit tout le temps et elle me fait rire. J'aime son sens de la répartie, elle répond du tac au tac à ceux qui l'embêtent, alors on la laisse tranquille. C'est en sixième année que nous ferons nos premières bêtises ensemble, dont fumer des cigarettes derrière l'église du quartier, munies d'un kit anti-odeur : du Scope, du parfum, des lingettes pour bébés, une veste de rechange et du gel à cheveux pour en recouvrir l'odeur. On ne doit pas découvrir notre secret.

Nous sommes en 1994. Kurt Cobain vient de se flinguer. Nous ne comprenons pas trop encore pourquoi, du haut de nos onze ans, tout cela nous semble une réalité complètement éloignée de la nôtre. Je ne deviendrai complètement obsédée par Kurt Cobain et fascinée par la musique de Nirvana qu'environ deux ans après son suicide. Kurt sera déjà mythifié, on aura déjà essayé de comprendre les raisons de son départ, sa musique aura pris une signification tout autre à cause de son sombre destin. Tout comme celle de Hole sur *Live Through This*, disque qui me marquera à tout jamais. Mais à onze et douze ans, Catherine et moi vivons de loin les débuts d'une ère. Nous sommes encore trop jeunes pour revendiquer notre adolescence sur des allures grunge, mais nous jouons à faire les grandes. On adore Green Day, qui vient de lancer son *Dookie*, on crie «*Despite all my rage, I'm still just a rat in a cage*», des Smashing Pumpkins, on aime *Dangerous Minds* et le *Gangsta's Paradise* de Coolio, et d'un autre côté on rêve de Brad Pitt dans *Légendes d'automne*. On écoute en boucle le disque de Frente, on veut les lunettes de Lisa Loeb et on regarde *Reality Bites*. *Watatatow* aussi. On demande la bande originale de *Forrest Gump* pour nos anniversaires et on veut toutes la coupe de cheveux d'Uma Thurman dans *Pulp Fiction*.

On joue à la bouteille avec les garçons de notre classe, et c'est ainsi qu'à douze ans j'embrasse pour la première fois un garçon devant douze personnes, en essayant à tout prix d'éviter un accrochage entre ses broches et les miennes. Catherine devient pour moi un modèle. Une amie que j'admire plus que tout. Parfois, je souhaiterais même être elle tant elle ne semble jamais se casser la tête pour quoi que ce soit, tant elle a confiance en elle, tant la joie de vivre semble aisée pour elle. Pour moi, tout est toujours un peu plus compliqué, je me pose tout le temps un paquet de questions existentielles. Déjà à douze ans, j'ai un flagrant besoin d'attention et je cherche souvent à l'obtenir en me retirant dans un coin, en prétextant une quelconque blessure ou un quelconque problème pour que l'on vienne me demander si ça va. Et lorsque j'ai des poussées de confiance en moi, elles ne durent que quelques instants, puis je me remets à m'interroger. Suis-je assez ceci ? Suis-je assez cela ? Oui. Petite, il m'arrive de me dire que je donnerais n'importe quoi pour être faite du même bois que Catherine.

LA VIE EST AILLEURS

Je peine à m'intégrer à l'école secondaire. Je suis en retard à tous mes cours. Je n'aime pas l'autorité du collège où j'ai supplié ma mère de m'envoyer pour être avec Catherine. Ce collège est spécialisé dans les sports et je suis nulle dans à peu près chacun d'entre eux. De plus, je trouve que les figures d'autorité parlent irrespectueusement aux enfants. Je me dis que peut-être on est petits, mais on n'est pas cons ! Zéro renforcement positif, mais plutôt réprimande sur réprimande. Je me sens de plus en plus mal à l'aise dans cette institution. Je m'y sens même déprimée, d'après ce que je comprends de cet état à ce moment-là. Je noircis des pages et des pages dans mon journal intime sur mon sentiment d'être incomprise. Je suis prise dans l'équipe de Génies en herbe et les « cools » du collège se moquent des intellos. Mais moi, j'aime apprendre, je ne me sens totalement bien que lorsque j'ai un livre entre les mains. J'ai le mal de l'adolescence, et je m'isole de plus en plus, sans raison apparente puisque, bien que je ne fasse pas partie de la *gang* des cools, j'ai tout de même un réseau social qui m'entoure, et de bons amis à l'intérieur de celui-ci. C'est plutôt moi qui me mets en retrait. J'aime mes professeurs, mais je déteste les surveillants, que je trouve carrément condescendants.

Un jour, je demande à ma mère de me coudre un nouvel ourlet sur ma jupe d'école. Elle y travaille deux heures, à la main, car nous n'avons pas de machine à coudre, elle appose une petite étiquette avec mon nom brodé, et je vois bien qu'elle y met tout son amour, elle qui est toujours en tournée et qui se sent à ce moment précis comme une vraie mère soucieuse de chacun des détails qui concernent son enfant. J'aime quand ma mère, si occupée avec ses spectacles, prend le temps de jouer à la maman au foyer. On rigole, on se colle. Je suis fière le lendemain matin de porter cette jupe qu'elle m'a si tendrement arrangée. Elle l'a raccourcie un peu, mais pas trop. Il ne faut pas aller un pouce plus haut que le bas de la rotule. C'est réussi. Sauf qu'à l'école, un des surveillants que j'exècre depuis la rentrée m'ordonne de me mettre à genoux pour mesurer ma jupe. Je refuse. Je trouve que c'est odieux d'exiger une telle chose. J'y vois un signe de soumission qu'on ne devrait jamais réclamer aux enfants. Il m'envoie chez le directeur. Celui-ci me demande si j'ai réagi si férocement parce que je m'apprête à avoir mes règles. Je suis dégoûtée. Je le trouve pervers, méchant, vieux et con. Pour moi, il ne comprend rien à l'enfance, encore moins à l'adolescence ni à l'amour que ma mère a mis à travailler ma jupe. Il ose embarrasser une jeune fille de douze ans qui traverse déjà de peine et de misère sa puberté en attribuant ses protestations à ses menstruations. Je monte le ton. Je lui réponds. Il se fâche. Il veut me suspendre pour trois jours. Je réplique que cela ne sera pas nécessaire parce que je quitterai son établissement une bonne fois pour toutes, de mon plein gré, et que je n'aurai pas besoin de son aide pour vider mon casier. Je claque la porte et je m'en vais. Je suis hors de moi. Mais dix minutes plus tard, une fois la poussière de la colère retombée, je commence à me demander si je n'ai pas agi trop impulsivement. Nous sommes en plein mois de mars et je me suis moi-même exclue de mon école. Je me rends au téléphone public et j'appelle ma mère. «Maman, viens me chercher, j'ai envoyé promener tout le monde. Je déteste cette école et son règlement à la con. Change-moi d'école.» Il m'est hors de question de piler sur mon orgueil et de retourner voir le directeur. L'herbe doit être plus verte chez le voisin.

C'est dans cet état d'esprit que je changerai d'école quatre fois pendant mes années du secondaire, sous l'impulsion d'un coup de tête ou d'une colère passagère, ou par sentiment de n'être jamais comprise ou de ne pas être capable de me forger une place. Je ne me fais jamais mettre dehors, je pars toujours volontairement, comme si j'avais quelque chose à prouver. En milieu d'année scolaire, parfois. Et je convaincs mes parents chaque fois que c'est une question de vie ou de mort. Je préfère aller voir ailleurs si le bonheur s'y trouve, plutôt que d'essayer de le trouver là où je suis déjà.

Ce n'est pas la chose à faire, mais ça, je ne le sais pas encore, et plus on me donne cette latitude, cette liberté de prendre mes propres décisions moi-même, à un si jeune âge, qu'elles soient réfléchies ou pas, plus je saute sur l'occasion de faire table rase et de m'en aller, dès que ça ne va pas, plutôt que de faire preuve de résilience ou de patience, ou des deux, ou du moins de tenter de regarder au fond des choses afin de les régler au lieu de me dire qu'il existe mieux ailleurs.

PREMIER AMOUR

À quinze ans, je tombe follement amoureuse d'un garçon qui a un an et demi de plus que moi. Je brandis cette différence d'âge comme un trophée. Mon petit ami ressemble au chanteur du groupe Bush X, Gavin Rossdale. Ensemble, lui et moi écoutons Jamiroquai et son insanité virtuelle, on passe nos vendredis soir au son de *Dummy*, de Portishead, et on connaît par cœur tout *OK Computer*, de Radiohead. Nous allons voir des concerts, nous nous échangeons des albums, nous passons des heures entières allongés l'un à côté de l'autre à écouter de la musique. Notre histoire connaît une fin en queue de poisson, mais ça y est, elle m'aura convaincue que la musique et l'amour se tiennent par la main. L'une encourage l'autre, et le second nourrit la première. J'associe désormais toute la musique que j'aime et que j'écoute à chacun des papillons qui naissent en moi à la seule pensée de vivre un moment amoureux, ou d'en souffrir. Je découvre l'effet de certains accords, de certaines mélodies, de certains rythmes sur ma façon de penser, sur mes émotions et, surtout, sur la capacité que la musique a de me transporter hors du moment présent. Et Dieu sait que j'aime être ailleurs que dans le moment présent ! Je rêvasse tout le temps. Je suis toujours dans la lune. Je ne suis absolument pas terre à terre. J'ai un lecteur CD portatif jaune que ma mère m'a offert à Noël. C'est ce que j'ai de plus précieux. Je le serre bien contre moi dans l'autobus. J'ai peur de me le faire voler. Il n'y a pas un pas que je franchis hors de ma maison sans avoir les oreilles recouvertes par mes écouteurs, prête à écouter les voix, les humeurs et les sentiments de Radiohead, des Cardigans, de Mariah Carey, des Beastie Boys, de Notorious B.I.G., de Green Day, de Portishead, de Nirvana, les premiers balbutiements de Jay-Z, bref, tout ce qui se retrouve sur le mur du top 20 de Sam the Record Man.

Dès 7 heures du matin, à l'arrêt d'autobus, dans le métro, entre les cours, sous le préau en m'allumant une cigarette, partout, je me réfugie sous mes écouteurs et je vibre dans ma bulle, analysant chaque ligne de basse, chaque voix, chaque *beat*, chaque mot, chaque accord de guitare ou de piano, chaque effet rajouté au mix, et pensant que la vie est de loin plus agréable lorsque autant de notes accompagnent chaque instant, les gravant dans ma mémoire, un peu comme une odeur ou un parfum qui reste associé à tout jamais à un souvenir particulier. Je me dis que si tous ces gens ont écrit et chanté de telles émotions, c'est bien parce que je ne suis pas la seule à les vivre. Quand on a la musique, on n'est jamais seul. Je rencontre un autre garçon de mon âge, qui devient mon copain. Je suis amoureuse de l'amour. Une *über*-romantique, dépendante de ces papillons qui envahissent l'estomac à la perspective d'un baiser, d'un regard, d'un frôlement de peau. Un *high* sans précédent. La plus belle musique du monde a été écrite au nom de l'amour, de ses mystères, de ses beautés et de ses misères, faisant de cet amour le plus beau prétexte à la création. Et quand j'écoute toute cette musique, de la violence des opéras de Puccini et de Verdi aux larmes de Portishead, à la rage de Nirvana et à la douceur de Dido, je me dis que rien au monde, à part la complexité de l'amour, ne peut savoir donner naissance à quelque chose d'aussi puissant.

SWEET SIXTEEN

La scène nocturne à Montréal est fantastique aux yeux d'une ado de seize ans. Ce sont les années d'or du mouvement hip-hop québécois. On sort tous les week-ends voir des shows, R'n'B, hip-hop, salsa. Le Medley, les Foufounes électriques, le Saphir, le Angel's, le Groove Society, le Sona, le Tokyo ; munies de fausses cartes, mes copines Maïna, Sarah, Anna et moi explorons tous les *nightclubs* de la ville. Et on fait nos propres *playlists* sur des cassettes, à partir de ce qu'on entend en boîte et à la radio. On reste postées devant notre chaîne stéréo pour le *6 à 6*, le doigt prêt à appuyer sur *record*, afin de ne pas manquer LA chanson qu'on a besoin d'entendre en boucle pour satisfaire une soif d'un certain *groove*. On pratique l'ancêtre du piratage. Musique Plus est une Mecque. Être VJ est plus prestigieux que n'importe quel autre boulot. Les rappeurs français de IAM viennent à Montréal, et quand ils passent aux studios de M+, on fait la file pendant des heures pour espérer avoir accès à l'enregistrement de l'émission. On achète les compilations de *Big Shiny Tunes 2*, on court au HMV quand une vedette s'y pointe pour faire signer nos disques, on passe des soirées entières à découvrir un nouvel album, assises dans un salon pendant que les parents ne sont pas là. Puis, en 1998, on m'offre *Buena Vista Social Club*. Ce disque change ma vie. C'est avec Ferrer, Segundo, Gonzáles et Portuondo que je découvre les boléros, le son montuno, le jeu de piano à la limite du jazz, rythmé par les racines africaines de l'île cubaine. Je traîne ce disque en permanence dans mon sac. J'étudie le livret. Toute l'aventure de Ry Cooder à La Havane, aux studios Egrem. Les photos sont magnifiques. Je me mets à rêver de La Havane et de sa musique. Je suis folle du son un peu vieillot et très organique que les musiciens du Buena Vista ont enregistré. Je deviens accro à la nonchalance de leur chant, comme si jamais il ne fallait s'énerver de quoi que ce soit, et que le chant se devait de demeurer en tout temps naturel, sans effort, sans se casser la tête et sans chercher à en faire trop. Je découvre l'art du piano cubain, cette façon qu'ont ses maîtres de conjuguer sur de vieux boléros les styles classique, jazz et latin. Souvent, les instruments sont mal accordés, on est dans un pays chaud et humide, ça vient avec, et j'adore le fait que cela s'entende sur leurs albums. Leurs notes tombent légèrement du ciel, avec une aura de laisser-aller. Je veux jouer comme ça. Je ne sais pas trop comment m'y prendre, je ne connais que le piano classique, mais je me promets d'y arriver un jour. La musique latine, et spécialement la musique cubaine, devient pour moi le remède idéal à la mélancolie. Lorsque mes pensées m'entraînent dans des lieux où le soleil ne passe pas, la musique cubaine sait instantanément y creuser un puits de lumière.

THE PROMS

À l'automne 1999, ma mère est enceinte de sa troisième fille. Elle est en couple avec un musicien de jazz, un contrebassiste qui est une véritable encyclopédie de la musique. Ils m'ont enfin fait une petite sœur, que j'aime comme si elle était mon propre enfant, et ils en attendent une autre. Ma sœur Éléonore vient d'avoir deux ans et est un vrai petit boute-en-train. Elle chante à tue-tête partout et à toutes les occasions possibles. Je la garde dans les coulisses pendant que ma mère monte sur scène, je suis sa nounou et je ne m'en plains pas. On propose alors à ma mère de participer à une tournée européenne de quarante dates, un énorme spectacle auquel participeront également la superstar italienne Zucchero, le groupe britannique Status Quo et la popstar du moment Emilia. Cette tournée, intitulée *The Night Of the Proms*, aura lieu à Anvers, à Rotterdam, à Copenhague et à Zürich. Ma mère accepte le contrat et décide qu'il s'agirait d'une occasion extraordinaire pour moi de me joindre à la chorale de ce spectacle pendant les deux mois où elle y chantera. Je ne me le fais pas dire deux fois. Au mois d'octobre, nous partons, direction la Flandre. Du jour au lendemain, je me retrouve dans une chorale de deux cents âmes sur scène, dans des stades, devant quinze mille personnes chaque soir, à chanter l'*Alléluia* de Haendel entre *Senza Una Donna* de Zucchero et le succès de l'heure *Big Big World* par Emilia, avec un orchestre symphonique, un *band* rock et tout le tralala. Au sein de ce chœur, je découvre la sensation inégalable de faire partie de quelque chose d'immense, de beaucoup plus grand que soi. J'aime savoir que je ne suis au fond que l'infime partie d'un tout. J'aime aussi entendre John Miles et son groupe jouer *Music*. « *Music was my first love, and it will be my last. Music of the future, and music of the past.* » Son texte me colle à la peau. Je sais que je fais partie de ceux qui ne pourront jamais se passer de musique, qui feront tout, tout et absolument tout pour ne vivre que d'elle, que pour elle, que par elle. Que sans la musique, la vie est grise, inutile, et qu'il n'y a qu'elle pour soigner les plaies de l'âme.

Ce sont les belles années de l'industrie du disque. Après chaque concert, c'est l'après-show. Le champagne coule à flots, les groupes se succèdent sur la scène, on danse jusqu'au petit matin, et je mens constamment à ma mère en lui assurant que je reviendrai à l'hôtel avant minuit. La plupart du temps, je ne reviens pas du tout. Je ne sais pas doser. J'en veux encore et encore et encore et encore. J'ai la piqûre. Que ce soit sur scène ou *backstage*, le *high* est tout simplement merveilleux et bien plus agréable que la simple réalité. Ma mère est crevée, entre sa grossesse, ma petite sœur et ses quarante spectacles. Elle ne me rappelle pas à l'ordre sur-le-champ et je la comprends. Je ne suis pas une adolescente facile.

Je reviens à Montréal juste à temps pour l'an 2000. On gèle, mes amis se gèlent, je trouve que tout est morne autour de moi. Le 31 décembre 1999, à 23 h 59, je suis convaincue que soixante secondes plus tard je serai témoin de quelque chose de spectaculaire, d'un bogue ou, mieux encore, de la fin du monde, et j'attends en silence en regardant mes amis, les yeux remplis à la fois d'excitation et de peur. Puis sonne minuit. 1er janvier 2000. Rien. Absolument rien ne se passe. Rien n'explose, rien ne se transforme, personne ne devient mutant, pas de loups-garous, pas de messie, même pas d'horloges qui flanchent. Rien. L'an 2000, c'est un coït interrompu. Il fait toujours moins quarante dehors, le party est toujours aussi *so-so*, alors je décide de quitter la fête, de prendre le bus et de rentrer me coucher. Je ne suis pas la seule. Le bus est plein de gens qui rentrent chez eux la mine déconfite, la face en pleine période de dégel. Je m'ennuie terriblement de la scène, de l'Europe, de cette extase de tous les soirs que je viens de vivre. Je cherche à tout prix à reproduire ce *high* que j'ai connu en Europe, d'une manière ou d'une autre. Je dois absolument trouver une façon de ne vivre que dans un tourbillon, le plus loin possible de la réalité de tous les jours, qui me semble morne et ennuyante. Je décide de me consacrer à la musique.

Je m'assois à mon piano et commence à écrire des petites chansons pop, un peu simplettes mais à la saveur du jour, cherchant maladroitement à imiter le son de Max Martin et de ce qu'il produit pour les Backstreet Boys et Britney Spears. Je fréquente un garçon qui finit par me quitter dix-huit mois plus tard. Je suis dévastée, j'ai le cœur en miettes. Mais en même temps je sais très bien pourquoi il m'a laissée. Je me serais probablement laissée moi-même tant j'étais devenue insatiable. Complètement dépendante, accro à lui et surtout aux émotions fortes que notre relation me procurait. Mon besoin d'amour est intarissable.

9-11

Pour survivre à cette première vraie peine d'amour, je décide d'arrêter d'écouter Portishead, de changer de station de radio chaque fois qu'une *power ballad* du genre *Un-Break My Heart* de Toni Braxton ou *My All* de Mariah Carey joue, de m'occuper le plus possible, et surtout de me donner à fond dans la musique. Je veux me prouver à moi-même que je vaux quelque chose. Pour moi, la réussite devient une façon de me démontrer que je peux survivre sans lui. J'écris trois chansons, j'en fais un démo. Mon nom d'artiste, c'est Flo. Pas très original, mais bon. Je me rends à New York pour rencontrer deux producteurs dont j'ai obtenu les coordonnées. On bosse un peu, sans grand résultat. Je reviens à Montréal, je travaille un peu ma voix. Je ne chante pas très bien, mais je suis une bonne musicienne. Ma mère obtient un contrat pour aller donner un spectacle à Buenos Aires. Elle me demande de l'y accompagner pour garder mon nouveau bébé sœur, Ariane, âgée de quelques mois à peine. Ma professeure d'espagnol au cégep est aux anges. Elle me dit de prêter une attention particulière à l'accent *porteño*, avec tous les « ll » et les « y » qui se transforment en « ch », et aussi aux Argentins eux-mêmes. Je me mets à rêver d'un amour aussi passionné qu'un air de tango. J'achète des disques de Piazzolla et de Goyeneche. Je savoure l'accent argentin, la façon dont les chanteurs de tango allongent chacune des voyelles et accentuent toutes les consonnes, comme s'ils claquaient celles-ci dans l'unique but de faire résonner les premières le plus longtemps possible. Je me délecte de ces amours déchirées que les tangos racontent, entre jalousie et colère, folie et folle joie. À Buenos Aires, je tombe amoureuse de l'Argentine et d'un Argentin. Ma mère m'a toujours dit qu'un amour en effaçait un autre. Eh bien, c'est parfait, celui-ci m'aide à tourner la page. Il me fait visiter la Boca, m'emmène marcher sur le terrain de foot de la Bombonera, on sort au Pacha avec ses amis, on va écouter un concert de tango au Café Tortoni. Et la journée, pendant que ma mère est en répétition, je garde bébé Ariane, qui, dotée d'une blondeur suédoise et de grands yeux bleus magnifiques, a une personnalité angélique.

Ariane et moi, nous rentrons à Montréal le 10 septembre 2001, avec une escale à l'aéroport Kennedy de New York à 8 h 30 du matin. Ma mère doit partir depuis Buenos Aires directement pour l'Allemagne, où une tournée l'attend. Les vols se passent à merveille, le bébé dort du décollage à l'atterrissage et nous arrivons à bon port en fin d'après-midi. Le lendemain matin, je me réveille dans mon lit à Montréal et le monde a changé. Mon cousin qui travaillait au World Trade Center est à l'étranger. Il est sain et sauf. Mais son meilleur ami y perd la vie, comme la plupart de ses collègues de travail. L'armée américaine envahit l'Afghanistan. Plus personne ne comprend quoi que ce soit, on est partagés entre les *French fries*, Al-Qaïda, les Bush, les Saoudiens, les talibans, le pétrole, Saddam, les théories de Michael Moore, le drapeau américain, les innocents qui sont morts, d'un côté et de l'autre, mais en même temps la vie chez nous continue. Et moi, je suis jeune et je joue aux serpents sur mon Nokia en m'interrogeant sur le sens de la vie, sans trop savoir ce que je dois faire ou ce que je dois penser de tout ça. Toute cette histoire me trouble profondément et je décide alors que je veux devenir reporter de guerre ou lectrice de nouvelles.

STASH

Avec cette idée en tête, je m'inscris en communication à l'université. Comme j'ai mis mon piano classique de côté depuis au moins deux ans pour me consacrer à mes amitiés, à mes amours et à mes sorties, et que je ne connais rien au jazz, aucune université ne m'accepterait en musique. Mieux vaut trouver un autre métier. De plus, je ne veux pas galérer comme j'ai vu mes parents le faire lorsque j'étais enfant. Si je veux réussir dans la musique, il me faut d'abord un plan B.

Mi-octobre 2001. Je reçois un coup de fil de mon cousin Charles. « Écoute, Flo, je t'appelle parce que je mangeais dans un resto polonais du Vieux-Port ce midi et, entre deux *pierogi*, j'ai entendu une conversation entre la patronne et un de ses employés. Il paraît que le pianiste qui joue au restaurant les soirs de fin de semaine s'en va et ils vont tenir des auditions pour en trouver un autre. Tu devrais téléphoner et essayer d'obtenir le boulot, je te vois faire ça ! » Je remercie Charles, je note le numéro et j'appelle la dame en question, Pani Ewa. Elle me donne rendez-vous le lendemain, à 18 heures, pour mon audition. Elle me demande si je sais jouer un peu de tout. Je mens. Oui oui oui, pas de problème. Mais la vérité, c'est que j'ai à peine touché mon instrument dans les deux dernières années, occupée que j'étais entre la fête et les voyages, et que je ne peux me souvenir que d'une moitié d'un impromptu de Schubert, d'un quart de valse de Chopin (un Polonais, Dieu merci, ça me servira pour l'audition) et d'*Eleanor Rigby*. C'est à peu près tout. Je lis la musique, mais à la manière classique, les notes défilant à l'horizontale, les unes après les autres, je ne sais que faire d'une partition de musique pop, encore moins de jazz, avec tous ces accords chiffrés. J'ai vingt-quatre heures pour me préparer. Je m'assois au piano, je pique quelques cahiers à mon beau-père jazzman et je décide de monter six morceaux de styles différents, comme ça je pourrai faire semblant d'être à mon aise dans tous les genres. *Summertime*, *Memory (Cats)*, la valse de

Chopin, la habanera de *Carmen*, *Eleanor Rigby* et ce demi-impromptu de Schubert. Je répète, je dors à peine, je ne me pointe pas à l'université, je répète, je répète… Et finalement, le lendemain soir, j'arrive au restaurant. Mme Ewa m'accueille gentiment et m'invite à m'asseoir au piano. Un piano droit centenaire m'attend juste devant la porte d'entrée du restaurant, sous une bouche d'air conditionné et à côté de la fenêtre qui donne sur la rue Saint-Paul. Je joue vingt minutes, elle m'engage. Je commence le lendemain. Quatre soirs par semaine. Je pose un verre sur le côté gauche du piano pour les pourboires. Le premier soir, je joue mes six pièces, je prends une pause et je recommence. Puis, chaque soir, je rajoute un morceau, et un autre, et un autre. Les soirs d'été, les passants et les touristes s'arrêtent devant la fenêtre du restaurant, attirés par les notes de piano. Beaucoup d'Américains. C'est l'époque de l'eldorado du cinéma à Montréal. Toutes les stars viennent y tourner. Robert Downey Jr. vient manger chez Stash et signe le livre d'or. Leonardo DiCaprio et sa copine de l'époque, Gisele Bündchen, bien cachés sous leurs casquettes, s'attablent à deux mètres du piano. J'ose m'aventurer à jouer *My Heart Will Go On* de *Titanic*, les serveurs trouvent ça rigolo.

Je sais que même si j'ai parfois l'impression de ne pas être écoutée, voire de ne pas être entendue, et qu'il m'arrive de me sentir comme une tapisserie, je suis loin de l'être. Les gens mangent, parlent, boivent, fument, mais moi, pianiste du fond de la salle, j'ai entre mes mains le thermostat de l'ambiance. Assise à mon piano, je suis la gardienne de l'atmosphère. Ce restaurant devient pour moi une véritable école. Je m'amuse à faire des jeux avec l'équipe, du genre : devinez quelles seront les trois chansons de Ricky Martin que je vais essayer d'insérer dans la prochaine heure. Le personnel de la cuisine crie ses demandes spéciales depuis le sous-sol. J'ai un *medley* Walt Disney pour les familles avec de jeunes enfants, et un autre Rodgers & Hammerstein pour les enfants un peu plus vieux, un *medley* hip-hop pour les enterrements de vie de garçon, un *medley* salsa pour les samedis soir. Quand on me demande de chanter, je m'exécute timidement, mais ça y est, j'ai la piqûre, je commence à sincèrement aimer ça.

SPOTLIGHT

Stash Café est désormais le centre de mon existence, et je perçois ce lieu comme étant la porte d'entrée vers la vie dont je rêve. Je me mets déjà au piano comme si je montais sur la scène des plus grands théâtres. Peu m'importe qu'il y ait trois, dix, cent ou mille personnes dans une salle, lorsque je joue, je me dis que c'est sacré. Je me dis que si je réussis à toucher droit au cœur ne serait-ce qu'une seule personne dans le restaurant avec ma musique, alors ma mission de la soirée est accomplie. À travers ces quatre années passées au piano chez Stash, je tomberai amoureuse de ce métier. Un métier où je me sers de mes émotions, de mes humeurs, de mes drames, de mes joies, pour travailler, pour *performer*. La ligne entre vie personnelle et vie professionnelle deviendra plus tard difficile à tracer pour moi, parce que je bosserai avec des gens qui partagent la même passion que moi, qui mourraient sur leur instrument ou à leur console de son, qui ne se verraient jamais faire autre chose, des gens un peu fous, des gens complètement *out of the box*. Je ferai de la route avec eux, je grandirai avec eux, j'écrirai avec eux, je créerai avec eux, j'éprouverai parfois des sentiments pour eux, parce que la musique, oui, c'est quelque chose de très grand et d'universel, mais c'est aussi quelque chose d'extrêmement intime. Et je m'exposerai totalement, dans ce désir de monter sur scène qui commence déjà à m'habiter pendant mes années chez Stash. Je souhaiterai ardemment avoir les projecteurs braqués sur moi, et me mettre à nu devant tout un chacun au nom du partage de toutes les émotions qu'il m'est donné de vivre. C'est taré, mais c'est génial. Ça deviendra pour moi une drogue. Les papillons, l'adrénaline, les applaudissements, l'attention. Pour ne pas être en manque de cette frénésie, pour ne pas tomber *cold turkey*, je travaillerai comme une folle pour pouvoir monter sur scène le plus souvent possible. Pas nécessairement par exhibitionnisme ou par narcissisme, mais plutôt pour partager ce qui traîne aux quatre coins de mon âme. Par instinct de survie. Parce que je suis une artiste et que, si l'artiste ne chante pas, s'il ne crée pas, s'il ne crie pas quelque part sa joie ou sa peine, et surtout s'il ne hurle pas son amour, il meurt à petit feu. L'amour et toutes ses déclinaisons font partie du mécanisme qui fait bouger le monde, mais ils font surtout tourner le moteur de la musique et de l'artiste qui la porte à bout de bras.

BOARDWALK EMPIRE

Je regarde quotidiennement les journaux, les petites annonces, Internet, en quête de n'importe quel groupe ou agent d'artistes qui recherche une chanteuse ou une pianiste. Mon amie Maïna me donne un coup de main et trouve l'annonce d'un groupe de musique qui cherche une chanteuse pour les États-Unis. Je passe une audition pour faire partie de ce *band* de top 40, Spellbound, qui a obtenu un contrat pour aller jouer à Atlantic City. Je pars avec eux au Boardwalk Empire. J'ai dix-neuf ans. À mon âge, j'ai le droit de chanter, mais pas de boire, ni de *gambler*. Je fais mes classes, c'est la première fois que je délaisse mon piano pour le micro. Ça me plaît, mais je trouve la vie de casino très moche, surtout celle d'une ville qui a connu ses heures de gloire à l'époque de la prohibition et qui, depuis, traîne un peu la patte. Je décrète intérieurement que je pourrai chanter dans les clubs et les casinos quelque temps, mais pas trop. Il faudra que je fasse attention à ne pas embarquer dans cette routine-là. Ma mère me l'a toujours dit : la vie dans les bars accélère le vieillissement de la peau et de l'âme ! Et, à l'époque, tout le monde fume tout le temps. Moi aussi, parfois. La vie de bar, ça fait rider et ça bousille la voix.

Je reviens à Montréal fin janvier et je fais des pieds et des mains pour rattraper les trois premières semaines de cours de ma session d'hiver à l'université. Je suis éparpillée, j'ai laissé mon cœur et ma tête sur la scène du Tropicana, mais je n'ai pas envie de faire traîner mon bac éternellement.

Je veux le terminer, obtenir mon foutu papier et vivre. Vivre plus, toujours plus. Je suis insatiable sur le plan du vécu. Plus j'en vis, plus j'en veux. Toute ombre de routine me semble d'un ennui incomparable. J'aime les grands voyages, les grandes émotions, les grands projets. Je trouve tout le reste nul. Et quand quelque chose n'est pas assez grand à mon goût, je m'arrange pour en faire un événement, à l'image de mon boulot de pianiste au Stash Café, que j'aborde comme si je jouais au Madison Square Garden tous les soirs.

FRANCINE

J'ai presque fini l'université. Il me reste à faire un stage et je n'aurai plus qu'une session à effectuer. Je demande son avis à ma mère. Elle me dit qu'elle me verrait bien en relations de presse et que, justement, elle a travaillé il y a quelques mois avec la première dame des relations de presse à Montréal, Francine Chaloult. Je l'appelle. Elle accepte de me rencontrer. Je suis prête à travailler pour rien, je veux bosser avec la meilleure. Je suis ambitieuse et je ne m'en cache pas. Sauf que je ne dispose pas des moyens de mon ambition. Je suis bourrée de bonnes intentions, mais je perds parfois tant confiance en moi que je me fige et que je me tire moi-même une balle dans le pied en faisant toutes sortes de gaffes. Elle me donne l'adresse de sa boîte. Quelle n'est pas ma surprise quand j'arrive au rendez-vous et que je réalise que le plus prestigieux bureau de relations de presse au Québec est situé dans le garage de sa patronne! Je souris. J'adore déjà. Je suis nerveuse, gênée, rien que son nom m'impressionne. Elle les a tous faits: Céline, Isabelle Boulay, Roch Voisine, Garou, *Starmania*, *Notre-Dame-de-Paris*, Aznavour… La porte du garage est grande ouverte sur l'allée. Je m'avance lentement. Et je la vois. Cette femme magnifique qui paraît vingt ans de moins que son âge, l'oreille collée sur son téléphone, un crayon à la main, un gros bouquet de fleurs sur son bureau. Elle me fait signe d'avancer. Elle parle fort. Elle brasse des affaires. Je me présente timidement à son assistante, Mumu, et à Martin, qui travaille également là. Francine me salue chaleureusement. Je lui explique que je dois faire un stage. Elle ne sait pas trop en quoi son agence respecte le cursus de l'université, mais elle semble enchantée de faire ma connaissance. Elle m'engage sur-le-champ pour l'été. Je l'adore. L'université ne reconnaîtra jamais mon stage, car il semble que le travail de relationniste de presse dans le milieu du showbiz ne s'inscrit pas dans le domaine des communications. Mais je m'en fous complètement, j'apprends auprès de Francine trois fois plus de choses qu'à l'école et, surtout, cette dernière deviendra comme ma deuxième mère.

MUMU

Je suis franchement une relationniste nulle, je suis beaucoup trop gênée au téléphone, je me mélange dans les noms, dans les numéros, et j'oublie tout parce que j'ai toujours la tête dans les nuages, dans la musique. Je commets ma plus grave erreur lorsque

Francine me demande de poster les invitations V.I.P. à la première du spectacle de la première édition de *Star Académie*, au Centre Bell. On ne fonctionne pas encore par courriel à l'époque. Donc, je fourre la centaine de cartons dans mon grand sac avec l'intention de les mettre dans la boîte aux lettres, je dis au revoir à tout le monde en fin d'après-midi et je me dirige vers le métro pour aller chez moi me changer avant d'aller jouer du piano chez Stash. À la maison, j'enfile mes vêtements noirs pour le resto, et je change de sac, laissant l'autre dans un coin de ma chambre, par terre. Puis la soirée passe, le week-end passe. Lundi, mardi, mercredi, jeudi... Francine s'étonne que nous n'ayons pas encore reçu de confirmations pour la grande première, qui a lieu dans moins d'une semaine. Elle me demande si j'ai bien posté les cartons. Merde. Merde de merde de merde. J'ai complètement oublié. Ils sont encore sur le plancher de ma chambre dans mon grand sac. Mais quelle conne! Merde! *Oh my God!* Le plus gros événement médiatique de l'année, et je suis trop distraite pour me souvenir d'effectuer la seule tâche qui m'avait été assignée. Je lui mens. Je me mens. Oui, oui, je les ai postés. Il a dû y avoir un problème avec le courrier. Ça m'a pris des semaines à m'en remettre. De mon erreur et surtout de mon mensonge. Je les lui avouerai quelques années plus tard, encore honteuse de ma connerie, mais notre amitié aura survécu à ma trahison. Elle m'invite à son chalet, à Lachute, elle écoute mes démos, elle me donne des conseils, elle ne me chicane pas trop quand je me trompe et, surtout, elle continue à me faire confiance.

Au bureau, je travaille avec Mumu, qui fait preuve d'une grande patience à mon égard, même si je dois franchement être dans ses pattes avec toutes mes gaffes. Mumu vient m'écouter jouer au restaurant, elle y amène des amis. Elle m'obtient une entrevue et une prestation à l'émission de Serge Laprade, elle me donne toutes sortes de conseils sur la façon dont je pourrais percer dans le milieu. Je l'apprécie énormément. Un jour, on m'offre de postuler pour l'emploi de relationniste de presse pour l'Orchestre symphonique de Montréal. Je suis peut-être broche à foin et maladroite, mais je suis motivée et je finis toujours par tirer mon épingle du jeu. Et Francine vend mes talents de la sorte. L'entretien d'embauche se déroule bien. J'angoisse. Je veux le poste, c'est un emploi de rêve pour une étudiante en communication, ça pourrait être le début d'une belle carrière dans les relations de presse, à vingt ans seulement. Mais, en même temps, je viens de passer une audition pour un autre groupe de top 40 qui cherche une chanteuse pour un contrat de deux mois au Maroc, à Casablanca, et ses membres souhaitent m'engager. J'en parle à Mumu dans la salle de la photocopieuse du bureau. Elle me regarde dans les yeux : « Flo, ne prends pas le boulot à l'OSM. Tu n'es pas faite pour ça. Va faire de la musique. Va chanter au Maroc. » Merci, Mumu. C'est ça que je voulais entendre depuis le début. Je suis soulagée.

ESSAOUIRA

Casablanca. L'hôtel Azur, sur la corniche, où nous séjournons, est le voisin de la boîte de nuit le Amstrong, dans laquelle le groupe dont je fais partie, gracieusement nommé Solid Gold, est engagé pour une durée de dix semaines. Le Maroc représente mon premier voyage en terre arabe. Même si le pays de mon père se trouve beaucoup plus à l'est que le Maghreb, je m'y sens chez moi. La musique, la langue, la cuisine, les odeurs, l'huile d'olive, les épices, les couleurs, les minarets, la Méditerranée, le désert, les souks. Tout me fait me sentir bien. Et on me fout la paix. J'ai l'air du coin. Je suis brune, teint olive, je baragouine une dizaine de mots en arabe, surtout des insultes et des mots d'amour, j'ai le nez, alors on me croit de l'endroit, je ne suis pas la cible des lanceurs de « Eh ! la gazelle » et des « dix dirhams, dix dirhams » prononcés à droite et à gauche dans les souks. Le show a lieu tous les jours de la semaine sauf le dimanche soir.

Notre premier *set* commence à 23 h 30 et nous terminons à environ 4 heures. Puis on mange un peu, je me couche au lever du soleil, je me réveille vers 13 heures, je descends déjeuner au thé marocain (dont je deviens rapidement complètement dépendante) et aux loukoums, et j'ai toute la journée devant moi pour explorer. Et Dieu sait que j'explore ! Toute la ville, du nord au sud, d'est en ouest. Je veux tout voir, tout savoir. La vieille ville est un vestige de l'époque de la colonisation. Les bâtiments d'architecture française et espagnole (proximité oblige) tombent en ruine, entre les mosquées et les vieux rails de tramway, entre les fils d'électricité qui partent de tous bords tous côtés, qui s'accrochent là où ils le peuvent. Puis les souks, les médinas, de véritables labyrinthes, des cités dans la cité, où je me perds sans arrêt. Je m'y promène avec mon carnet de notes. Je note tout, je dessine tout ce que je vois. Je suis complètement fascinée. Je me sens proche de ce pays. Je me sens proche de cette terre. J'y trouve certaines réponses à des questions qui me travaillent depuis toujours. Je me sens proche de ses gens, de sa culture, de ses racines. Même si nous ne sommes ni de la même religion, ni de la même région du monde arabe, quelque chose dans mon sang tourbillonne à l'idée de me rapprocher de mes origines. Je me cherche un professeur d'arabe. Je veux en profiter pour enfin régler ce problème qui me tourmente depuis mon enfance : le fait que je ne parle pas la langue de mon père. M. Saïd a été professeur d'arabe à l'ONU. Il m'accueille chez lui tous les vendredis et sa femme nous fait de la soupe. Puis arrive, à la fin de la semaine, notre sacro-sainte journée de congé. Elle commence dès la fin de notre dernier *set*, le dimanche matin à 4 heures. Avec deux autres membres du groupe, je prends l'habitude de sauter dans le premier train, autour de 5 h 30, et de me rendre dans l'une ou l'autre des anciennes cités marocaines, que ce soit Marrakech, Essaouira, Fès ou Rabat, pour une excursion éclair de vingt-quatre heures, puis de reprendre le train du lundi en début d'après-midi pour revenir à Casa. Essaouira me coupe le souffle. Cette ville respire la sérénité. Aucune voiture n'est permise à l'intérieur des enceintes de la ville, et ses murs bordent la côte Atlantique, donnant vue sur l'île de Mogador, coin privilégié des musiciens hippies des années 1960, dont Jimi Hendrix. Ce n'est ni la folie des souks de Marrakech, ni l'insécurité que j'ai ressentie à Fès, ni encore la mode touristique des Européens qui achètent des ryads à droite et à gauche. De ma vie, je n'ai jamais vu de plus beau coucher de soleil qu'à Essaouira, assise sur les remparts de la ville, au son des rythmes traditionnels gnaoua qui s'animent au loin dès que la nuit tombe. Et, face au coucher de soleil, je prends la décision très solennelle de venir finir mes jours à Essaouira. Et je me prends une note mentale de faire rédiger plus tard dans mon testament que l'on pourra jeter mes cendres à la mer, depuis ces mêmes remparts.

LIVE AU LION D'OR

Je reviens à Montréal et je termine enfin mes études. Mon bac en poche, j'ai maintenant vingt et un ans et je suis bourrée de certitudes. Je continue à jouer chez Stash et j'y sympathise avec un avocat qui veut me filer un coup de main et agir à titre de mécène. Il m'offre la structure nécessaire pour organiser un premier spectacle de mes compositions originales au Lion d'Or et donc pour lancer ma carrière d'artiste solo. Le concert est enregistré et, le printemps suivant, on envoie les copies du CD à toutes les maisons de disques et à tous les distributeurs de la métropole. Peu de retours. En fait, un seul. Mais le plus important. Une grosse boîte de disques veut distribuer mon album et signer un contrat avec moi pour mes trois albums suivants. Nous sommes en 2005. Internet n'a pas encore eu son dernier mot sur l'industrie, donc un contrat de disque, ça a une très grande valeur et ça donne les moyens de produire et de mettre en marché la musique que l'on crée. Dans les films, il y a toujours le moment où l'artiste signe un contrat et saute de joie. Aujourd'hui, cette artiste, c'est moi.

ANNE

À ce stade, on décide avec Francine qu'il faut me construire une *fanbase*. C'est bien beau de savoir chanter, mais c'est encore mieux s'il y a un public pour nous écouter. Il me faut une résidence quelque part, un lieu où je peux jouer chaque semaine avec mes musiciens et inviter quelques personnes du milieu et des médias de temps en temps. Le lieu idéal : le Jello Bar. Je le connais bien. On sort là, mes copines et moi, et on se prend pour les filles de *Sex and the City* avec nos martinis. L'endroit est beau et grand. On organise donc ces 5 à 7 tous les vendredis. On paie les musiciens avec la caisse de l'entrée. Norm, Walli et Fred jouent avec moi. On fait du Terence Trent D'Arby, un peu de mes chansons, du Jobim, je joue et chante debout, à mon clavier Yamaha P120 que ma mamie m'a offert lorsque je suis partie vivre en appartement.

Dominique, qui travaille avec Francine et qui est la fille ayant le plus d'amis en ville, s'assure que la place est remplie chaque semaine. C'est parfait, parce que ma nouvelle boîte de disques veut envoyer un émissaire tâter le terrain pour voir le genre d'artiste que je suis sur scène. Le label m'avertit qu'une certaine Anne viendra m'écouter. Tout le monde m'a parlé d'Anne. «Attention, si Anne vient, il faut que tu sois au top, sois belle, sois bonne. Dis pas de conneries sur scène. Anne, c'est la meilleure directrice artistique en ville. Tu dois l'impressionner. Si tu l'as de ton bord, tu vas être en Cadillac avec elle.» OK, OK, ça commence à me stresser cette histoire d'Anne-la-fille-qui-va-déterminer-mon-avenir. Je décide que je ne me laisserai pas impressionner. Je monte sur scène. J'entame les premières notes de *Hey Little Sister*. La porte d'entrée du bar claque. Je regarde vers la gauche. Je sais tout de suite que c'est elle, même si je ne l'ai jamais vue. Elle a fière allure. Cheveux noirs, coupe au carré, teint méditerranéen. Elle porte un veston noir en cuir par-dessus un tee-shirt au col en V. Des jeans coupés parfaitement qui retombent exactement au bon endroit sur ses chaussures Freelance. Elle a un sac Matt & Nat duquel dépasse un gros *laptop* Mac argenté. Tout le monde la reconnaît, tous la saluent, elle leur fait la bise, à la française, elle s'assoit au bar, commande un gin-tonic et me fixe du regard.

Ça n'aura pris que ça, je suis vendue. C'est avec elle que je veux bosser et personne d'autre. Je sais à l'instant que c'est elle qui saura m'aider à passer du «presque» que j'ai l'impression d'être au «tout» que je veux devenir. Anne m'a aimée. Je me pince tous les matins. Je m'apprête à entrer en studio et à commencer la vie dont j'ai toujours rêvé. Grâce à

Anne, grâce à l'appui financier indéfectible de mon mécène, et avec mon ami réalisateur Anthony – mon premier ami musicien à Montréal qui m'ait proposé des contrats pour chanter dans des pubs et qui m'ait appris à composer de vraies chansons – et mon guitariste Norm, que j'avais rencontré lors du contrat au Maroc et qui travaille fidèlement à mes côtés depuis le Lion d'Or, on écrit et on enregistre *Bossa Blue*, un disque ensoleillé. Et cette musique soleil, c'est la réponse que je donne à mes angoisses lorsqu'elles surgissent au fond de moi.

LA VIE

Je tiens encore le test de grossesse entre mes mains. Deux lignes. Je ne rêve pas. Je suis enceinte. J'ai vingt-deux ans, j'habite dans un 4½ à Côte-des-Neiges avec une coloc, je suis avec mon mec depuis trois mois, c'est une relation longue distance puisqu'il habite à six heures de route de chez moi, et bien que je sache que c'est un type bien, qu'il a dix ans de plus que moi, qu'il a déjà un petit garçon et que sa vie est organisée, mes mains tremblent. Depuis que je suis petite, j'ai le souhait profond de devenir maman jeune pour pouvoir partager le plus de temps de vie possible avec mon enfant et aussi, quelque part, et très égoïstement sans doute, pour combler une solitude existentielle qui sommeille en moi depuis toujours. Donc, là, l'émotion est incommensurable. Mais mitigée. Parce que, oui, je suis heureuse, sincèrement. Vraiment. Je veux cet enfant. Mais aussi parce que, franchement, je ne m'y attendais pas. On a créé une vie. Une cellule se multiplie en moi et est en train de devenir une petite crevette. Je n'en reviens pas. Je n'appelle pas mon copain en premier, mais plutôt ma mère.

— Je suis enceinte.

Rien. Elle ne répond rien. Puis elle me dit :

— Mais c'est fantastique, ma chérie !!

— Quoi ??? Tu ne me dis pas que j'ai perdu la tête ? Tu ne me dis pas que c'est pas le bon moment, que je viens de signer un contrat de disque, que je commence ma carrière, que j'ai à peine terminé mon bac, que je gagne pour l'instant 700 dollars par mois si les pourboires ont été généreux et que je suis avec mon mec depuis moins de trois mois ?

— Bien non, ma chérie. Tu sais, chaque enfant apporte avec lui son propre pain. Tu vas être une mère extraordinaire.

Bon, OK. Ma mère, c'est vraiment Disney World. Mais ses lunettes de *La Vie en rose* me font du bien en ce moment. J'appelle mon copain. Il est au volant. Je lui dis de se ranger sur l'accotement. Et je lui annonce la nouvelle. Grand silence, mais par la suite, c'est le même son de cloche, et il dit qu'il veut m'épouser... J'hallucine. Là, je suis trop sonnée pour penser à quoi que ce soit. Je vais me faire un café.

Merde, j'ai bu trois verres de vin samedi dernier. Est-ce que l'embryon va en souffrir ? Non, non, Florence. Souviens-toi de nos grands-mères qui fumaient jusqu'à la salle d'accouchement et qui buvaient leur verre de vin tous les soirs. Ce n'est pas un exemple, mais bon, si ça t'aide à passer outre tes trois verres, ne t'inquiète pas, ton bébé n'aura pas le syndrome

d'alcoolisme fœtal. Et là, je fais quoi pour mon album ?
C'est quoi cette question ? Depuis quand être enceinte
empêche de chanter ? Depuis jamais. Mais ne sommes-
nous pas à l'ère de l'hypersexualisation des chanteuses ?
Quoi ? Tu veux te mettre en bikini sur ta pochette de
disque ? Tu veux ramper à quatre pattes dans ton clip ?
Non ? De toute façon, tu n'as ni la tête ni le corps pour
percer de cette manière-là. C'est ta musicalité qui t'ap-
portera du succès, et non ton look, ça c'est certain. Alors
ça, c'est réglé.

Je l'annonce à Francine. Puis au label. Anne ne voit aucun inconvénient à ma grossesse par rapport à ma carrière, et elle se bat pour le faire comprendre à certains des esprits misogynes qui bossent à la maison de disques et qui veulent résilier mon contrat.

Ma petite fille attend la date prévue pour se pointer le bout du nez, à 8 heures du matin, après une chaude nuit d'orages. Il n'y a évidemment pas de mots assez forts pour décrire la beauté et la puissance de ce que je ressens pour elle. Je suis une lionne avec cette enfant. J'en suis complètement folle. La nuit, je colle son berceau au bord de mon lit pour être certaine de bien l'entendre respirer. Quand elle dort, je ne quitte jamais la pièce dans laquelle elle se trouve. Je l'emmène partout, je l'allaite partout, je la chéris plus que tout au monde. Je monte sur scène et elle m'attend dans la loge, sous les bons soins d'une amie ou de la gardienne, et pendant l'entracte, je vais l'allaiter, puis je retourne chanter. Au début de la vingtaine, les nuits blanches ne m'effraient pas. Je suis crevée, mais je suis heureuse. La vie m'a comblée.

2008. Mon partenariat avec l'avocat-mécène se termine. Pas de la façon dont je l'aurais souhaité, alors je traverse une période où je me sens extrêmement coupable. Je me dis que c'est grâce à lui que j'ai pu entamer ma carrière et j'ai l'impression d'être une traîtresse et de laisser tomber ceux qui ont été là pour moi dès le début. Dans ma tête, je traduis de plus en plus les choses de manière à me poser à la fois en vilaine et en victime. Tous les prétextes sont bons pour que je sois affectée, pour que je me sente coupable et pour que mes émotions m'empêchent de gérer les situations de façon rationnelle.

Le deuxième disque studio. On l'attend, à ce qu'il paraît. Il faut aller un peu ailleurs, mais pas trop. Il faut continuer à donner aux fans ce qu'ils ont aimé du premier, mais en même temps proposer quelque chose de nouveau, garder le fil conducteur tout en surprenant. J'ai vingt-cinq ans. Ma fille grandit. Elle va avoir deux ans cet été. Ma relation avec son père commence déjà à se dissoudre. Il est pilote dans le Grand Nord. Nous vivons sur deux planètes différentes, et nous nous voyons très peu. La musique me tient. Je chante presque tous les soirs, je n'arrête jamais, donc je ne me retrouve que rarement en tête à tête avec moi-même afin de me poser les vraies questions. Je compose mes nouvelles chansons sur le coin d'une table. Je n'y mets pas le même soin, la même attention que pour mon premier disque. J'y travaille comme sur ces travaux scolaires de dernière minute, ceux que l'on commence la veille de la date où l'on doit les remettre. Parfois ça marche, l'adrénaline, mais je ne veux plus faire de musique de cette façon, je veux prendre mon temps. Sauf que je n'ai pas de temps. J'embarque dans le train. Je travaille sans relâche. Je suis crevée, émotionnellement aussi, je rêve d'un cocon familial, d'une harmonie parfaite. Je la trouve avec ma fille, c'est tout, et je plonge dans la musique pour oublier que je ne l'ai pas avec son père. L'album sort, je monte un nouveau show, je suis tout le temps en spectacle. Je travaille le soir, je suis maman le jour, je suis constamment fatiguée. Mais je me répète que j'ai de la chance de vivre de ce métier, de faire ce que je fais. Et dès que je monte sur scène, je déborde de joie de vivre. J'ai le cœur à la musique. Je me rapproche de plus en plus de la musique cubaine. Je travaille avec des musiciens cubains à Montréal. Je commence à approfondir ma connaissance des différents rythmes de la salsa, du son clave, des secrets des arrangements de cuivres, du tumbao au piano, de l'art du solo, des expressions cubaines. Je me mets même à prendre l'accent cubain en espagnol. Toute la *Historia de Lola*, c'est ça. C'est moi qui souhaite être loin loin loin, le plus loin possible de ma propre vie, à Cuba ou ailleurs, au point d'en imaginer une autre, celle de cette Lola inventée de toutes pièces sous le prétexte d'un concept d'album.

BERMUDA

Je suis invitée à jouer au Festival de jazz des Bermudes. J'y vais avec ma fille et son père. Nous avons encore de l'affection l'un pour l'autre, mais notre couple bat de l'aile. On se dit qu'un voyage nous remettra peut-être sur pied. Je considère alors que l'échec de notre relation est entièrement ma faute et, fidèle à moi-même, je décide de porter le blâme, d'acheter la paix. Je ne suis plus bien depuis un moment, je veux partir, je regarde ailleurs et je m'en veux de chercher chez les autres ce que je ne retrouve plus chez moi, mais je reste quand même. Je suis en dichotomie totale. Je les souhaite plus que tout au monde, ce cocon familial, cette famille parfaite. Je veux réussir là où mes parents ont échoué. Mais je suis malheureuse et je me dis que je n'en ai pas le droit. Que c'est un péché d'être malheureuse lorsque la vie a été si généreuse envers moi. Lorsqu'elle m'a donné la santé, la maternité, le bonheur de faire un métier que j'aime, de réaliser mes rêves, d'être bien entourée. Et tous les matins, je me mens et je lui mens en pleine face, en essayant de me convaincre que je peux rester, que je peux l'aimer comme il devrait être aimé par la femme qui partage sa vie. Ce n'est pas bien de faire ça aux gens. Je le sais. Le premier pas vers le respect dans une relation intime, c'est la clarté. Et moi, je suis toujours floue. Parce que je ne veux pas lui faire de mal. Ni à lui, ni à ma fille, ni à moi-même. Mais je finis toujours par chialer à la fin de la journée, par me coucher en me demandant si quelque chose va miraculeusement changer tout seul le lendemain à mon réveil, comme ça je n'aurais pas à prendre de décisions.

Nous partons donc aux Bermudes et, moi, je prie pour que le voyage sauve mon couple. Évidemment, ça ne le sauve pas. Sauf qu'on va voir des fichus de bons concerts ensemble. Beyoncé, la tigresse qui maîtrise tout. Le bourreau de travail qui tient son public en haleine du début à la fin. Elle donne envie à chaque femme de devenir une reine. Puis, le lendemain, Alicia Keys. J'ai lu un article sur elle, peu avant son spectacle, dans lequel elle raconte qu'elle vient de traverser une terrible dépression. Je ne comprends pas trop ce qu'une fille comme elle peut bien faire en dépression. Elle a tout pour elle. Mais absolument tout. Je lis l'entrevue une deuxième fois, intriguée, mais je n'arrive toujours pas à m'imaginer ce qui peut bien faire basculer dans la dépression une telle femme, ni, surtout, ce en quoi consiste exactement cette maladie bizarre. Est-ce un manque de volonté? De l'apitoiement sur soi-même? Un déséquilibre hormonal? Une fatigue extrême? Une maladie mentale? Tout le long de son concert, j'essaierai de dépister si, pendant qu'elle chante, le fait qu'elle ait connu la dépression transparaît. Chaque fois qu'elle regarde vers le plancher, qu'elle a l'air un peu moins sûre d'elle, je me dis que ça y est, c'est un symptôme de la dépression. Elle donne un bon show, mais je porte plus d'attention à essayer de décrypter sa personnalité qu'à écouter sa musique. J'aimerais bien percer le secret de ce contraste entre ce que semble être sa vie et la maladie qu'elle décrit. *Be careful what you wish for.*

AVOIR, FAIRE
ET ÊTRE

Je continue la tournée, les spectacles. Je m'essaie un peu en France, en Europe, je joue de plus en plus de piano. Je plonge dans ma pratique de l'instrument, j'y déverse tout ce qui stagne dans ma vie. Mais ce qui traîne prend la poussière. Si quelqu'un me demande comment ça va, je réponds, le sourire fendu jusqu'aux oreilles, que ça va super bien, que je fais telle ou telle chose, que je suis sur tel ou tel projet, que je travaille sur telle ou telle musique, que j'ai un paquet de shows qui s'en viennent, que j'ai la chance de faire ce que j'aime, etc. Les verbes *faire* et *avoir*. C'est ça, ma réponse au bonheur. Surtout le verbe *faire*. Je ne suis pas trop matérialiste, j'ai la flemme d'avoir beaucoup de choses à entretenir, et je préfère de loin les moments aux objets. Faire, par contre, ça je connais. Mais simplement être, non. J'en ai perdu la signification. Je ne sais même plus qui je suis moi-même, tant je me perds dans mon propre chaos. Je bosse et je m'occupe de ma fille. Son papa continue à s'absenter pour son boulot. Ma mère m'aide énormément. J'ai vingt-six ou vingt-sept ans. Ce n'est pas compliqué, je ne suis heureuse que lorsque mon agenda est noirci de bord en bord. Ça me permet de ne pas m'arrêter et d'éviter de faire face à ce qui est moche. Parce que je sais très bien que je n'arriverais pas à le gérer.

GUERRIER I

Un centre de yoga ouvre dans mon quartier. Je n'en ai jamais vraiment fait. Juste un peu avec le DVD de yogalates de Karine Larose, que je traîne partout en tournée depuis quelque temps pour maintenir l'essentiel en forme. Je n'ai jamais été une fana de sport, mais j'aime bien les exercices de Karine. J'arrive en retard, comme à mon habitude, au studio de yoga pour mon premier cours. Il est près de 20 heures et il fait noir, en cette fin mars 2009. J'entre dans une pièce bondée et j'installe mon tapis dans la mauvaise direction parce qu'il n'y a pas de place. La professeure me demande gentiment de m'insérer entre deux yogis et de suivre ses indications. Je suis surprise, la première fois, de constater que la prof ne s'entraîne pas avec nous. Elle se promène entre les tapis et elle décrit mot à mot les postures. « Pour *virabhadrasana*, à partir du chien à tête baissée, tournez votre pied gauche d'environ 45 degrés vers l'extérieur, déplacez votre pied droit vers votre poignet droit. Inspirez et relevez-vous, les mains vers le ciel, tout en gardant une jambe gauche arrière forte et votre genou droit plié, pour avoir un angle droit dans la jambe droite, et votre cuisse parallèle au sol. Prenez cinq respirations et regardez vers vos mains. Détendez les épaules, le plus loin possible des oreilles, et rentrez vos côtes vers l'intérieur. À chaque inspiration, créez de l'espace entre les vertèbres et décontractez vos muscles du bas du dos. »

Je me dis qu'il sera impossible pour moi de trouver la sérénité intérieure s'il faut que je réfléchisse autant pour chaque posture. Au départ, j'ai de l'aversion pour la pratique. Et je n'arrive pas à respirer de façon *ujjayi*, c'est-à-dire par le nez en contractant légèrement la gorge et en m'assurant de maintenir une certaine constance dans la durée de chacune de mes inspirations et de mes expirations. Cela me frustre et me rend impatiente envers moi-même. Mon corps ne parvient pas à approfondir les postures comme je l'aurais voulu. Et j'ai chaud. Et j'ai soif. Et je me sens de plus en plus mal à l'aise, à côté de tous ces yogis en pleine forme et en pleine possession de leurs moyens. Pourtant, sans m'en rendre compte, c'est à ce moment même, au summum de l'inconfort et de la frustration, que le yoga commence subtilement à faire son boulot. Effectivement, malgré tout, je reste et je continue à essayer.

J'y retourne la semaine suivante. Et le jour d'après, et peu après, dès que j'en ai l'opportunité. Une fine ligne entre le confort et le défi. Alors, j'ajoute le yoga dans ma liste de choses à faire, et ça m'aide à tenir la route pendant que mon couple flanche. J'en fais de plus en plus, au point que, si je manque une journée d'entraînement, je ne me sens pas bien, je me sens coupable, je me sens nulle. Le yoga est en train de devenir une drogue, et bien que ce soit de loin une addiction plus *safe* que le crack, la coke ou l'héro, ma pratique tourne à l'obsession. Encore une fois, je ne sais pas doser.

MALECÓN

Décembre 2009. Anne et moi décidons de partir à La Havane à la recherche d'inspiration pour mon prochain disque. Nous y atterrissons avec une idée précise en tête : trouver un réalisateur et des musiciens pour enregistrer à Cuba un album de Noël, comme Anne en a eu le flash. Nous avons quelques noms, des amis d'amis de Montréal, mais nous partons pour trois jours le cœur ouvert à l'aventure. Juan Pedro, l'ami de l'ami d'un ami cubain, vient nous chercher à l'aéroport José Martí avec sa femme, Marta. Ils nous conduisent à l'hôtel. Ils nous collent un peu trop aux baskets et veulent absolument réaliser mon disque. Je ne les avais jamais vus avant ce voyage et ils commencent à sérieusement empiéter sur ma bulle d'intimité. J'ai hâte qu'ils se cassent. Ils prennent un verre avec nous puis nous laissent au Nacional, un bâtiment de style colonial, magnifique. Avec ses colonnes blanches qui bordent majestueusement les terrasses du grand jardin, la vue imprenable sur le Malecón, sur la mer, sur la ville, les vieilles voitures américaines des années 1950, les chauffeurs de taxi qui attendent les clients dans leurs Lada, réminiscence absolue de l'époque où l'île était la petite sœur de l'URSS. Dans le jardin, il y a en permanence de la musique d'où ressort la régularité du « toc » de la cloche à vache et des « pock » des congas. Et dans les bars du jardin, c'est le festival du mojito. Un mojito par-ci, un mojito par-là, et la vie est foutument belle.

Juan Pedro essaie sans arrêt d'appeler Anne sur son portable. Elle ne répond pas. Il y avait quelque chose de croche, de mauvais dans son regard, et surtout dans celui de sa femme. Anne et moi vagabondons un peu le soir puis nous revenons à l'hôtel, qui se retrouve tout d'un coup bondé. Nous ne nous en étions pas rendu compte, mais nous sommes en plein Festival du film de La Havane. Des réalisateurs, des musiciens, des cinéastes, des comédiens occupent les terrasses du Nacional, et nous nous fondons à merveille dans cette pléiade d'artistes. On marche un peu, on écoute au loin les rires, les conversations. Il est 2 heures du matin. Mojitos, encore des mojitos. Puis Anne se redresse, comme frappée par la foudre, ou par un éclair de génie, et crie : « Osvaldo, Osvaldo, c'est pas vrai! Osvaldo!» Elle se dirige en courant vers un homme attablé de l'autre côté du jardin, devant son *laptop*, quelques bracelets d'argent au bras, un téléphone portable à l'oreille, qui parle en espagnol en gesticulant de façon très expressive. Je suis toujours assise à ma place et j'observe la scène à distance, intriguée. L'homme en question se lève, jette son téléphone sur la table d'un geste rapide et prend Anne dans ses bras. Deux amis de longue date qui s'étaient perdus de vue viennent de se retrouver. Osvaldo compose et réalise des musiques de film et des disques. C'est le *cast* idéal pour notre projet, car il connaît bien Cuba, ses musiciens, ses artistes, sa langue évidemment, et il maîtrise sur le bout des doigts la musique que j'affectionne le plus en ce moment, la musique latino-américaine.

La dernière journée de notre séjour, Juan Pedro et sa femme se pointent à l'hôtel pour nous raccompagner à l'aéroport. Merde, on avait complètement oublié qu'ils avaient notre horaire de retour. Par politesse, on embarque avec eux. On invente une excuse bidon pour justifier que nous ne lui ayons jamais répondu au téléphone. Il insiste encore pour réaliser mon disque. Anne lui explique que nous allons travailler avec un ami, Osvaldo. Juan Pedro fait la moue, tout en plissant les yeux. Il me fixe du regard tout le long du trajet. Je suis franchement à deux doigts de sortir de la bagnole à un feu rouge tant je suis mal à l'aise en leur présence. Marta sourit de façon narquoise. Elle ressemble à une sorcière. Les dents qui lui restent encore sont horribles à travers son faux sourire.

À l'aéroport, le couple insiste pour transporter nos bagages. Pour nous suivre jusqu'à la douane. Il nous énerve vraiment, Anne et moi. Nous le laissons quand même nous coller au cul. Anne passe la première dans la file vers le douanier. Je m'apprête à m'y engager à mon tour lorsque la mégère m'attrape par les épaules et me force à lui faire face. Elle me regarde droit dans les yeux et me dit : «*Algún día serás víctima de una enfermedad grave*[1].» Je me fige littéralement sur place. Des larmes remplissent mes yeux. Ce qu'elle m'a dit, ce ne sont que des conneries, mais j'ai peur de me mettre à y croire. J'ai peur que le simple fait qu'elle ait décoché cette flèche suggestive en ma direction soit suffisant pour m'attirer la foudre de cette maladie grave qu'elle ose me prédire. Anne se retourne et

---

1. Un jour, tu seras victime d'une grave maladie.

m'aperçoit, blanche comme une statue. Marta est repartie vers la sortie avec son connard de mari.

— Eh, oh, Flo, qu'est-ce qui se passe ?

— Rien, Anne, rien du tout, je te jure. Des niaiseries.

Je réponds, hésitante. Parce que mon malheur, c'est que ces niaiseries n'arrivent pas à décoller de mon esprit.

— Arrête, Flo, c'est quoi le bordel ?

— C'est Marta. Elle m'a un peu tétanisée parce qu'elle s'est prise pour Nostradamus et m'a prédit que j'aurai bientôt à combattre une grave maladie.

— Mais pour qui elle se prend, la folle ? On ne fait pas ça !

Il n'en faut pas plus pour qu'Anne laisse son sac à mes pieds et se mette à courir en direction de Marta, qui a déjà rejoint la porte vitrée de l'aéroport. Anne sort du bâtiment. Je l'imagine l'attraper par les épaules et lui crier, dans son anglais martelé d'accent français : « *We don't do that, Marta. We don't play with people. You can't do that, Marta.* » Anne rentre à nouveau dans l'aéroport. Elle avance vers moi en me lançant :

— Je lui ai parlé, à la connasse. Maintenant, tu oublies ces foutaises. On va faire un beau disque. Ces deux-là, ce sont des envieux qui se prennent pour des sorciers. On ne fait pas attention à eux. Allez, viens. On passe la douane maintenant.

THE MAN I LOVE

Havana Angels sort en octobre 2010. J'en suis extrêmement fière. J'ai complètement oublié Marta l'oiseau de malheur. Osvaldo, Anne et moi avons travaillé d'arrache-pied entre Montréal, Buenos Aires et La Havane pour faire de cet album un petit bijou. C'est probablement celui de mes disques que j'aime le plus. Je le présente en spectacle en décembre. « Magie » est le mot qui colle le mieux à ce dont il est enrobé. Enfin, à mes yeux. Sauf que sur scène, je ne suis qu'à moitié présente, car ma tête est de plus en plus dans les nuages. Comme quand j'étais petite, lorsque je ne me sentais pas bien et que je m'inventais des mondes imaginaires dans ma chambre pour échapper à la tension qui régnait à la maison entre mes deux parents. Je vivais partout sauf dans le présent. Quand je monte sur scène pour *Havana Angels*, c'est un peu ce qui se produit. Je suis là, mais je n'y suis pas tout à fait, je redescends sur terre entre les chansons, puis je disparais à nouveau, les yeux fermés, replongeant dans la musique de plus belle, entraînant les spectateurs avec moi dans ce monde imaginaire. Eux, ils semblent adorer. Moi, je ne suis pas convaincue.

Arrive l'hiver. Je monte un nouveau spectacle avec ma mère, *The Man I Love*. C'est la première fois qu'elle et moi travaillons ainsi ensemble, essayant chacune d'amener des bribes de nos univers respectifs sur une scène commune. Pour moi, c'est un gros défi. Je crois que pour maman aussi. Parce que je ne vais pas très bien et qu'elle, comme d'habitude, elle est en pleine forme. Mais ça nous rapproche aussi. Maman commence à remarquer que je vais de moins en moins bien, d'une façon latente mais constante. Elle me dit que je semble écrasée par le poids d'une immense fatigue et que ça me fait traîner de la patte. Oui, maman, je croule sous la pression d'une panoplie de choses enfouies qui cherchent à refaire surface depuis quelque temps. Mon couple fout le camp, je ne gère pas du tout. Je veux le quitter, mais je n'y arrive pas. Je tombe amoureuse ailleurs, fidèle à mon habitude de fuir les réalités qui me déplaisent au lieu d'y faire face et de faire les choses dans le bon ordre. Un vrai désastre.

Puis arrive le printemps, et je commence à me sentir complètement perdue. Je doute de tout. De moi et de tout autour. Et plus je doute, plus je me sens coupable. Je perds peu à peu mon équilibre. Je sors beaucoup. Je n'ai plus trop d'horaire, plus trop de routine, à part celle de la garderie que fréquente ma fille.

LE DOUTE

C'est un grand luxe que de se poser des questions existentielles. Surtout quand l'objectif quotidien de plus de la moitié de la planète est tout simplement de survivre. Le doute, c'est comme un sable mouvant. Plus on s'enlise, moins on a de chances de s'en sortir. C'est une pente dangereusement glissante. Lorsqu'on y dépose un pied, on s'aventure par le fait même sur un terrain qui peut nous emporter loin, beaucoup plus loin que là où on avait l'intention d'aller en suivant le fil de nos pensées. Le doute engouffre, le gouffre avale. Oui, l'avocat du diable est nécessaire quand vient le temps de prendre une décision. Mais là, on parle du doute qui émerge *out of nowhere* par rapport aux choses déjà passées, le doute qui n'est pas constructif, le doute qui remet en question l'essence même, la nature entière de ce que nous faisons, et donc de ce que nous sommes. Le doute qui peut anéantir en une seule seconde des années d'efforts, des années d'existence, des années de travail, à la lumière d'une seule pensée poussée un peu trop loin. Dès que l'on se met à douter, notre physionomie change. Les yeux se perdent, fixant un point qui ne demande pas d'analyse trop prononcée à notre cerveau, lui permettant de continuer à suivre la spirale. La bouche s'ouvre à moitié, s'assèche, notre être se fige, on perd contact momentanément avec la réalité de ce qui est concrètement en train de se passer. Avec l'instant présent.

Puis c'est là qu'apparaît le moment décisif. Soit on se ressaisit et on se ramène dans le présent, en continuant ce que l'on était en train de faire, ou en prenant une pause, en remettant les choses en perspective, en s'envoyant une petite dose d'amour-propre. *Wake up and smell the motherfucking coffee.* Soit on se laisse emporter. Je mets en veille ma réalité à proprement parler et je réfléchis trop loin, trop longtemps. *Ne va pas là, Florence, ne va pas là.* Et hop ! Raté ! Le doute montre le chemin à l'angoisse, et moi, je suis naïve, je lui ouvre la porte. Toute grande en plus. Je la laisse entrer. Je suis une proie facile. Je suis un terrain friable. L'angoisse peut se servir à volonté chez moi. Elle envahit chaque recoin de mon esprit. Je ne sais comment faire pour l'arrêter et la mettre dehors. Je me supporte de moins en moins, je commence à répertorier toutes les imperfections de ma personne, et physique, et mentale. La liste s'allonge de jour en jour. Et elle est variée. Je le camoufle bien. Mais il y a un mal de vivre inexplicable qui s'installe confortablement chez moi. Je l'ignore, je fais fi de sa présence. Je dois continuer à fonctionner. Il finira bien par partir un jour. *Pense positif, Florence. Un popcorn, une vue, tout va bien aller.*

In my dreams.

KATE MIDDLETON

1er juillet 2011. Je viens d'obtenir un « royal » contrat, comme on pourrait le dire dans ce cas-ci. Je vais chanter deux de mes chansons lors de la fête du Canada sur la colline du Parlement à Ottawa, devant une foule de trois cent mille personnes, certes, mais également devant deux nouveaux mariés très attendus en Amérique du Nord : le prince William et sa toute nouvelle femme, la duchesse Kate. De mon côté, je suis en train d'essayer de me séparer du père de ma fille. Je dis « essayer » parce que je n'y arrive pas complètement. Il faut être deux pour valser et, nous, on valse un peu tout croche depuis des années. Il n'y a que notre fille qui nous unit. C'est un constat assez lourd pour une enfant qui n'en a même pas encore conscience. Je veux le quitter en lui souhaitant sincèrement d'être heureux, je ne lui veux aucun mal. Mais je ne peux me faire à l'idée de briser ma famille. Alors, je tourne autour du pot. On fait des pauses. Il part vivre en Floride pendant un bout de temps. Je le rejoins et on emmène la petite à Disney, et je me dis que c'est viable, qu'on fait un beau trio, que je pourrais faire le sacrifice de rester pour ma fille. Maman-Papa-Bébé. Pour l'accomplissement de ce que j'aurais rêvé d'avoir quand j'étais petite, une maison sans tensions, une famille qui n'aurait pas besoin d'éclater pour finalement réussir à s'entendre.

Ce que je ne sais pas alors, c'est que lorsqu'on se dit que rester est un sacrifice, la relation est déjà terminée. Rester par obligation, c'est une insulte pour l'autre. On reste par défaut alors qu'on devrait toujours rester avec quelqu'un parce que cette personne est notre premier choix. Tous les matins en se réveillant, on devrait être capable de choisir encore celui ou celle qui dort à nos côtés, malgré les hauts et les bas. Dans mon cas, ça fait longtemps que je ne fais plus ce choix. Rester avec lui est d'abord devenu une habitude, puis une contrainte, puis un stress. Pas parce qu'il n'essaie pas, pas parce qu'il ne fait pas tout pour que notre couple se remette sur pied. Parce que je ne l'aime plus comme on doit aimer un amoureux. Tout simplement. Et que, bien que j'aimerais être encore amoureuse de lui, ce que je ressens envers lui ressemble beaucoup plus à de la colocation, voire à un sentiment de fraternité.

Je ne sais pas encore non plus que rester pour le « bien-être » de mon enfant, c'est lui mettre un poids immense sur les épaules, car elle devient alors la raison pour laquelle deux personnes qui ne s'aiment plus, qui ne s'entendent plus demeurent ensemble, s'empêchant mutuellement de s'épanouir ailleurs. Ce n'est pas le cas de Kate et de William, en revanche. Ça se voit, qu'ils s'aiment, qu'ils sont en admiration l'un devant l'autre. La duchesse irradie, elle est magnifique. Elle est l'image même de la perfection, elle incarne le summum de la majesté. Je la rencontre brièvement après ma prestation, avec son charmant mari. À cet instant-là, je me sens à des années-lumière de sa grâce. Tout en elle respire l'élégance, la classe, la beauté. Et elle est d'une minceur que j'envie sur le moment. Elle m'inspire, mais j'ai l'impression que d'avoir un jour son élégance est un rêve inaccessible, que cette grâce qu'elle possède me nargue en me disant que jamais je ne pourrai la faire mienne, la faire transparaître dans chacun de mes gestes et de mes actes. Je suis frappée par un immense coup de blues. Et je me sens encore plus coupable d'avoir un coup de blues lorsque je regarde autour de moi et que je réalise la chance que j'ai d'être sur cette scène et de vivre de mon art. Le syndrome de l'imposteur me heurte de plein fouet. Je rentre à l'hôtel et je célèbre du mieux que je peux la journée avec les autres artistes. Je sors fumer une cigarette dehors avec quelques autres fêtards. Je n'avais pas fumé depuis des années. Depuis bien avant ma grossesse, je crois. Mais là, je fume et, tout d'un coup, je me sens moins seule.

DOMENICO

Tout au long de l'été, je ne fais pas attention à mes pensées. La structure, les limites, les barrières, la discipline et, surtout, l'entretien de l'hygiène mentale existent pour une raison. Et pas n'importe laquelle. C'est que, sans cette structure, sans ces limites dans nos pensées, dans nos gestes, dans nos actions, on risque d'aller trop loin. Et que, parfois, aller trop loin, oui, c'est explorer des terrains inconnus et peut-être y trouver la perle rare en matière d'inspiration, mais c'est aussi s'exposer à des risques non nécessaires. Et là, je vais trop loin dans tout. Dans les élans de mes émotions, dans mes paroles envers moi-même et envers les autres, dans mes suppositions et surtout dans mes peurs.

J'ai un fidèle bassiste qui s'appelle Domenico et avec lequel je travaille depuis six ans. Il est grand, fort et costaud, une bonne tête sur les épaules, bref, il est aussi solide que son jeu de basse. Il est un peu la voix de la raison, mais une voix toujours teintée d'une pointe d'humour. Une voix rassurante aussi. J'ai entièrement confiance en lui. Domenico a récemment remarqué au cours des spectacles que je filais de moins en moins. Un jour, après notre concert au Festival d'été de Québec, il m'apporte un grand livre qu'il me dit avoir lu lorsqu'il souffrait d'anxiété. C'est la première fois que quelqu'un me suggère que je souffre peut-être d'anxiété. Bien entendu, je connais le terme, je l'ai même souvent utilisé dans des conversations, mais ce genre de mot, c'est comme le mot «dépression», on l'emploie à tort et à travers sans nécessairement en saisir entièrement ni la signification ni l'ampleur.

Je prends le livre. Je le mets dans mon sac. J'ai peur de l'ouvrir, j'ai peur de le regarder. Je ne sais pas si ce que je vis est de l'anxiété ou tout simplement une mauvaise passe. Mais c'est une passe qui commence à durer un peu trop longtemps à mon goût. Je vois une thérapeute depuis quelque temps. Elle m'a été recommandée par quelqu'un que j'aime beaucoup, alors je lui fais confiance. Ce n'est pas une psychologue. En fait, je ne sais même pas sous quel titre elle pratique. C'est quelqu'un qui a une formation en relation d'aide. Je ne sais pas faire la différence. Je ne lui ai pas posé de questions sur son *background*. Quand on est en crise et qu'on a besoin d'aide, la plupart du temps, on saisit la première main tendue, on l'agrippe sans trop s'interroger. N'importe quel mot qui peut apaiser, ne serait-ce que temporairement, les soubresauts de notre esprit, on s'y accroche et on y tient. Donc, ça me fait du bien de lui parler, même si je m'obstine à croire à des pensées basées sur des concepts qui, dans ma tête, ont du sens, puisqu'ils sont le fruit de constructions encastrées dans mon esprit depuis des années et des années, mais qui, en réalité, n'en ont pas du tout.

LA PENSÉE MAGIQUE

Je fonctionne alors beaucoup par « pensée magique ». Encouragée chez moi par de nombreux ouvrages « psycho pop » que je commence à feuilleter au moment où je me sens déraper, la pensée magique peut nuire à celui qui l'utilise à tort et à travers dans son raisonnement. Je suis alors victime de cet art de faire des liens entre les événements afin d'en tirer des conclusions basées sur des superstitions ou de voir des symboles à droite et à gauche et de leur donner une signification, l'art de pratiquer la synchronicité inconsidérément et d'inventer soi-même un sens à des événements lorsque ceux-ci s'avèrent trop intenses, positivement ou négativement.

La pensée magique est tout le contraire de la philosophie bouddhiste, qui invite à ne voir les événements que pour ce qu'ils sont réellement, avec le plus de clarté possible, sans laisser la grille de perception incrustée dans notre esprit construire un sens à tout, sans essayer d'y chercher une signification cachée ou un symbole. La pensée magique, ça peut aider à tenir le coup quelque temps, à compenser la douleur lorsqu'elle est trop intense, mais au bout du compte, c'est un obstacle à la possibilité de saisir le moment présent et la réalité telle qu'elle existe concrètement et d'en faire une analyse claire. Chez moi, la pensée magique commence à faire des ravages, et bien que je sache que je dois m'en tenir à distance, je n'arrive pas à la laisser tomber.

CRASH

Cet été-là, en plein mois de juillet 2011, j'assaisonne donc à peu près tous mes raisonnements de cette foutue pensée magique, probablement parce que je suis si confuse que je cherche un sens à tout.

Et je ne le trouve nulle part. Plus je pense de façon magique, plus j'angoisse. Plus j'angoisse, plus je m'accroche à des signes, des symboles, sommes du hasard qui pourraient vouloir dire quelque chose, me donner une direction où aller. Stevie Wonder l'a pourtant si bien chanté : « *When you believe in things that you don't understand, then you suffer.* » Dans mon cas, par contre, c'est plutôt : *I believe in things that I don't understand BECAUSE I suffer.* D'une manière ou d'une autre, force est d'admettre que ça ne mène à rien.

Le père de ma fille est parti vivre en Floride quelques mois chez des amis. Notre relation est devenue un calvaire même si notre vie de famille, dès que la petite entre dans le tableau, est impeccable. On joue bien la comédie. Nous sommes tous deux fous de notre fille, un vrai cadeau du ciel. Il est là-bas depuis trois mois, et il est à peu près installé. Il s'ennuie de la petite et décide de venir la chercher pour qu'elle aille passer quelques jours avec lui. Elle a quatre ans. On achète les billets d'avion, tout se passera bien. On communique en termes relativement civilisés, ce qui évidemment sous-entend que nous sommes dans le non-dit, et ma fillette est excitée à l'idée d'aller passer une semaine au bord de la piscine à Miami avec son papa. Je les accompagne à l'aéroport.

Ils partent. Une heure plus tard, j'ai ma première crise d'angoisse. Je marche dans le centre-ville de Montréal, dans la rue Saint-Denis, dans le coin trash près de Sainte-Catherine, un grand capuccino au lait de soya de chez Starbucks à la main, et je regarde le ciel. Je suis alors complètement convaincue que leur avion va s'écraser. Que cela aura lieu pour me punir d'avoir voulu briser une famille aussi charmante que la mienne, en quittant le père de mon enfant. Et personne, rien ni personne ne peut me contredire. Je regarde les avions qui passent dans le ciel en laissant une traînée blanche derrière eux, je sors mon cellulaire de ma poche, vérifiant les infos toutes les quinze secondes, prête à voir en manchette le numéro de vol de l'avion de ma fille, écrasé quelque part sur la côte est des États-Unis. Je n'arrive pas à respirer. Tout tourne autour de moi. Je dois m'asseoir. Je me sens coupable, je me sens seule au monde. Je veux m'en aller, mais je ne sais pas où partir, cette angoisse me suit comme mon ombre.

CHUTE LIBRE

L'avion ne s'est pas écrasé. Ma fille me revient en un seul morceau une semaine plus tard. Nous partons quelques jours à Lachute, au chalet de Francine, qui est la marraine de mon enfant. Il fait bon, la petite s'amuse sur le quai sous les regards attendris de sa marraine et de Georges-Hébert, son parrain par alliance. J'ai apporté quelques bouquins, dont le livre que m'a passé Domenico. C'est un grand carnet, relié probablement dans une boutique de photocopies, avec une couverture en plastique molle, un livre dont je ne me rappelle plus le titre exactement. Tout ce que je sais, c'est qu'à la lecture de la première page, lorsque l'auteur décrit sa première crise d'anxiété, je me sens prise à la gorge, j'étouffe, je regarde autour de moi, je repose mon regard sur le livre ouvert, je n'arrive plus à respirer, mes yeux s'emplissent de larmes et j'ai la tête qui tourne. J'ai une crise d'anxiété juste à la lecture de la page qui en décrit une. *Bravo, Florence. C'est du grand drame, ton affaire, ma fille.* Je regarde à nouveau par la fenêtre, les yeux embués. Rien n'a bougé, rien n'a changé. Ma fille est sur le quai du lac avec sa marraine, elle s'affaire à lui montrer ses livres préférés, les nuages continuent leur chemin dans le ciel, poussés par le souffle du vent, le chat sur le bord de la fenêtre lèche soigneusement les poils de sa patte, et j'entends les cliquetis du clavier d'ordinateur qui proviennent du bureau de Georges-Hébert.

La vie continue. Tout bonnement. Rien ne semble sortir de l'ordre préétabli de la journée. Puis je regarde le livre et je me retrouve à nouveau dans l'œil d'un cyclone, comme si un aspirateur m'entraînait contre ma volonté dans une spirale sans fin. J'essaie de résister. Je résiste un temps, deux temps, je tiens presque trente secondes. Mais le courant est trop fort. Il m'emporte. Je suis repartie. Mon esprit ne cesse de courir dans tous les sens, j'ai chaud, je sue, je commence à pleurer, à faire de l'hyperventilation. *Si c'est ça, une crise de panique, si c'est ce qu'il décrit, ça veut dire que je fais de l'anxiété. Si je fais de l'anxiété en lisant la première page de son bouquin, ça veut dire que je suis foutue. Si j'angoisse à la pensée d'angoisser, c'est que je suis une angoissée finie ? Et l'anxiété, n'est-ce pas un truc pour les acteurs d'Hollywood qu'on retrouve morts dans leur suite au Château Marmont avec une boîte de pilules et trois bouteilles de whisky parce qu'ils ont trop d'argent et qu'ils ne savent plus quoi faire d'eux ? C'est pas une maladie mentale, ce truc ? Non. Ce n'est pas possible. C'est juste dans ta tête, Flo. De quoi tu parles ? Tu t'imagines des trucs. Tu as toujours eu l'imagination beaucoup trop fertile. Et en plus, tu as un penchant pour le drame. Tu n'es vraiment qu'une grosse connasse. Et puis c'est pas fondé, ton truc. Tu es ici, au chalet de Francine, ta fille est là, elle est en santé, tu as un show la semaine prochaine, tout va bien.*

Mais même si j'essaie de toute mon âme, de tout mon cœur, de tout mon être de revenir les deux pieds sur terre, c'est raté. Je suis aspirée. L'anxiété remonte à la surface, de plus belle, accompagnée petit à petit de pensées autodestructrices envers ma personne. La pièce tourne autour de moi. À ce moment-là, Francine entre dans la maison, me regarde en me demandant ce qui se passe. Je lui réponds : «Je ne sais pas, Francine, je ne sais pas. Je ne comprends pas.»

Elle semble se dire que je dois avoir un moment d'égarement, une petite mélancolie passagère. Mais elle m'observe d'un œil perplexe. Elle sait que j'ai de la difficulté en ce moment à gérer ma relation avec le père de ma fille, mais je ne crois pas qu'elle soit au courant que chaque jour je me réveille avec un étau autour du cou, un étau qui se resserre et qui en même temps me pousse au bord d'un précipice dont je n'ai pas encore entièrement conscience. Je fuis du regard ma fille, qui suit sa marraine. J'ai honte. Honte que la mère d'une si belle enfant puisse avoir de telles pensées lorsque tout autour est calme. Lorsque le frigo est plein, lorsque j'ai du travail, lorsque j'ai des amis, lorsque je suis dans un pays qui n'est pas en guerre, lorsque tant de gens souffrent et que je fais partie des privilégiés de cette planète qui n'ont jamais connu la faim, la vraie faim. La faim qui tord le ventre et qui pousse à faire n'importe quoi pour combler le vide. Moi, je n'ai pas faim, je n'ai pas soif, je n'ai pas à protéger ma vie, je n'ai pas à chercher du travail, et, en ce moment, je suis complètement tournée, bien malgré moi, vers des pensées sans fondements, vers ce qui pourrait ne plus aller dans ma vie, et je suis en train d'en tomber malade.

L'ESPAGNOL

L'anxiété augmente dans les semaines qui suivent et m'assaille au hasard des jours et des nuits. Elle est accompagnée d'un énorme sentiment de culpabilité. Mais je cache bien mon jeu. En apparence, j'ai encore l'air normale en ce début d'août 2011. Je sors et je vois encore des amis. Je m'occupe toujours bien de ma fille, je maintiens le cap dans ma décision de me séparer de son père, même s'il revient constamment à la maison en proposant que l'on s'essaie à nouveau et que j'ai envie de céder. En résulte une énorme confusion. Mais je suis encore fonctionnelle. J'enregistre mon émission de radio pour la première fois, avec une belle équipe, mon bassiste Dom, mon percussionniste Kiko, et j'ai l'impression d'avoir obtenu la job de mes rêves. Je m'investis dans ce travail, dans les réunions de préparation. Mais, en même temps, il y a un fossé qui se creuse entre la Flo des réunions et des séances d'enregistrement, la Flo des shows, Flo la professionnelle, et la Flo qui sort de la tour de Radio-Canada et qui marche sur René-Lévesque, la tête constamment en train de combattre le vortex d'anxiété qui veut l'entraîner à nouveau. La solution : la recherche du plaisir. Sortir le plus souvent possible. Ma mère garde ma petite de plus en plus et je trouve que c'est mieux comme ça. Et ma fille adore être avec sa grand-mère, alors j'en profite pour sortir, à la recherche de moi-même.

Je commence à fréquenter un jeune homme. Ça ne plaît évidemment pas à mon ex, alors je me sens coupable. Je ne suis moi-même pas trop convaincue de ma nouvelle fréquentation, mais j'ai besoin de quelque chose pour m'aider à me sentir mieux. Cet homme est un genre d'artiste incompris qui me parle sans arrêt de son sentiment d'abandon et de sa rage de ne pas connaître le succès qu'il mériterait dans le milieu de la musique. En même temps, il est hyper intelligent, il a bon cœur et il me fait réfléchir, me stimule intellectuellement et musicalement. Je l'idolâtre, mais je le crains aussi. Il est tourmenté. Il voit tout en noir. Constamment. Et ça déteint sur moi. Je ne sais plus quoi faire. Je suis à la fois attirée et repoussée par sa personne. Il est brillant, mais il n'accomplit rien, comme s'il avait toujours une excuse, une raison d'en vouloir à tout un chacun de ne pas comprendre son idéal artistique. Il se désigne lui-même comme la victime de tous ceux qui ont refusé de reconnaître son grand talent. Et moi, je le reconnais, j'admire son talent et son look d'artiste fauché qui a tout compris sur le monde, mais en réalité je devrais prendre mes jambes à mon cou parce que tout en moi m'envoie un signal d'alarme. Un signal comme quoi la présence de cette personne dans ma vie n'augure rien de bon. Parce que je suis trop vulnérable en ce moment, trop influençable et trop confuse, et que je risque de perdre encore plus pied.

Les choses avec mon ex se corsent. Je n'écoute personne et, pire, je n'écoute pas cette fameuse petite voix intérieure qui me chuchote sans arrêt de prendre du recul face à tout, face à mon ex, face à l'Espagnol, de prendre une pause de l'amour et de ses tourments, et aussi d'aller me faire soigner.

L'Espagnol n'est pas un mauvais garçon, mais il me parle de suicide, de voyages intérieurs sous l'influence de l'alcool et de la drogue, de son passé obscur. Lui, il se donne un genre. Moi, je le prends au mot. Amy Winehouse est retrouvée morte. Je me dis que je la comprends, après tout. Comme Kurt Cobain. Comme tous ceux qui, trop tourmentés ou tout simplement victimes de dépressions non diagnostiquées ou non soignées, qu'ils essaient tant bien que mal de guérir par eux-mêmes en s'enfouissant dans l'alcool et la drogue, partent trop tôt. Ces concepts entrent dans ma tête. Ou plutôt, je laisse ces concepts entrer dans ma tête. Ça ne sert à rien d'accuser les autres de nos malheurs. C'est à chacun de gérer les siens. L'Espagnol écrit des chansons tourmentées et troublantes, avec des termes que je n'aurais jamais osé prononcer dans ma musique, mais il écrit bien. C'en est perturbant. Je dois m'éloigner, je le sais, il fréquente d'autres filles aussi. Mais je suis faite à l'os. Il m'intrigue trop.

Dans cette période de ma vie, cette relation est une erreur qui aurait pu m'être fatale. C'était la personne à ne pas rencontrer parce que je me suis précipitée dans des eaux noires, et je ne sais pas me protéger au bon moment, m'en aller quand ça devient trop intense. C'est lui qui est parti. C'était mieux comme ça, pour lui et pour moi, mais sur le moment je me sens encore plus seule, encore plus perdue puisque je n'ai plus accès à son raisonnement, le raisonnement qui donnait une raison de vivre à ce cycle de négativité dans lequel je commençais à m'empêtrer. C'est là qu'une profonde tristesse vient s'additionner à mon angoisse. Je suis foutue. Je deviens obsédée par sa personne. Comme on l'est par une drogue que l'on sait nocive, mais qu'on s'obstine à consommer. Je le texte à tout bout de champ, comme une obsédée. J'essaie de l'appeler. Je veux être avec lui, mais je ne veux pas être avec lui. Il se tanne de mon hésitation. Je suis persuadée qu'il n'y a que lui qui puisse me comprendre. J'ai terriblement tort. Mais je ne m'en rends pas compte. Il n'y a plus rien qui ait du sens dans ma tête. Et je me sens si coupable. Coupable de devenir ce que j'ai l'impression d'être devenue, une grosse loser. Coupable d'imposer une telle façon d'être à ma fille, coupable de ne pas apprécier toutes ces chances que la vie me donne constamment, jour après jour, coupable d'être en train de devenir la dépendante affective d'une illusion construite dans ma tête pour échapper à ma propre réalité.

Quand je me couche, j'essaie de respirer. J'essaie de ne pas penser. Mais plus j'essaie de ne pas penser, plus je pense. Mes doigts sont figés, tendus. Des décharges électriques sous mes phalanges. Puis c'est tout mon corps qui tressaille. La tension est beaucoup trop forte. Pourtant, si j'ouvre mes yeux, tout va bien, ma fille est là, qui dort dans sa chambre, je vais vérifier, elle ressemble à un petit ange et elle respire régulièrement. Je regarde dehors, rien n'a bougé. Je retourne me coucher. Une heure plus tard, rien. Pas de dodo. Je commence à angoisser.

Comment vais-je faire pour bosser demain ? Si je ne dors plus, je ne peux plus travailler, et si je ne peux plus travailler, je ne peux plus gagner d'argent, et si je ne gagne plus d'argent, je ne peux plus nourrir mon enfant, et donc à cause de ma stupide anxiété, à cause de ma nullité, je ne dors plus, et donc je ne pourrai plus nourrir mon enfant, et donc je suis une mauvaise mère.

Le lever du soleil représente l'enfer pour moi. On dirait qu'il se réveille pour me narguer. Pour me rappeler que je n'ai pas dormi, encore. Pour me rappeler que je dois faire face à une autre journée sans avoir préalablement obtenu une dose minime de sommeil. Je commence à ressembler à un zombie. J'ai de moins en moins faim. J'ai perdu un peu de poids. J'aime ça, mais je sais que ce n'est pas pour les bonnes raisons. J'emmène ma fille à l'école. Je me dis que ce serait mieux si elle était élevée par une autre que moi. Je vais au studio. Je dois enregistrer une émission de radio. Je déteste ma voix, mon intonation, mon jeu de piano. Je pleure dans les toilettes à chaque pause. Je commence à sentir une scission entre ma personne et le reste de l'univers. Je me sens emprisonnée dans une bulle de verre qui me sépare des autres. Il y a leur monde, le monde normal, le monde qui tourne, le monde qui vit, qui est dans la vie, qui bouge. Puis, il y a moi qui les observe derrière une vitre teintée. Je suis en train de devenir le centre de mon univers tourmenté. C'est pour ça, je crois, que tant d'ouvrages bouddhistes prônent la compassion et la bienveillance comme outils de bonheur. En se détachant de son propre nombril, en allant vers les autres, on éloigne les risques de renfermement sur soi-même et, par le fait même, les risques de dépression. Mais ça, à ce moment-là, je ne le sais pas, et honnêtement, je n'en ai rien à faire. Et je ne peux rien y changer. On dit que le manque de sommeil peut rendre fou. Je suis en train d'en devenir la preuve vivante.

MAINE

La fête du Travail. Septembre 2011. Je décide d'emmener ma fille et ma grand-mère trois jours dans le Maine. Quand j'étais petite, chaque été, ma mamie chérie m'emmenait à Pine Point ou à Ocean Park dans une maison louée pour un mois, et c'est là que j'ai développé la relation d'amour profond que j'ai avec la mer. Alors, ma grand-mère, désormais âgée de quatre-vingts ans, je trouve qu'elle mérite que ce soit moi cette fois-ci qui l'emmène en vacances avec son arrière-petite-fille. Je veux qu'elle revoie la mer, elle qui n'a pas voyagé depuis plusieurs années et qui a survécu à un cancer et à ses conséquences. On remplit la bagnole, on embarque, et hop! sur la route. Elle sait que je file plus ou moins depuis quelque temps. Mais je ne pense pas qu'elle mesure à quel point. On s'arrête dans le Vermont pour couper la route en deux, parce qu'il pleut trop. Nous sommes dans un *bed and breakfast*. Nous partageons toutes les trois la chambre. Mamie s'endort. Ma fille s'endort. Moi pas. Même dans les montagnes du Vermont, loin de ma réalité, loin de mes troubles, loin de ma vie quotidienne, au creux de ce que la nature a de plus magnifique à offrir, avec l'air le plus pur possible, entourée de deux personnes qui m'aiment plus que tout au monde, même là, je ne dors pas. Je me dis que je suis vraiment foutue.

Au petit matin, on repart vers le Maine. Deux jours là-bas. Deux autres nuits sans sommeil. J'essaie de dormir sur la plage. Je n'y arrive pas. Je tente d'amuser ma fille, elle prend et reçoit chaque minute d'attention que je lui donne comme le plus grand des cadeaux. Et ma grand-mère, dans toute la splendeur de sa bonté, aussi. Mamie s'assoit sur sa chaise et fait face à la mer. Alice joue dans le sable sous le regard de son arrière-grand-mère. Et moi, je désespère parce que c'est la première fois de ma vie que même la mer, qui m'a toujours fait un bien immense, ne réussit même pas à chasser mon angoisse pour ne serait-ce qu'une seconde. Quelle merde! Je suis perdue. Je pars marcher avec ma fille sur le sable et, à un certain point, mon pied se pose sur un objet tranchant. Un clou rouillé. Je me coupe. Je désinfecte la plaie à l'hôtel. Tout a l'air beau.

On repart vers Montréal ce matin-là, et dans l'auto je commence à faire une crise de panique en pensant à ma coupure. *Ça y est, je vais avoir le tétanos, je vais mourir. Mais en fait, c'est mieux comme ça.* Je sors pour fumer une Marlboro. J'ai officiellement repris cette vieille habitude que j'avais délaissée près de dix ans auparavant. C'est à peu près la seule chose qui me fait du bien en ce moment, alors j'y vais à fond. Mais je me cache. Hors de question que ma fille ou ma grand-mère me voient fumer. Ma mamie a l'air bien attristée lorsqu'elle constate l'état dans lequel je suis en train de m'enfoncer. Je suis désolée de lui faire vivre ce tourment. Je me dis qu'une fois rentrée à Montréal je me prendrai en main. Je ne peux pas continuer à faire ça à ma famille, je l'aime trop. Si je ne le fais pas pour moi, que je le fasse pour les gens que j'aime, au moins. Je vais aller consulter un médecin. Parce que la thérapeute que je vois en ce moment m'a dit qu'il faudrait peut-être que je prenne quelque chose pour m'aider et, aussi, les consultations que j'ai avec elle ne semblent pas suffisantes puisque mon état ne cesse d'empirer.

DOCTEUR

Mon médecin est l'un des meilleurs amis de mon père depuis leur enfance en Égypte. Il est adorable. Mon père, qui commence sérieusement à s'inquiéter, lui parle depuis quelque temps de ce que je vis. Je prends rendez-vous avec mon docteur. Je m'assois en face de lui et j'éclate en sanglots. J'ai honte. Mon père, sa famille et ses amis ont connu la guerre et les vraies difficultés de ce monde. Le médecin pourrait se consacrer à de vrais malades, à des gens qui ont réellement besoin de passer des tests parce qu'ils ont des masses qui poussent, parce qu'ils ont des problèmes de cœur, parce qu'ils ont la grippe, même, à la limite! Il me reçoit les bras grands ouverts, il m'enveloppe d'un regard de compassion, il me fait comprendre qu'il n'est pas pressé, qu'il s'en fait aussi. Et alors là, je me sens encore plus coupable. Il me demande de lui parler de ce que je ressens. Je lui raconte mes insomnies, mes doutes sur ma séparation, puis ma conviction d'être une mauvaise mère. Puis ma culpabilité par rapport à tout ce que je fais, puis mon anxiété, puis ma perte d'appétit, puis ma perte de poids, puis mon manque d'énergie. Mon médecin m'observe d'un regard triste. Parce que je suis la fille de son grand ami d'enfance. Je sais qu'il nous aime vraiment, mon père et moi. Il me dit que je suis probablement en train de commencer une dépression. Il me prescrit du citalopram. Il me précise que ça peut prendre quelques semaines avant de faire effet. Je regarde le papier, je le plie et je le range dans mon portefeuille. Je ne sais pas si je vais le ressortir. Rien que le mot « antidépresseur » me donne de l'anxiété maintenant.

CRAZY PILLS

Je repense à toutes ces infopubs dans les magazines américains, du genre *People*, qui font la promotion de ces pilules, nous montrant la photo d'une dame de cinquante ans, la tête entre les mains, qui parle de son médicament, puis à la page suivante, une autre photo de la même femme, dans un champ de blé, sourire aux lèvres, regardant au loin, remerciant silencieusement la vie, son médecin et la sacro-sainte compagnie pharmaceutique pour ses pilules. C'est pas pour moi, ce truc. Je devrais être capable de me remonter le moral toute seule. Et là, j'angoisse rien qu'à la pensée d'en prendre. Si les gens l'apprenaient? Si je déréglais tout mon système déjà bien bordélique en y ajoutant une pastille chimique? Si ma fille découvrait plus tard que j'ai pris ces pilules pendant sa petite enfance, en viendrait-elle à croire qu'elle ne me rendait pas heureuse? Et si et si et si...? Je me dis qu'on ne traite pas ses pensées avec un médicament, que c'est à moi de me botter le derrière et de me relever. Mais pourquoi est-ce que je n'y arrive pas?

Je quitte le bureau de mon médecin, qui me donne un rendez-vous pour la semaine suivante, et je sors. J'éclate en sanglots. Ça y est. C'est officiel. Je deviens folle. Je vais au supermarché. Essayer de faire de moi une bonne mère en remplissant le frigo. Essayer de *wake up and smell the motherfucking coffee*. Mais je n'arrive même plus à prendre une décision. Je reste devant chaque produit environ sept minutes, et j'angoisse. À savoir si je devrais acheter le poulet ou le saumon. Et ça, c'est quand je vais encore au supermarché, parce que ce sont les dernières journées où j'ai encore assez de volonté pour faire une telle action. *Le poulet a grandi toute sa vie dans une cage, on lui a* coupé les pattes, le bec, les ailes, il a souffert, il a été nourri aux hormones. Sa vie n'est qu'une succession de souffrances et de misères, et on lui a tranché la tête pour qu'il atterrisse bêtement dans un supermarché qui jettera probablement tous ses semblables qu'il n'aura pas réussi à vendre. Et le saumon grandit en Chine dans un bassin rempli de merde. Il est transporté sur un transocéanique qui pollue, en passant par l'île de plastique dans le Pacifique, participant ainsi à la dégénérescence de notre chère planète. Je suis un monstre qui contribue à la misère de l'univers entier.

Et le papier de citalopram est toujours dans mon portefeuille. Il me fait peur.

INCH'ALLAH

Je suis donc au volant, mon papier de citalopram bien rangé, mon sac d'épicerie en arrière rempli un peu de n'importe quoi, j'ai fini par prendre ce qui me tombait sous la main, sinon, je faisais une crise de panique à chaque aliment. Je roule sur la Métropolitaine. Je compose le numéro de ma mère. Au Bluetooth. Manquerait plus que je me fasse arrêter. Je m'imagine bien la tête du policier devant ma confusion et probablement une crise de larmes.

— Maman ?

— Ma chérie. Alors, tu as vu le médecin ? Qu'est-ce qu'il a dit ?

— C'est probablement une dépression.

Je prononce ce mot au sujet de moi-même pour la première fois. Comment est-ce que je peux faire une dépression ? J'ai écrit des chansons soleil, pourtant ? *Las calles del sur, tralalalala.* J'ai une belle vie, pourtant ? Est-ce que je ne vais pas faire une dépression justement à force de me dire que j'en fais une ?

— Ma chérie. Qu'est-ce que tu dois faire ? On est là, on va t'aider. Ne t'en fais pas. On ne te laissera pas tomber.

— J'ai une ordonnance d'antidépresseurs. Mais je n'ose pas y toucher.

— Oh… Je ne connais rien là-dessus, je ne peux pas t'aider pour ça.

— Mais je crois que je vais aller les chercher à la pharmacie, juste au cas où. Comme ça, si jamais il y a un problème, au moins je les aurai.

— Fais ce que le médecin a dit, mon amour.

— OK, maman. Merci. Je t'aime. Bye.

Je sais que maman s'inquiète depuis un bout de temps. Elle s'inquiète pour ma fille aussi. Je me sens mal de lui faire vivre cette inquiétude. En plus, ma mère, la vaillante, elle sillonne encore les routes du Québec afin de présenter un nouveau spectacle pour enfants qu'elle a écrit. Et quand je dis vaillante, je veux dire ultravaillante. Elle se lève à l'aube, met tous ses costumes dans sa voiture, conduit de deux à douze heures, chante, range le stock et recommence. Tous les jours. Pour gagner sa vie, pour nourrir mes sœurs et pour continuer son rêve de vivre de son art. Et moi, j'ose faire une dépression. Et là, pour la première fois, je souhaite intérieurement avoir un accident d'auto en me disant que ça réglerait la question une bonne fois pour toutes.

Je viens d'une famille qui, du côté de mon père, a importé au Canada l'essentiel de ses traditions méditerranéennes. On parle ici de l'importance de la religion, de dire *hamdoullah* («grâce à Dieu») chaque fois qu'une bonne nouvelle arrive ou que quelque chose se passe bien, ou bien *inch'Allah* («si Dieu le veut») dès que l'on parle d'un souhait, d'un désir ou du futur, tout simplement. Quoique, parfois, c'est un peu intense, du genre: «Je t'appelle tout à l'heure, papa.» Et lui de me répondre, avec toute la bonne volonté du monde et, surtout, l'habitude enracinée: «Si Dieu le veut.» Donc, pour moi, souhaiter sur l'autoroute qu'une voiture me fonce dedans, c'est du blasphème, c'est une énormité sans nom. C'est tenter le diable. C'est défier les forces du mal. C'est renier ma famille, si croyante, si remplie de foi, qui a survécu à la guerre, à la faim, qui a tout fait pour construire un avenir solide à ses descendants. Ça va au-delà des barrières du prononçable, même mentalement. Automatiquement, je me sens hyper coupable d'avoir osé penser cela. Alors, je me mets à souhaiter cet accident encore plus ardemment pour me punir d'avoir pensé une telle chose. Une raison de plus de continuer à me détester.

LA CITÉ DES ANGES

Je pars avec Anne à Los Angeles pour rencontrer celui qui réalisera mon prochain album, Larry Klein. Une sommité dans la musique. Un homme extraordinaire qui a travaillé avec des chanteuses de renom un peu partout à travers le monde et qui a eu vent de mon travail. J'ai une chambre magnifique à Santa Monica avec vue sur le Pacifique, résultat des efforts de ma gérante. Je m'assois par terre dans cette chambre trop moderne à mon goût, avec de grandes vitres et un balcon de luxe. Et je pleure. Comme une Madeleine, comme un veau, comme une fontaine. Je n'arrête plus de pleurer. Le plancher tangue. J'ai sommeil. Dans l'avion, Anne essayait de me présenter les maquettes de scène pour la prochaine tournée, et je n'y trouvais aucun intérêt. Ce qui me passionnait plus que tout dans le passé ne veut plus rien dire. Comment vais-je survivre si ce qui a depuis toujours été ma motivation ultime n'allume plus l'ombre d'une étincelle en moi?

J'ai encore maigri. Il paraît que ça me va bien, les stylistes me prêtent plus de vêtements. J'ai le visage creusé comme celui des mannequins sur les podiums. Et l'allure un peu junkie aussi. Mais je ne veux plus maigrir. Je veux redevenir comme avant. Je veux me réveiller et être moi-même à nouveau, avec mes hauts et mes bas, mais avec de la vie. Je perds aussi beaucoup de cheveux. Le matin, dans mon lit, après une autre nuit d'angoisse où la tension remplace le sommeil absent, il y a un vrai nid de cheveux sur les draps. Ce sont les miens, pas de doute, personne ne dort avec moi. Et quand je les brosse, eh bien, ils restent sur la brosse. J'ai l'impression que tous mes fusibles sautent, un à un. J'essaie encore de nager à contre-courant, j'essaie de combattre cette sensation. Mais plus je me bats, plus je suis triste, parce que je ne remporte jamais de victoire contre mon adversaire. Alors je le laisse me mettre K.O. Tout simplement. Parce que je suis épuisée.

LE MALADE IMAGINAIRE

À 4 heures du matin, je ne dors pas encore. Je suis très tendue. J'appelle ma mère. Elle est sur la route, elle revient d'un spectacle qu'elle vient de donner au Nouveau-Brunswick. Elle essaie de son mieux de me réconforter. Je crois qu'après avoir raccroché je dors un peu. Jusqu'au lever du soleil. Ce matin-là, Anne me propose d'aller faire du lèche-vitrines à Santa Monica. On rentre chez Old Navy. J'avais toujours aimé ces moments de magasinage avec ma gérante lorsqu'on allait à l'étranger. Elle est drôle, Anne, elle est du genre à se mettre un chapeau de castor sur la tête en me faisant une face pour me faire rire. On a tellement rigolé ensemble, elle et moi, à travers les tournées, les voyages, les spectacles, les festivals, les meetings. Toujours le même humour, on se regarde et on se comprend. Mais là, ça ne marche pas. Dieu sait qu'elle travaille fort pour m'arracher un sourire, une réaction, quelque chose, n'importe quoi. Elle décroche d'un cintre une veste de jeans en me disant qu'elle m'irait bien. Je n'ai pas envie de regarder les vêtements, encore moins d'en acheter.

Tout à coup, pendant qu'elle s'affaire à replier un pantalon sur une étagère, une douleur atroce me prend au pied, là où deux semaines plus tôt le clou sur la plage du Maine avait percé ma peau.

J'ai mal partout dans la jambe. Je commence à suer, ma tête tourne. Anne me demande ce qu'il y a. Je lui réponds que je crois avoir le tétanos. Peut-être même pire, peut-être que le clou était contaminé et que je vais devenir séropositive. Elle me ferme le clapet net, d'un ton sec et presque fâché, ce qui met en valeur son accent français : « Florence. On ne dit pas des choses comme ça. La moitié de mes amis de jeunesse à Paris sont morts du sida dans les années 1980. Tu n'as pas le sida. Arrête de dire des bêtises. Et pour le tétanos, calme-toi, tu n'as rien. Au pire, tu feras des tests quand on rentrera à Montréal. » Je me sens petite. Toute petite. Elle a raison, bien sûr. Les chances sont probablement nulles pour que j'aie contracté le VIH à cause d'un clou sur une plage, encore moins avec l'Espagnol parce que, étonnamment, notre relation était de loin plus intellectuelle que physique. Je veux disparaître de la surface de la Terre. Littéralement. Et je suis dans la bonne direction pour ça.

Nous partons ensuite deux jours à Vegas, et cette ville de plastique ne fait qu'augmenter mon sentiment de désolation totale. En essayant de m'endormir à l'hôtel, je me dis que le lit sur lequel je me trouve a dû servir à des milliers de gens sur le party, à des prostituées et à leurs clients, que ma chambre a sûrement déjà été le décor d'un bon nombre de scènes assez trash, et ça augmente mon anxiété. Je pense au nombre de femmes qui ont dû être battues, violées, attachées, exploitées ici, dans ce même lit. Au nombre de *cokés* qui ont dû y faire des lignes, au nombre de junkies dont le sang a giclé. Je m'imagine des scènes dignes du film *The*

Hangover, l'humour en moins. Des rires dans le corridor. Ça contraste avec mes larmes. Ces pensées ne sont peut-être que dans ma tête, mais elles sont là quand même. Quand j'ouvre les yeux, tout va bien autour de moi. Vegas est Vegas, le désert est toujours désert.

MEXICO

Mi-octobre 2011. Anne m'apprend que j'ai été sélectionnée pour chanter l'hymne national à la cérémonie de clôture des Jeux panaméricains à Guadalajara, au Mexique. C'est une nouvelle énorme, dans le bon sens du terme. Ce sont cinquante mille spectateurs, des millions de téléspectateurs, c'est diffusé en direct partout en Amérique du Nord, centrale et du Sud, depuis une scène dans le stade de Guadalajara construit spécialement pour les Jeux. Les autres artistes qui y offriront une prestation ? Ricky Martin, The Wailers, Colbie Caillat, entre autres… Et moi…

Quelques mois auparavant, une telle annonce m'aurait propulsée dans un état de joie sans précédent. Mais là, bien que j'essaie tant bien que mal de faire semblant d'être transportée par la nouvelle lorsque Anne me l'apprend, je n'y parviens pas. Elle le sent. Mais elle commence à être habituée. Le syndrome de l'imposteur me rentre dedans de façon violente, je suis secouée, je ne sais pas comment je vais y arriver, mais en même temps la perspective d'avoir obtenu une nouvelle chance de me ressaisir, en sortant de mon quotidien, en m'éloignant de ce lit maudit dont la seule vue me fait frémir, me donne de l'espoir. Peut-être que cette fois sera la bonne? Peut-être que ce voyage de trois jours au Mexique changera tout? Peut-être que d'être applaudie par cinquante mille personnes remontera un peu l'estime que j'ai de moi-même, peut-être que j'y ferai des rencontres inspirantes, peut-être que je réussirai à dormir à l'hôtel, parce qu'il fait beau, parce qu'il y a une piscine, peut-être que le Mexique est un cadeau du ciel, une solution miracle qui m'a été envoyée parce qu'au bout du compte je mérite encore un peu de vivre, peut-être que les dieux, au-dessus de ma tête, se sont finalement consultés et ont décidé ensemble de me donner une deuxième chance, qu'ils ont fait en sorte que le comité d'organisation des Jeux panaméricains me sélectionne, moi, et non pas les dizaines d'autres candidats, pour chanter l'hymne national?

PAPA

La semaine avant mon départ pour le Mexique, mon père vient vivre chez moi parce qu'il a été décrété en conseil familial que je ne pouvais plus rester seule à la maison. Que c'était trop dangereux pour moi-même et que je ne suffisais plus aux soins de ma fille. Je peine à aller à l'épicerie, à cuisiner, à tout faire. Papa se démène comme il le peut, le pauvre. Il nous fait à manger, il me prend dans ses bras la nuit quand je pleure, rongée par l'anxiété, il essaie de me faire rire, de me pousser à faire une promenade, il accompagne ma fille à la maternelle, il va la chercher après l'école, lui raconte des histoires avant de dormir, lui dit que maman est juste un peu malade, qu'elle va aller mieux, il a réellement pris les choses en main. Il est un vrai père. Et à travers ma mélancolie perpétuelle et mon incontrôlable anxiété, je parviens tout de même à distinguer tout ce qu'il fait pour moi et pour ma fille. Je lui en suis reconnaissante, j'ai parfois l'impression de retomber en enfance, lorsque son plus grand plaisir était de s'occuper de moi, ça me réconforte même.

GUADALAJARA

La date de mon départ pour Guadalajara approche à grands pas. Chanel me prête une robe magnifique, blanche avec des paillettes, une robe d'ange. Taille zéro. D'habitude, je ne rentre pas dans les échantillons. J'ai toujours eu les hanches et la poitrine un peu trop développées à mon goût, et l'hiver, mon poids subit l'effet accordéon. Normalement, quand il fait froid, j'ai faim. Mais là, je l'enfile et je flotte. J'ai perdu au moins 20 livres depuis l'été. Julie, ma maquilleuse, vient à la maison pour me donner un cours de maquillage télé HD, parce qu'on ne sait pas si j'aurai accès là-bas à un maquilleur. J'arrive à peine à me concentrer sur ce qu'elle m'explique. Elle le remarque. Je la supplie de ne dire à personne l'état dans lequel elle me voit. Je commence à avoir une peur démesurée que le public, que les gens découvrent que je traverse une dépression qui me mène peu à peu à la folie. Je dois apprendre à mieux bluffer parce que, sinon, je serai démasquée. Cette seule pensée alimente mon anxiété et entraîne automatiquement une crise de panique à laquelle je remédie en allant m'allumer sept cigarettes l'une à la suite de l'autre sur mon balcon. Je prends tant bien que mal des notes sur les techniques de maquillage de Julie, puis je range les échantillons Chanel qui m'ont gracieusement été offerts et retourne me coucher. Parce que, à ce stade, c'est ce que je fais la journée. Même si je ne dors pas. Parfois, je remonte le drap sur ma tête. Comme une autruche.

AÉROPORT
PIERRE-ELLIOTT-TRUDEAU

Le départ est prévu pour le lendemain. Anne me téléphone et me répète pour la énième fois que le vol est à 7 h 30. D'accord, d'accord.

— As-tu préparé tes choses ?

— Non, pas encore. Mais ne t'inquiète pas.

— Euh… Oui, je m'inquiète, Flo, tu le sais.

— Non, je te jure, c'est beau. J'ai la robe, le maquillage, mon passeport. Pour le reste, je n'ai pas besoin de grand-chose, on ne part que trois jours.

— D'accord. Sois à l'aéroport à 5 heures, on passe par les États-Unis, ils sont chiants à la douane, ne sois pas en retard. T'as quelqu'un qui t'accompagne ?

— Oui, mon père.

— Parfait. Je t'embrasse.

— Moi aussi. À demain.

Il est 22 heures. Je me couche et, comme d'habitude, j'essaie de dormir. Avec un peu de chance, j'attraperai au passage une ou deux heures de demi-sommeil flottant. Ce dernier se pointe finalement autour de 4 heures du matin. À peine une heure et demie plus tard, mon cellulaire et mon téléphone fixe sonnent, pendant au moins plusieurs minutes, de façon alternée. Je me réveille en sursaut. Je me dis que pour une fois que j'ai eu le bonheur de réussir à m'endormir, c'est vraiment raté. Mon père finit par répondre et je l'entends au salon qui crie :

— Florence, réveille-toi. Vite.

— Qu'est-ce qu'il y a, papa ?

— C'est Anne. Ton vol est dans une heure et demie.

— Quoi ? Non, papa, elle m'a bien dit hier soir que c'était à 7 h 30.

— Non, Flo, pas 7 h 30 du soir, pas 19 h 30 ! 7 h 30 ! 7 h 30 du matin ! AM !!! Lève-toi, vite, si on part dans maximum cinq minutes, tu as peut-être une chance de l'attraper.

— Et la petite ?

— On l'emmène à l'aéroport. Vite.

— Mais, papa, je n'ai rien préparé… Je fais quoi, moi ?

— Eh bien, tu te débrouilles, ma fille, mais tu es prête à partir dans cinq minutes. Je m'occupe de la petite.

Papa à la rescousse. Encore une fois. Je me lève du lit et j'essaie de toutes mes forces d'activer ce boulet qu'est devenu mon corps. Depuis quelques semaines, tous mes gestes, toutes mes actions, au niveau physique comme au niveau mental, me demandent un effort surhumain. Je suis maigre, mais je ne me suis jamais sentie aussi lourde. C'est un effort herculéen pour moi d'aller chercher ma grande valise rouge dans le cabanon, d'allumer la lumière de ma chambre, d'ouvrir mon placard et d'essayer d'y discerner ce qui sera portable au Mexique. La robe Chanel est déjà dans une housse, je la glisse au fond de la valise, le maquillage aussi. Pour le reste, j'attrape ce qui est en tas dans un coin, je m'habille : un jean moche trop grand qui appartenait à mon ex, un chandail H&M déformé et une paire de chaussettes dépareillées. Mon père me regarde rapidement avant de sortir et me dit :

— Excuse-moi, ma fille, mais tu ne vas pas prendre l'avion habillée comme ça ?

— Papa, on n'a pas le temps. J'ai mis ce que j'ai trouvé.

Le reste est en boule dans ma valise. J'ai quand même eu la présence d'esprit d'y mettre un maillot de bain. Je reste convaincue au fin fond de moi que ce voyage et la présence d'une piscine pourront me sauver.

MISSION IMPOSSIBLE

Je regarde l'heure sur le cadran du tableau de bord de l'auto. Il est 6 h 15 du matin. Nous devrions être à l'aéroport autour de 6 h 30. Ce qui me laissera une heure pour m'enregistrer, traverser les douanes et arriver à l'avion. C'est impossible. Je me sens idiote, conne, stupide. Ce que j'aurais auparavant vu comme un super méga challenge à relever et qui m'aurait fait rigoler (oh, combien de fois n'avons-nous pas, Anne et moi, dû faire du charme à un préposé de compagnie aérienne pour qu'on nous laisse rentrer malgré notre retard, ou pour qu'on nous surclasse) m'apparaît maintenant comme la preuve ultime que je suis tout simplement en voie de devenir une bonne à rien. Papa me fait descendre devant l'entrée d'American Airlines. J'embrasse ma fille, je lui promets que quand maman va revenir, maman sera guérie. Il le faut. Pas le choix. Elle me regarde, à moitié endormie, me dit : « Maman, pourquoi est-ce que tu pars ? » et elle éclate en sanglots. *Non. Pitié. Pitié. Pas maintenant, Alice. Je t'en supplie. Maman se sent vraiment nulle de t'abandonner. Mais qu'est-ce que maman va foutre au Mexique à faire semblant de chanter ?* (Oui ! Je dois faire du *lipsync* au Mexique ! Et je n'en ai jamais fait de ma vie, alors ça me stresse encore plus et j'ai l'impression que je m'en vais là-bas pour mentir en pleine face à des millions de téléspectateurs.) *Pardonne-moi, Alice, je t'en prie, pardonne-moi. Tu seras mieux avec tes grands-parents. Mais maman t'aime, n'en doute jamais.*

Je n'ai pas le temps de m'allumer une cigarette pour passer à travers la violence de l'émotion qui m'envahit. Anne accourt dehors. « Mais bordel de merde, Flo, qu'est-ce qui se passe !!!!?? » me lance-t-elle avec un mélange d'incompréhension, de désarroi et de panique dans les yeux, sans compter la tristesse. La tristesse de voir son artiste, son amie, sa partenaire d'affaires, presque sa fille, sa sœur, disparaître peu à peu ainsi.

— Je suis désolée, Anne, je te jure. J'étais certaine que c'était 7 h 30 du soir.

— Pas de temps à perdre. Donne-moi ta valise. J'ai prévenu tout le monde de la compagnie aérienne. Maintenant, on court.

POKER FACE

On attrape le vol de justesse et, dans l'avion, Anne essaie de me présenter les plans qu'elle a dessinés avec J-F, notre éclairagiste, pour la prochaine tournée. Parce que, oui, j'ai une tournée de deux mois qui commence dans trois semaines. Je vais monter sur scène pour présenter mon album *Havana Angels* à travers la province. Je ne sais pas comment je vais faire pour faire face au public pendant plus de deux heures de suite. Et puis je ne m'exerce plus au piano. Je joue encore, de peine et de misère, pour les enregistrements de mon émission de radio, mais c'est tout. Et dire que je vais devoir apprendre un spectacle par cœur. Moi qui déjà ne suis plus capable d'entendre de la musique sans sombrer dans une profonde tristesse, moi à qui chaque note de *Havana Angels* me rappelle que j'ai déjà été saine d'esprit et que les chances sont minces pour que je puisse un jour ou l'autre me sentir de la sorte à nouveau. *Havana Angels*, c'était le disque du bonheur. Tout ce qui a trait à ce disque reste gravé dans ma mémoire sous la rubrique « Moments exceptionnels ». Alors, comment je fais, moi, pour monter sur scène dans trois semaines, avec mes musiciens, pour répandre la magie de l'album et la joie du temps des fêtes ?

Je dois bluffer, parce que sinon on annule dix-huit spectacles, je déçois mon public, je me mets ma compagnie de production et son équipe à dos, ma promo n'aura servi à rien, je me prive d'un revenu substantiel qui pourra m'aider à passer à travers les mois suivants si ma situation empire et, surtout, qui nourrira ma fille, et je prive mes musiciens et mon équipe technique d'un travail pour lequel ils ont probablement refusé d'autres nombreux contrats. Et ça, ça les mettrait dans une situation précaire, et je ne pourrais pas vivre avec. Je ne survivrais pas à la perspective de cet échec.

— Flo, ça ne t'intéresse pas, tout ça ?

— Oui, oui, Anne, je te jure que ça m'intéresse.

— Ah bon. Parce que ça n'en a vraiment pas l'air.

Et avant de m'embourber encore plus, je feins un soudain coup de barre, j'appuie ma tête contre le hublot et je fais mine de faire une sieste. J'aurai bientôt appris à faire semblant de dormir, pour qu'on me foute la paix. Une autre façon de bluffer. Mais la vérité, c'est que j'y arrive de moins en moins, que mes doigts sont parsemés de ces minidécharges électriques qui s'assurent de me tenir constamment réveillée dès que l'ombre d'une ombre de sommeil passe au-dessus de moi. Et je sursaute. Beaucoup. De plus en plus. Je regarde en bas.

SIN NOMBRE

Le Mexique. Avec ses dizaines de milliers de courageux qui le remontent à pied, ou sur le toit d'un train, bravant la faim, la soif, la fatigue, la *mara*, les douaniers, les dealers, les fous, les voleurs, les vio-leurs, pour assurer une vie meilleure aux leurs, entre deux parkings de Walmart et une trâlée de jobines où ils seront sous-exploités, sans statut et avec de moins en moins de possibilités d'en obtenir un. Et ça vaut encore la peine. Ils y vont quand même. Je me souviens de ce film qui raconte la grande tra-versée de deux Guatémaltèques qui font ce chemin de croix, jusqu'à ce que l'un d'eux finisse sous trois balles juste aux abords du mur séparant la misère du nord du Mexique du rêve américain. *Sin Nombre.* Le nom du film. Et moi, j'ai un nom, un passe-port canadien, je ne crains pas jour et nuit pour ma sécurité, et mon enfant ira probablement à l'uni-versité, et je veux me flinguer. Super. Vraiment. Je suis une merde finie. Cette fois, j'en suis absolu-ment convaincue.

CIELITO LINDO

Je sors de l'aéroport. Le ciel est bleu, même si un voile de pollution l'assombrit un peu. Ça fait du bien de sortir de Montréal. Un peu plus, même, que lorsque je suis allée à Los Angeles le mois dernier. Probablement parce que, depuis l'adolescence, je me suis toujours sentie proche de la culture latino-américaine, en raison de la musique, de la chaleur humaine, de la communauté, de la spontanéité… Alors, oui, quand je mets les pieds dehors, c'est comme si une bouffée d'air frais parvenait à moi à travers la lourdeur de l'humidité et de la pollu-tion. OK. Il y a de l'espoir. Peut-être est-ce vrai que ce voyage me fera du bien. Et que j'en reviendrai complètement transformée. N'abandonnons pas encore le combat. Il doit bien rester une petite parcelle de soleil qui brille quelque part au fond de moi. Je souris. Décidément, il y a de l'espoir. *All is not lost.*

VERTIGE

Je suis dans ma chambre d'hôtel de luxe, à Guadalajara. J'ouvre ma valise. Un désastre. Je n'ai pris que des trucs moches qui traînaient sur le plancher de ma chambre à Montréal. Heureusement, mon costume de scène est là, cette magnifique robe Chanel qui, selon ma gérante, me donne l'air d'un ange et qui pourrait à elle seule rembourser au moins une année de mon crédit bancaire. Dans ma chambre, il y a une grande baie vitrée. Je m'assois devant celle-ci, par terre, sur le tapis blanc immaculé, et je regarde Guadalajara qui s'étale devant moi. Comme dans tous les pays du monde, sauf ceux de l'Europe (et c'est en train de changer), les États-Unis et le Canada, bidonvilles et quartiers de luxe clôturés évoluent côte à côte. J'ai vu ça à Abidjan, à Hanoi, à Casablanca, à Lima… Et ça me mord chaque fois. Un bidonville, un Westmount, un bidonville, un Westmount, un bidonville, un Westmount. Et on ferme les yeux. Parce que cette réalité ne fait que traduire qu'il s'en trouvera toujours un pour construire sa richesse sur le dos de l'autre.

Donc. Je suis assise et j'ai un peu le vertige, parce que je suis au vingtième étage et que la vitre s'étend du sol jusqu'au plafond. Mais j'ai l'impression d'avoir un moment de répit dans cette anxiété, dans cette profonde mélancolie qui grandit en moi comme un cancer et qui me bouffe toute l'âme. Sur le toit voisin, plus bas que moi, des ouvriers s'affairent à leurs tâches. Ils brûlent au soleil, c'est un boulot difficile, mais ils rigolent entre eux, ils s'échangent des cigarettes, ils bouffent leurs *empanadas* tranquillement. Et à ce moment-là, je me dis que je donnerais n'importe quoi pour être la femme de l'un d'entre eux aujourd'hui. J'aimerais qu'un de ces hommes rentre à la maison et m'y retrouve en riant, dans un petit deux-pièces, avec une vie un peu difficile, mais jamais trop compliquée, j'aimerais lui préparer son repas, qu'on se parle de notre journée de travail, qu'on aille marcher, voir des amis, déambuler le soir sur la place publique, et qu'on se couche, qu'il me fasse l'amour et qu'on finisse par s'endormir, écrasés par la chaleur du lieu, prêts pour la journée suivante, même si elle ressemblera en tout point à la précédente. Bien sûr, quand je pense à ça, je fais abstraction des douleurs et des misères de la vie d'ouvrier dans des conditions de travail non réglementées, sous le joug de la corruption et de l'exploitation, etc. Mais sur le moment, j'ai envie de tout sauf d'aller me montrer en spectacle. J'ai l'impression de ne rien avoir à offrir à qui que ce soit, à quoi que ce soit, je veux plonger de la tour de l'hôtel Riu, que l'un de ces ouvriers m'attrape et qu'il m'emmène chez lui, dans son deux-pièces.

LA PISCINE

Mais je ne plonge pas. Le téléphone sonne. C'est Anne qui me dit de la rejoindre à la piscine. OK. Je peux encore faire ça. Ça va peut-être me sauver, ça aussi ? Mesdames et messieurs, après la cour des miracles, la piscine des miracles. Je mets mon maillot. Pour la première fois de ma vie, je ne me trouve pas trop enveloppée pour porter un bikini. Bien que je ne l'aie jamais été réellement. Ça aussi, me trouver constamment trop grosse, c'est un bourgeon de maladie mentale que j'ai depuis toujours. L'obsession du poids, ça peut dégénérer en anorexie ou en boulimie, et devenir un désastre pour le corps et l'âme. Mais là, je suis tellement maigre que je me trouve presque attirante. Ça m'encourage à descendre à la piscine. Il fait soleil. La piscine est magnifique. Il y a de la musique *lounge*, du genre *Buddha-Bar*, qui joue dans les haut-parleurs et des serveurs qui se promènent entre les chaises longues avec des *shooters* de tequila sur leur plateau. Anne commande un gin-tonic. Je ne boirai pas d'alcool. Je me suis enfin décidée à prendre mon citalopram et j'ai bien trop peur de dérégler encore plus mon système. Miracle, ô miracle, la piscine m'attire. Je marche vers elle. Je descends dans l'eau.

C'est la première fois que je prends une telle initiative depuis au moins deux mois. Incroyable, peut-être suis-je enfin sauvée. Je nage même ! Anne entre dans l'eau elle aussi. On parle, on rit ! De bons augures. Serais-je en train de reprendre goût à mon existence ? Je sors de l'eau. Je vais m'étendre sur un transat. Et là, c'est foutu. Mes pensées m'aspirent. Alors, je retourne dans la piscine. Je m'y traîne plutôt, parce que dès que je me couche j'ai besoin de toute l'énergie du monde pour me relever. Je fais quelques longueurs, mais le hamster qui court dans ma tête ne se fatigue plus et continue son itinéraire. Je fonds en larmes, ça ne se voit pas, je suis dans l'eau. Je retourne me coucher sur le transat, je suis crevée, vidée. Je ferme les yeux. J'essaie de dormir, impossible. J'essaie de méditer, impossible. J'essaie de lire, impossible. J'essaie de formuler une phrase magique pour me calmer l'esprit, impossible. Anne me regarde. Elle semble savoir ce qui s'agite en moi. Elle me dit, avec douceur cette fois-ci : « Tu sais, Florence, tu ne détiens pas le monopole de la souffrance. » Je suis bouche bée. Je retourne dans ma chambre en me répétant la phrase d'Anne comme une ritournelle. Je vais me coucher et, bien entendu, je ne dors pas, convaincue qu'en plus du reste je suis en train de devenir une narcissique finie.

LE STADE

Le lendemain, nous passons la journée dans le stade géant de Guadalajara. Sécurité oblige, nous devons pour y accéder passer à travers trois *check-points*. J'ai oublié mon passeport à l'hôtel. C'est compliqué, mais on réussit à me faire entrer. Sauf qu'on ne peut plus sortir. Le stade n'a jamais été utilisé. Il y a encore des échafaudages partout. Ça pue la peinture et une espèce de produit chimique dont l'odeur se rapproche de celle des pesticides. C'est vide, grand, étrange. Les Wailers-sans-Bob-Marley font leurs tests de son. Puis ce sera à moi. Je dois chanter deux minutes. Deux petites minutes. En fait, je ne chante pas réellement, je fais du *lipsync* sur ma propre voix, que j'ai posée un mois plus tôt en studio sur les guitares d'une version un peu Mile-End de l'hymne national. Et ça va être diffusé en direct à travers toutes les Amériques et les Caraïbes.

C'est la journée du spectacle. Je suis mortifiée. En attendant mon tour, je m'enferme dans ma loge. Je ne veux pas être vue, si fade que je suis devenue, à côté de ces superstars qui ont si fière allure. Je me couche sur le banc en plastique et je ferme les yeux. Le hamster revient à la charge. Mais je suis trop fatiguée pour le chasser, trop fatiguée pour me relever. Anne, qui tient le fort et fait tout le *meet-and-greet* nécessaire avec les organisateurs et les dignitaires, me secoue une heure plus tard. « Flo, il faut que tu t'habilles, il faut que tu te maquilles, lève-toi, ressaisis-toi, je t'en prie, au moins juste pour aujourd'hui, s'il te plaît, il est important ce contrat. Tu es capable, je le sais, tu en as vu des pires. »

Je la regarde. Je l'aime. Je ne sais pas comment elle fait pour encore me supporter. Et pour continuer à croire en moi, à croire que ça valait la peine qu'elle quitte son boulot, sa job *steady* dans une maison de disques, pour s'occuper de ma carrière à temps plein. Ça, c'est de l'amour. Un artiste est par définition un être particulièrement sensible, alors c'est facile de s'imaginer tous les tracas par lesquels leur entourage passe. Dans mon cas, on ne parle même pas d'une chanteuse junkie, ou d'une superstar pourchassée par les paparazzi, ou d'une actrice arrêtée en état d'ébriété au volant. On parle d'une chanteuse du Québec, au succès relatif et constant, mais modéré, qui s'engouffre dans la dépression sans que personne autour sache encore réellement de quoi elle souffre précisément. Et c'est déjà beaucoup.

GLAMOUR

Lentement, sans grand enthousiasme, j'enfile la robe de paillettes blanche et les escarpins. Je prends ma trousse de maquillage dans mon sac et j'essaie de me remémorer tant bien que mal la technique que Julie m'a enseignée avant mon départ. Une heure plus tard, je suis présentable. J'ai monopolisé chaque once d'énergie qui me restait pour appliquer le fard à joues, le mascara, pour me faire les cheveux. Je ne savais pas qu'il me restait encore un peu d'adrénaline… C'est le moment. Anne me regarde dans les yeux et prononce cette petite phrase qu'elle me dit depuis cinq ans avant que je monte sur scène. Notre code secret. C'est un code secret, donc je ne le répéterai pas ici puisqu'elle me le dit encore aujourd'hui. Et elle ajoute : « Flo, je sais que t'es capable. Vas-y. T'es la meilleure. »

Ô CANADA

Je me sers de ses encouragements pour me diriger vers la scène. Je dois marcher au moins trente mètres. Le stade est immense. IM-MENSE. Je me sens comme un petit pois, sur ce grand parterre, entourée de cinquante mille personnes qui hurlent. C'est horrible. J'ai si honte d'être moi-même, et eux m'acclament sans réellement savoir qui je suis. Je monte une à une les marches qui mènent à la scène. J'ai peur de trébucher. À ce stade, ce serait le comble que je me pète la gueule devant cent millions de téléspectateurs. Mais non, ça va. Les soldats de la garde canadienne qui sont sur scène se tassent rigidement pour me laisser passer. Je suis seule sous les projecteurs. J'entends ma note à la guitare. Je bouge les lèvres. Je dois me concentrer sur chaque syllabe, chaque moment de respiration pour que personne ne se rende compte que je fais du *lipsync*. C'est tellement stressant. J'ai les yeux qui sont presque pleins d'eau. *Non, Flo, ne te mets pas à pleurer, tu es en* close-up *à la caméra*. « Ô Canada, *our home and native land.* Ton front est ceint de fleurons glorieux… »

PAIX D'ESPRIT

Deux minutes plus tard, c'est fini. Ça crie. On montre le visage du président Calderón sur grand écran. Les caméras ne se braquent plus sur moi. C'est terminé. Je peux partir. Je sors de scène. La foule hurle, sans arrêt. Pas nécessairement pour moi, mais pour tout. C'est étourdissant, c'est tellement surréaliste. Dès que je mets les pieds en coulisses, tous les danseurs qui s'y trouvent s'approchent de moi pour un autographe, pour me dire que j'ai une voix si douce, qu'ils ont adoré. Je les remercie, je prends leurs mains, je les aime. Je sais qu'ils sont sincères. Je me sens mieux que tout à l'heure. Je peux dormir tranquille, ou du moins essayer. Anne et moi allons manger ensemble dans un bon restaurant. Elle me dit qu'elle est fière de moi, elle me rassure, me dit qu'elle m'aime. J'ai l'impression d'avoir un poids en moins sur les épaules. Je souris, je ris un peu. Le chauffeur de taxi qui nous conduit à l'hôtel est très sympa. Il me fait rigoler. Je le trouve même mignon. Anne semble contente. Nous montons à l'étage, Anne et moi (sans le chauffeur de taxi, tout de même), elle m'embrasse, me dit bonne nuit. Que je peux dormir sur mes deux oreilles, que tout s'est bien passé.

LES RÉSEAUX SOCIOPATHES

Je me démaquille et je me couche. Ça fait longtemps que je n'ai pas eu l'impression d'avoir un peu de répit, et ce soir je me sens relativement en paix, bref, plus que la moyenne des deux derniers mois. Mais une fois au lit, j'ai la mauvaise idée de regarder mon fil Twitter. Et je vois que «Florence K» est dans le top 10 des *trending hashtags* à travers le monde. Je tape mon nom dans le moteur de recherche. Des dizaines et des dizaines de tweets à mon sujet. Je les lis. Il y en a des bons, des sympas, des agréables. Mais il y a ceux qui se moquent de ma personne, de mes chaussures, de mon nez. Le mot «nez» ressurgit sans arrêt. *Nariz. Narizona.* J'ai un nez méditerranéen, mes deux parents en ont un. Il est plus grand que la moyenne, et en plus il a été fracturé quand j'avais treize ans et ne s'est jamais totalement remis en place. J'en ai un peu souffert à l'adolescence parce qu'il était parfois sujet de moqueries, mais c'est loin derrière. Ce nez ne m'a jamais empêchée d'aimer, d'être aimée, de travailler, de faire des clips, des photos, d'apparaître à la télévision, de me faire des amis… Je n'ai jamais eu envie de me faire faire une rhinoplastie, je ne veux pas modifier mon visage, je ne suis pas une fan de la chirurgie plastique, même si je peux entièrement comprendre ceux qui font le choix de passer sous le bistouri. Mais là, c'en est trop. Je suis tellement à fleur de peau, je me déteste tellement depuis deux mois que le nez, c'est la goutte qui fait déborder le vase. Je veux disparaître. Je ne veux plus jamais aller me montrer à la télévision. Je ne vois même plus les dizaines de commentaires positifs à mon égard. Ils n'existent pas. Je ne vois que la petite tache sur le tapis, pas la beauté de l'ensemble de la pièce. Mon attention ne se dirige donc automatiquement que sur les quelques mots mesquins, ces petites piques, plus méchantes les unes que les autres, qui fusent de toute l'Amérique du Sud, et je pleure, je pleure, je pleure.

ANNE-1-1

Je ne m'endors pas. Je me suis sentie si bien après ma prestation que je pensais que je reprendrais du poil de la bête, mais là, je me laisse anéantir par cette merde de réseau social qui permet à tout un chacun d'insulter tout un chacun sans filtre aucun. D'écrire derrière son écran des choses qu'on n'oserait jamais dire haut et fort. La mesquinerie à son comble, quoi. J'appelle Anne, je le lui dis en pleurant. Elle accourt dans ma chambre : « Mais, Flo, qu'est-ce que tu fais à lire ces trucs de merde écrits par des imbéciles frustrés dans leur sous-sol, bordel ????? Tu as fait du bon boulot, tu es belle, tu as été super, tout le monde me l'a dit, tout le monde te l'a dit. Les organisateurs sont super contents. Tu vas pas te laisser abattre par une trentaine de connards qui s'inventent une raison de vivre en se moquant des autres parce qu'ils sont insatisfaits de leur propre vie et qui ne se sentent bien que lorsqu'ils rabaissent les autres ?!?!?! »

Je me sens encore plus petite. Le tourbillon recommence. Le cyclone m'assaille à nouveau. Le hamster revient. L'angoisse, la parano, la mélancolie, le précipice, appelons-le comme on veut. Et il me colle désormais aux talons comme mon ombre. La pause momentanée qui m'a été accordée en arrivant au Mexique est terminée.

À l'aéroport de Guadalajara, mon téléphone sonne. C'est ma petite sœur de quatorze ans, Éléonore, qui m'appelle pour me dire qu'elle m'a vue à la télévision hier soir et qu'elle m'a trouvée vraiment bonne. Ma première question est : « Est-ce que ça paraissait que c'était du *lipsync* ? » Elle me répond que non. Je continue : « Ma chérie, promets-moi que tu ne le diras à personne, à aucune de tes copines, d'accord, que c'était du *lipsync*. » Petit silence au bout du fil. Ma sœur sait bien que quelque chose ne tourne pas rond depuis quelques semaines, et ma mère essaie tant bien que mal de leur expliquer, à elle et à Ariane, qui n'a que onze ans, que leur grande sœur file un mauvais coton, un coton dont les fils sont un peu plus longs et plus mêlés que d'ordinaire. Éléonore me promet alors qu'elle ne le dira à personne. J'ajoute, sur le ton d'un espion dont la conversation ne doit pas être décodée, que c'est vraiment important, que ma carrière au complet est en danger, donc l'intégralité de mon avenir et de celui de ma fille. Anxiété 101. Au maximum.

Dr GOOGLE

Ma famille insiste de plus en plus pour m'emmener à l'urgence. Ma mère, mon père, ma tante, mon oncle, mon beau-père, ils sont tous à l'affût d'un éventuel changement dans mon comportement, changement auquel tous s'attendaient après environ quatre à six semaines de la prise de mes nouveaux petits amis les antidépresseurs. Le délai est expiré. Rien. On attend. Rien. Même que cela semble pire qu'avant. Je m'enfonce et rien ne me remonte. Je refuse toujours d'aller à l'hôpital. Que pourront-ils pour moi, à part augmenter ma dose d'antidépresseurs ? Déjà, j'ai pris rendez-vous avec mon médecin parce que mon angoisse, la contrepartie de la dépression, crée des ravages. Je commence à être assez folle pour m'autodiagnostiquer, aidée par ce faux ami le garde-malade électronique que l'on appelle communément Google. On va en haut de la page, on clique sur le petit carré et on tape au choix les mots suivants : dépression, anxiété, insomnie, crise d'angoisse, et hop ! une panoplie de symptômes dont on se sent sur-le-champ victime défile sous nos yeux. *Souffrez-vous de perte d'appétit ?* Oui. *D'incapacité à dormir d'un sommeil profond ?* Oui. *Pleurez-vous régulièrement ?* Je crois que j'ai vidé le réservoir. *Avez-vous l'impression qu'il n'y a plus d'espoir ?* Ça s'en va là, on dirait. *Avez-vous une perte de libido ?* Quoi !? Il y en a réellement qui sont dans mon état et qui ont envie de faire l'amour ? *Vous isolez-vous de plus en plus ?* Oui. Pas le choix.

Chaque jour, une brique de plus se pose sur le mur qui est en train de se construire pour me séparer de la réalité, la vraie réalité. Comme un genre de mur de Berlin intrapersonnel. Il sépare ce que je suis réellement de ce que je crois que je suis en train de devenir, ou vice-versa. Il me tient à distance du vrai monde, du monde qui grouille de vie, pour m'isoler, pour être certain que je ne pourrai jamais sortir de ma zone et retourner vers ce qui fut auparavant un lieu normal, un lieu rempli de ses joies et de ses tristesses, mais au moins rempli de quelque chose. Dépression. Je déteste ce mot, je le vois partout sur Internet. Je me mets à lire des blogues de dépressifs. Ils énumèrent la liste interminable de tous les médicaments qu'ils ont consommés ou qu'ils prennent encore. Ils broient du noir comme un robot culinaire transforme la soupe en potage. Et leurs blogues de merde, ils me dépriment encore plus. Je me dis que c'est la prochaine étape qui m'attend. Rejoindre les victimes du mal d'être sur la Toile et raconter ma descente aux enfers en faisant du semi-voyeurisme sur la vie des autres, par envie et par comparaison malsaine, pendant que *Heart-Shaped Box* de Nirvana joue en boucle sur mon iPod. Que de joie.

ENTOURAGE

Il est difficile pour l'entourage de quelqu'un que l'on voit s'enfoncer de savoir exactement ce qu'il faut faire, et la façon dont il faut le faire. Je ne veux rien entendre de l'hôpital, je suis persuadée que le problème, c'est moi, et rien d'autre, et je suis certaine que personne n'y comprendrait ce que je vis. De plus, je prends des médicaments depuis plusieurs semaines et mon état ne fait que s'aggraver. Que vont-ils faire à l'hôpital? Me bourrer de pilules? M'anesthésier? M'enfermer? Non. Non. Non. Ce n'est pas pour moi. Et le problème, c'est que personne ne peut me forcer à être internée, sauf un médecin qui considérerait que je suis un danger pour moi-même ou pour les autres et qui, à ce moment-là, demanderait à l'État d'intervenir et de me mettre sous sa tutelle.

Toute cette situation pose un véritable problème à mes proches. Parce que, tous les jours, je supplie ma mère de ne pas m'emmener à l'hôpital, et je lui dis que si elle m'y conduit, je mettrai fin à mes jours. Et mon père est un tendre, et je le bluffe encore un peu. Ils sont aveuglés par les sentiments de parents qu'ils ont pour moi. Jean, le conjoint de ma mère, est catégorique. C'est un pragmatique. Pour lui, ce n'est pas compliqué: je suis malade, je dois être hospitalisée. Pour Anne,

Catherine et Bastien également, mais en même temps ce n'est pas une décision simple à prendre que de faire enfermer sa meilleure amie. Il est difficile de définir la ligne, le pas à franchir, et de décider jusqu'où on peut aller en faisant un choix aussi important pour quelqu'un qui y est si réticent sans que cela devienne de l'ingérence. Même si, parmi ces gens qui m'entourent, il semble se jouer un combat entre l'impuissance et l'inaction, ils vivent plutôt un affrontement intérieur entre plusieurs camps : la conscience, l'amour, la raison, la pitié, le manque de connaissances sur le sujet, la logique et l'espoir.

Ma mère m'a toujours dit la phrase suivante : « *Only the squeaky wheel gets the oil[2].* » La roue de mes proches grince tellement qu'ils finissent par m'avoir à l'usure. À force de me rappeler constamment que mon état s'aggrave et qu'il est entièrement anormal, ils réussissent à me convaincre de me laisser emmener à l'urgence.

ER

On arrive dans le parking de l'urgence. Ma mère et Jean, son conjoint, sont avec moi. Mon amie Maïna est présente, et ma tante Marie-Claude et mon oncle Luc viennent nous rejoindre. Plus rien ne m'importe autant que de sortir et fumer une cigarette. Fumer me donne l'impression d'être en vie, et pendant que je fume, je n'ai pas envie de me

---

2. Il n'y a que la roue grinçante qui reçoit de l'huile.

tuer, mais en même temps, quelque chose d'ignoble en moi me dit de fumer toujours plus afin d'accélérer mon processus d'autodestruction. J'ai perdu mon sommeil, j'ai perdu ma forme, j'ai perdu mes repères, je perds ma tête, je n'ai plus un grand cœur, il ne me reste plus qu'à perdre la voix et le reste de ma santé, et fumer précipite ce moment où je me lèverai un matin en me disant : *Ça y est, maintenant il ne te reste plus rien*, donnant ainsi raison à ce mal qui me gruge depuis des semaines.

J'attends six heures avec ma famille. Ce n'est pas une urgence, c'est clair, et, honnêtement, attendre dans une salle d'hôpital ou dans mon salon que ma vie change, ça revient au même. Il ne se passe rien. Je sors toutes les heures pour fumer une cigarette, sous le regard approbateur de mon beau-père : si elle fume, elle reste en vie. Après un bout de temps, je finis par rencontrer un interne. Je n'avais jamais discuté avec un psychiatre auparavant. Les psychiatres faisaient pour moi partie d'une catégorie de médecins *weird*, des médecins qui s'intéressent plus à l'analyse des propos des gens qu'à leurs signes vitaux et leurs organes. Je ne faisais pas non plus clairement la distinction entre psychiatre, psychologue, psychothérapeute, et franchement, je me disais que si l'on choisissait la psychiatrie au lieu de la pédiatrie, ou de la chirurgie, ou de la radiologie, après des années de médecine, il fallait que quelque chose ne tourne pas rond ou que l'on ressente soi-même le besoin pressant de consulter.

Mon interne correspond parfaitement à la description mentale que je me fais des psychiatres. Un genre de Dr Alcatraz que j'imagine pratiquant dans un nid de coucous perché sur un rocher avec les fous des fous, portant une grande blouse blanche immaculée et marchant de cellule en cellule pour observer à travers une lucarne dans la porte le comportement de ses patients, afin d'en analyser les gestes et les cris pour ensuite le rapporter en réunion à ses supérieurs, un cercle de vieux psychiatres assis autour d'une table, fumant des cigares, les cheveux gris lissés comme dans les deux premières saisons de *Mad Men*, se bidonnant un peu de tous ces fous, discutant ensemble de manière condescendante d'électrochocs et de camisoles de force, le tout se déroulant idéalement quelque part entre 1956 et 1963.

Mais je suis à Montréal, en 2011, et mon interne porte des lunettes, il est à peine plus vieux que moi et il lui manque déjà la moitié de ses cheveux. Ses études en médecine ont dû l'épuiser. Il est blême. Il a l'air presque plus angoissé que moi, il a un tic nerveux qui lui fait gigoter la jambe droite sans arrêt. Il est quand même relativement sympathique. Il ne déborde ni d'empathie ni de compassion (je crois que la capacité de rester neutre compte pour au moins 50 % des résultats finaux des études en psychiatrie), mais il m'écoute et prend son temps. Pendant un long moment. Il ne me fait pas sentir qu'il y en a au moins dix-sept après moi qui attendent leur tour, dont la moitié sont des cas de schizophrénie ou de psychoses dues à la consommation d'une drogue trop chimiquement altérée. Mon interne prend des notes au crayon à mine sur une grande feuille blanche. Je me demande s'il fait exprès d'écrire aussi gros pour que je puisse lire ses notes, peut-être qu'il cherche à influencer la perception que j'ai de moi-même et de mon mal en me laissant regarder sa feuille, peut-être que le fait d'être capable de constater les mots-clés que les autres notent à partir de notre description de nous-même relève d'une technique de guérison. J'essaie donc de lire ses notes à l'envers et j'y vois les mots suivants écrits en désordre sur le papier : *depression*, *histrionic*, *bipolar*, *insomnia*, *anxiety*. Je sais qu'il observe chacun de mes gestes, chacun de mes regards pour en tirer le plus d'informations possible sur mon état, et ça me met mal à l'aise. Si je lui parle trop de moi, de mon état, va-t-il ajouter le mot *narcissistic* sur sa feuille ? Si je lui dis que j'ai des idées noires, va-t-il me faire interner ? Évidemment, ceci altère ma façon d'être, et le malaise qui naît en moi ne fait que grandir encore plus rapidement.

EN ANGLAIS, S'IL VOUS PLAÎT

La consultation se déroule en anglais. Je me trouve dans un hôpital majoritairement anglophone, ce qui est un avantage lorsque l'on est une chanteuse que les gens ont plutôt l'habitude d'entendre à la télévision ou à la radio francophone. Incognito, bien dans ma peau. Pas besoin de signer d'autographes ici. J'ai une peur bleue que l'on me reconnaisse et que l'on diffuse mon état sur les réseaux sociaux. Même si je sais très bien que je ne suis ni Britney Spears, ni Madonna, et que mon succès en musique est tout de même relatif. Pas de paparazzi pour moi à l'urgence, pas d'entrevue avec des magazines à potins, pas de photos sur Instagram. Ouf, le secret est encore secret. J'en mourrais de honte, autrement. Je vois déjà les titres des magazines à potins : « La descente aux enfers de Florence K ! » Mais, Dieu merci, rien de tout ça. Personne ne sait ce qui se passe et c'est tant mieux. S'il y a bien une chose dont je suis certaine, c'est que je ne survivrais pas aux préjugés ou à l'opinion publique, pas dans mon état actuel. L'anglais est également la langue dans laquelle je suis plus à l'aise pour exprimer mes émotions. Un peu comme quand je chante du blues.

Ma mère s'est toujours adressée à sa sœur en anglais parce que, quand elles avaient l'âge d'apprendre à parler, elles vivaient à Boston. Mes préférés, les Beatles, chantaient leurs émotions en anglais, Billie Holiday et Kurt Cobain aussi. J'exprime souvent mes émotions en anglais et, de temps à autre, lorsque je ressens un excédent de frustration, j'ajoute un petit *fucking* par-ci par-là. J'adore le mot *fuck*. C'est un terme qui phonétiquement me permet d'extérioriser, à l'intérieur d'une seule syllabe, toute l'exaspération du monde. Probablement parce que sa première lettre, le *f*, ressemble au fameux « Pfffffff… » qui sort automatiquement de notre bouche lorsque nous sommes à bout de nerfs. Parce que c'est la lettre de l'expiration. Et le *ck* de la fin, c'est le punch, l'uppercut qui nous permet de nous défaire de notre étiquette de victime des autres et des circonstances. C'est un mot vulgaire, évidemment, mais je le préfère de loin à tous les sacres du monde, les « ostie de câlisse de crisse », qui, mine de rien, traînent avec eux une tradition millénaire et religieuse qui, bien que controversée, et avec raison, ne mérite tout de même pas d'en être réduite à une myriade d'insultes. Donc, ici, je ne me gêne pas. « *Doctor, I feel fucking tired, you know what I mean ? I haven't fucking slept in months… I'm fucking lost, the fucking meds don't work.* » Il en a vu d'autres.

VERDICT

Après une bonne demi-heure, il me remercie, ne me donne pas de diagnostic et me demande de sortir. Il veut voir ma famille, mon beau-père, ma tante et mon oncle. J'attends dans le corridor. Les vingt minutes de leur discussion me semblent une éternité. Je suis assise avec mon amie Maïna, qui me calme et qui me dit que ça va aller. Je la remercie pour ses bons mots, mais dans mon for intérieur je sais clairement que ça n'ira pas. Je sais que mon beau-père souhaite que je sois hospitalisée. Pour lui, c'est la seule solution possible. Remettre les compteurs complètement à zéro, un gros *reset*, avant de recommencer à placer un pied devant l'autre.

Je ne vois pas la chose du même œil. Être internée, pour moi, c'est un pas de plus dans ma propre déchéance, c'est un échec de plus à encaisser. Je ne serai pas capable de surmonter une autre déception causée par moi-même envers ma propre personne. Il faut que je parvienne à guérir toute seule, chez moi, avec un peu d'aide, je le sais bien, mais je ne suis pas prête à déclarer entièrement forfait. Je ne suis pas prête à assumer qu'en ce moment je fais face à la maladie mentale. Non, non et non.

Au bout de ces vingt minutes interminables, mon trio de soutien sort du cabinet du Dr Alcatraz. Ce dernier me fait signe de revenir le voir. Le verdict : je souffre d'un EDM, un épisode dépressif majeur. Ce que j'aime, dans son diagnostic : le mot « épisode ». Condamnée à tout jamais à faire partie de l'univers déprimant de la dépression ? Pas nécessairement. Épisode. Tranche de vie. Phase. Ce que je n'aime pas, dans son diagnostic, c'est le mot « dépressif ». C'est le terme le plus déprimant du monde. Quant au mot « majeur », tout le drame se tient dans ces six lettres. Ça donne du sérieux à la maladie. Ça excuse tous mes comportements. Alors, on garde le citalopram, on ajoute un peu de quétiapine (Seroquel) pour calmer les nerfs et on double la zopiclone pour dormir. Allez, hop ! avec notre petit papier, on quitte l'urgence et les patients qui ont vraiment besoin de soins urgents, parce que sinon c'est la mort, ou presque, et on s'en va à la pharmacie pour soigner nos bobos. Je retourne à la case départ, quelques pilules en plus. Mon sarcasme ne fait que prendre de l'expansion avec ma dépression. C'est tout ce qui me reste d'humour. Un sarcasme à toute épreuve.

LE PHARMACIEN

Je vais chercher mon nouveau traitement à la pharmacie. J'ai peur du regard du pharmacien. Il doit en voir tous les jours, de toutes les sortes, et je me demande s'il me reconnaît. S'il remarque que, depuis que j'ai commencé à venir le voir à son comptoir avec des prescriptions pour l'esprit il y a quelques semaines, je ne prends pas du mieux. S'il voit que j'ai moins de cheveux, que je suis maigre, que mes mains sont sèches, que je pue la cigarette, que j'ai des poches sous les yeux. Je me demande s'il a pitié de moi, et cette pensée me répugne. Faire pitié me répugne. Mais je crois que j'en suis là, que je fais pitié. Le pharmacien reste-t-il constamment neutre de jugement face aux patients qui le consultent? A-t-il secrètement envie de rajouter quelques remontants à mon traitement s'il croit que ce que je prends ne fonctionne pas avec moi? Le pharmacien aimerait-il avoir son mot à dire lorsqu'il déplie les ordonnances presque illisibles des médecins? Tant de questions inutiles qui me viennent à l'esprit, mais c'est bon, pour une fois, je ne pense pas qu'à moi.

Tout ce que je sais, c'est qu'en ce moment je me sens absolument inférieure à tous ces gens qui se sont réveillés ce matin, qui ont sauté dans la douche, qui se sont mis beaux et propres, qui se sont fait un café, qui ont souri à ceux qu'ils aiment et qui sont partis au travail, avec plus ou moins d'entrain peut-être, mais quand même assez de motivation pour s'y rendre et y passer leur journée. Je les envie comme jamais je n'ai envié personne. J'envie le fait qu'ils fonctionnent. Peut-être ont-ils le cœur brisé, peut-être sont-ils grippés, peut-être ont-ils mal dormi, peut-être ont-ils hâte d'être à leur pause-déjeuner, mais, en attendant, ils sont là et ils fonctionnent. Je ne fonctionne plus. Enfin, c'est ce que je crois. Mais les dix-sept dates de spectacles qui sont prévues à mon horaire dans les six prochaines semaines me prouveront le contraire.

LA PROFESSIONNELLE

J'ai trois journées prévues à mon horaire pour les répétitions de mon nouveau spectacle. Anne, JF, Guy, Domenico et Annie ont bossé extrêmement fort pour monter une disposition scénique parfaite, avec une structure élevée illuminée par des lumières de Noël blanches rappelant une fête de rue dans le Sud, et des arrangements très précis pour qu'il ne me reste plus qu'à m'insérer dans le cadre et à donner au public ce que je peux encore donner. Dans ma tête, il n'est pas question d'arrêter les préparatifs du spectacle. Et quand mon équipe me demande et me redemande si je me sens capable de mener la barque jusqu'au 28 décembre, je réponds avec empressement que oui, que je sais que je ne peux plus faire grand-chose, mais que si on m'enlève mes spectacles en plus, je me sentirai complètement dénudée. Le vide autour de moi et surtout en moi n'en serait que plus vaste et il est hors de question que je déçoive tous ceux et celles qui ont acheté des billets pour l'un de mes dix-sept spectacles à cause de ce foutu mal de vivre. Une fois de plus, la perspective de servir encore à quelque chose me fournit un regain d'espoir face à mon avenir. Et une fois de plus j'avais tort, car cet enthousiasme n'aura duré que les quelques heures de la première matinée de répétition. Et alors, c'est là que je décide de pousser ma maîtrise de l'art du bluff.

QUINCAILLERIE

La preuve que je suis en train de devenir folle : je regarde de plus en plus les objets tranchants qui se trouvent à portée de ma main, et chez moi, et chez ma mère. Couteaux, rasoirs, ciseaux, tout cela est désormais associé dans mon esprit à une possibilité d'être libérée de ma souffrance. Je n'ose pas encore toucher à cette quincaillerie, c'est une ligne – je le sais très bien – qu'il sera difficile de traverser en sens inverse si je décide de la franchir, mais chaque jour, chaque matin, ces objets m'appellent un peu plus fort, de manière un peu plus insistante.

Pour détourner ma pensée de leur existence, je ferme les yeux et j'essaie de me rappeler avec précision cette pochette de disque qui m'avait tant traumatisée, celle du single *Ask for It*, extrait de *Live Through This* de Hole, même si j'ai toujours adoré cet album. Dessus se trouve une photographie de deux poignets tranchés, des avant-bras féminins dont la chair ensanglantée ne ment pas sur l'intention de sa propriétaire. Je suis couille molle. Je n'ai pas envie de me faire mal. Oui, je souffre, mais j'ai vraiment peur de la douleur physique, et surtout de la mort. En fait, en ce moment, j'ai peur de la vie et j'ai peur de la mort. Je me trouve au milieu d'un *nowhere land* où rien n'est une solution, ni la possibilité de me diriger d'un côté, ni celle d'avancer vers l'autre. Je suis vraiment dans la merde, entre deux camps qui sont tous les deux mes ennemis et qui me font trembler autant. Et la quincaillerie, l'argenterie, les rasoirs me font les yeux doux, m'appellent sans arrêt, me faisant une proposition indécente, celle d'au moins voir jusqu'où je serais prête à aller pour atténuer ma souffrance.

VÉNUS

Un matin, après d'autres innombrables heures où je joue à l'autruche avec tout, comme d'habitude, et où j'ose à peine sortir ma tête de sous mes draps, sauf pour aller fumer sur mon balcon chaque nouvelle heure qui s'affiche sur le cadran du réveille-matin, je me dirige vers le bain. C'est une *safe place* pour moi. La baignoire, mon balcon avec mes clopes et la scène sont des lieux où je me sens en sécurité. Lorsque je me trouve dans le bain, sur la scène ou bien une cigarette au bec, je n'ai généralement pas de crises de panique. Je peux rester suspendue dans le temps et je n'ai pas de décisions à prendre. Je prends d'ailleurs entre cinq et sept bains par jour.

Ce matin, je m'en fais couler un, un peu trop chaud, parce que je meurs de froid, je suis très faible. Je trempe mon pied dedans, je m'y glisse entièrement. Dans l'eau, je tremble un peu moins. La chaleur m'enveloppe et me protège telle une armure, et j'y demeure de longues minutes à fixer dans le robinet mon reflet déformé qui me rappelle *Le Cri* de Munch. Et là, sur le rebord de la baignoire, j'aperçois mon rasoir. Rien de bien dramatique, un tout petit rasoir rose de Gillette, datant du temps où mon apparence avait une certaine importance à mes yeux et où jamais je ne mettais un pied hors de chez moi sans être impeccablement rasée, épilée, coiffée, habillée et au moins un peu maquillée. J'attrape le rasoir de la main droite. Et telle une automate, j'essaie de creuser une entaille à l'intérieur de mon poignet gauche. Ce n'est pas l'outil idéal, mais en grattant bien, je vois une petite trace apparaître, petite marque qui grandit sous la répétition acharnée du geste. Je regarde la coupure qui se forme et le sang qui commence à y perler. Je continue à la creuser avec un peu plus de vigueur. Je me dis que je le mérite. C'est comme si une main autre que la mienne effectuait le geste, pour me rappeler que je ne mérite que ça, que je suis nulle et que donc j'ai besoin de me punir. C'est presque libérateur de me faire mal à moi-même. Je saigne à peine plus qu'avec une de ces coupures de papier. Celles qui nous énervent parce qu'elles nous piquent et qu'elles sont incommodes, mais que l'on oublie rapidement parce que la douleur est brève et la cicatrice, mince. Ce n'est certes pas avec ça que je vais mourir. Tant mieux. Il me reste assez de bon sens pour arrêter. Mais mon poignet est tout de même dans un sale état. J'ai tellement gratouillé sa surface qu'il y a une dizaine de petites marques rougeâtres et un peu en sang et que ça se voit. *Bravo, Florence. Tu as un show demain. Je pensais que tu ne voulais pas que ton public se rende compte de ton piteux état.*

Je n'ai certes pas commis ce geste pour mettre fin à mes jours. Lorsque l'on décide que c'est la fin, on prend les moyens qu'il faut. Entre me gratouiller le poignet et me jeter en bas d'un pont, il y a quand même une différence. Est-ce que je l'ai fait dans une perspective d'automutilation ? Probablement. Mais en même temps je me sens super nulle parce que, même dans mon automutilation, j'ai arrêté avant d'avoir réellement mal. Comme si je me trouvais lâche. Lâche d'avoir attrapé le rasoir et d'avoir joué avec, et lâche parce que, tant qu'à y être, j'aurais pu le faire pour vrai. Je me sens encore plus conne d'avoir fait ça. J'ai honte. Je suis maman, je ne devrais pas jouer à ces jeux-là. Mais une partie de moi-même n'a pu s'empêcher de le faire.

Le lendemain, avant de monter sur scène, je demande à Krissi si elle a un gros bracelet que je pourrais glisser sur mon poignet pour cacher la trace de mon geste stupide. Elle me regarde, triste et perplexe à la fois, et me passe un énorme bracelet d'argent qui recouvre entièrement les traces de mes jeux dangereux. Elle en glisse un mot à Anne. Je crois que ceux qui m'entourent prennent plutôt cette attaque contre ma propre personne comme une façon d'obtenir un peu plus d'attention, un cri du cœur qui hurle : « J'existe, s'il vous plaît, regardez-moi, écoutez-moi, donnez plus d'attention à ma souffrance. J'ai mal, j'ai besoin de vous accaparer parce que je ne sais plus ce que je fais, guidez-moi, aidez-moi, mais en même temps laissez-moi tranquille ! » J'ai probablement effectué ce geste pour cela aussi. Je le recommence la semaine suivante. Et je m'arrête. Chaque fois que je m'entaille un peu les poignets, je me sens libérée d'un certain poids. J'ai l'impression d'avoir encore un peu le contrôle sur quelque chose, parce que je suis capable de m'arrêter avant de causer de réels dégâts. Et ça me rappelle, à la fin de la journée, que je ne veux pas réellement mourir, puisque je ne me laisse jamais aller trop loin. C'est sans doute mon instinct de survie qui me fait commettre ce geste, car en l'arrêtant avant que la situation soit irréversible, il me prouve qu'il fonctionne encore, que je détiens encore un peu de contrôle sur ma propre vie. C'est une logique que je suis la seule à comprendre. Cette analyse, aussi tordue soit-elle, m'appartient et je la garde au fond de moi comme la preuve que je peux encore raisonner un peu.

SALUT, BONJOUR!

Je fais de la promotion. Rien ne paraît. Je suis juste un peu blême et plus maigre qu'avant, mais j'arrive encore à mobiliser le peu d'énergie qu'il me reste pour promouvoir mon spectacle dans quelques émissions de télévision et dans deux ou trois entrevues. Je vais faire *Salut, Bonjour!* Gino Chouinard me demande dans quelle atmosphère se déroule ma tournée. Et moi de répondre spontanément: «Dans le bonheur.» Je bluffe, mais je bluffe bien. Trois ans plus tard, je visionnerai cet extrait pour l'écriture de ce livre et, honnêtement, si je ne savais pas dans quel état je me trouvais mentalement, je vous jure que j'aurais perçu cette chanteuse comme saine et heureuse, un peu cernée et pâle, certes, mais sûrement pas au sommet d'une dépression. Dès que la caméra s'éloigne de mon visage, je replonge. En fait, dès que je ne dois pas être sur la *switch on*, je replonge. Mon équipe entière, musiciens et techniciens compris, est au courant de ce qui se passe, ils ont tous été prévenus et agissent du mieux qu'ils le peuvent avec moi. Patience et compréhension. Parce que, entre les blocs de travail dans la salle de répétition, j'ai trouvé un rideau noir de velours roulé en boule dans un coin, et je m'y couche, je m'y cache. Je m'enfouis dedans, ce rideau devient mon oasis pendant que l'on monte le spectacle. Bien sûr, je dois avoir l'air complètement bizarre. Je ne m'endors jamais. Je ne fais que m'enfouir et trembler, secouée par l'anxiété qui me gruge et par les larmes qui mouillent mes joues de temps en temps, lorsque je pense à tout ce que je crois être en train de perdre, lorsque je pense à ma fille qui a une mère lointaine, lorsque je pense à celle que j'étais auparavant, à l'énergie qui débordait de ma personne quand on préparait mes tournées précédentes. Puis on me rappelle au boulot et je retourne à mon piano, et je surfonctionne pour compenser. Mon cœur n'est pas du tout au travail. Ma tête non plus. Ma voix, je la perds peu à peu parce que je fume de plus en plus, mais, pour l'instant, elle tient encore. Ne me restent que mes doigts qui, eux, courent de plus belle sur le clavier, et la position de mes mains cache bien les entailles que je creuse tous les deux jours au rasoir.

Anne me dira plus tard que, à ses yeux, jamais je n'aurai donné de concerts aussi émouvants que ceux de ma tournée *Havana Angels*. À ce qu'il paraît, mes solos de piano venaient d'un autre monde. Je ne m'en souviendrai pas ainsi. Je me souviendrai de la route dans la van de tournée où j'oscillais entre faux sommeil et tremblements, des cigarettes fumées avant ma balance de son, de la maigreur et de la pâleur de mon corps en enfilant ma robe de spectacle, un magnifique prêt (une taille zéro) de Chanel, dans la loge, de la lenteur avec laquelle je me maquillais, de mes doigts complètement addicts à mon iPhone, surveillant comme un agent secret l'arrivée de textos, soit de l'Espagnol, soit de mon ex, de ma difficulté à feindre la joie et la chaleur lorsque je rencontrais l'équipe de la salle, de la lourdeur de mes pas au moment de monter sur scène, de mon incompréhension lorsque je constatais que la salle était pleine et que je me demandais ce que tous ces gens pouvaient me trouver de si intéressant, de ma difficulté à pousser la première note, à poser mes mains sur le clavier du piano, à regarder mes musiciens dans les yeux. C'est l'énergie du désespoir, le fil qui nous relie encore à quelque chose de tangible lorsque tout le reste prend le bord, c'est la volonté de rester en vie même si secrètement on veut mourir, c'est la peur de voir nos problèmes personnels se décliner en déceptions pour les autres, de leur causer une perte de travail, de décevoir le public qui nous reste, c'est fermer les yeux pendant les applaudissements de la fin en essayant tant bien que mal d'absorber chacune des ondes d'amour qui nous sont envoyées et qui, malgré tout, ne suffisent pas, car on est désormais un gouffre sans fond, et qu'on a beau boire l'amour des autres, notre soif n'est jamais complètement étanchée, on n'est jamais entièrement désaltéré, parce que la source principale d'amour qui est censée nous abreuver, notre estime de soi, est à plat, écrasée par un tank sur une route déserte quelque part dans un champ de bataille ravagé par les démons de notre tête.

JE FUME, SYSTÉMATIQUEMENT

Je tiens le coup ainsi pendant dix-sept spectacles. Dix-sept dates parsemées sur les mois de novembre et de décembre 2011. Dix-sept soirs qui agiront comme des bouées de sauvetage éparpillées un peu partout dans l'océan de mon désespoir. Et entre les spectacles, je fume. De plus en plus. Je me lève le matin avant que mon père et ma fille se réveillent, parce que je ne veux pas croiser le regard de ma petite, parce que ça fait trop mal, parce que ça me rappelle que je ne m'en occupe plus, parce que ça me rappelle que j'ai déjà été une maman extra-ordinaire, parce que ça me rappelle que je suis encore capable de monter sur scène mais plus d'être une maman, et donc que mes priorités sont complète-ment bousillées, erronées, mauvaises, désordonnées, tout comme l'état de mes pensées, d'ailleurs. Je sors de mon lit en catimini. Je ne fais pas de bruit. J'en-file une couverture en guise de manteau et je sors sur le perron devant mon appartement. Je m'al-lume une cigarette. Une deuxième. Une troisième, une sixième. Les voisins sortent pour travailler. Ils me saluent du bout des doigts, en laissant paraître le malaise qu'ils ont à me voir ainsi, chaque matin, clouer mon propre cercueil d'une façon de plus en plus insistante de jour en jour. Puis mon père sort avec ma fille pour l'emmener à l'école. Elle vient me donner un bisou sur la joue. Je pue la cigarette. J'ai mal. Elle part et je la regarde s'éloigner en pleurant. C'est là que mes larmes sont le plus abondantes. Je fume et ensuite je rentre prendre un bain. Je ressors sur le balcon, mes cheveux mouillés enveloppés dans une serviette, et je fume encore. Puis c'est le jour de la marmotte.

MACK THE KNIFE

Je vais chez ma mère pendant un petit bout de temps. Elle a enlevé de toutes les surfaces possibles les rasoirs, elle sait que je m'en saisis un peu trop souvent. Il y a toujours quelqu'un chez elle, alors personne ne craint outre mesure pour ma sécurité. J'ai l'impression d'être en train de devenir un vrai boulet pour mon entourage. Et ça augmente mon sentiment de culpabilité. Je réussis à dérober un couteau à la cuisine sans que ma mère s'en rende compte. Un gros couteau à viande. Je le cache sous mon oreiller. Je n'y touche pas, je n'essaie pas de me faire hara-kiri, mais savoir que le couteau est là, en permanence, sous ma tête, calme mon anxiété. Dans mon raisonnement de dépressive, je me dis qu'en ayant toujours un couteau à portée de main j'ai accès à une porte de sortie si jamais l'anxiété ou la panique se fait trop forte ou si la douleur mentale devient trop insoutenable. Je ne touche pas au couteau. Mais il agit en gardien de ma vie. Ma mère le trouve. Elle le prend et me regarde en pleurant à chaudes larmes. Elle ne comprend pas.

J'essaie de lui expliquer mon raisonnement. Je lui dis qu'il faut qu'elle me le laisse, que c'est une question de vie ou de mort, je lui jure sur la tête de tout et de rien que je n'y toucherai pas, que ce couteau m'aide en fait à rester en vie et qu'elle ne peut pas me l'enlever ainsi. Évidemment, ma mère et Jean me confisquent le couteau malgré mes supplications. Et ils partent à la chasse à tous les couteaux de la maison, tous les objets tranchants, tous les ciseaux, toutes les cordes, tous les foulards. Ils s'en arrachent les cheveux. Moi, je reste pantoise à me demander à quel objet je pourrais bien désormais remettre l'issue de mon destin.

L'EXPRESS

Dans une entrevue qu'elle a accordée à une journaliste du journal Le Droit *de Gatineau juste avant son spectacle, le 14 décembre dernier, elle confia que «[sa] tournée s'inscrit dans la suite logique du disque». Soit «rempli de rythmes, de chaleur et de couleurs de Cuba». Florence K. convia le public à une véritable «fête de rue avec des ampoules qui tombent du plafond». Elle ajouta qu'elle souhaitait «donner un côté intime et fiesta à tout ça». Je vous avoue que cela m'excitait d'autant plus que ses prestations au Mondial des Cultures furent toujours empreintes de fougue et de passion.*

Au début du spectacle de dimanche dernier à Drummondville, après un pot-pourri d'airs de Noël, elle entretint son auditoire davantage de sa découverte des musiciens de Cuba pleins de passion, de fougue et d'énergie, qui lui ont enseigné l'art de se surpasser dans sa création musicale.

Entourée de quatre musiciens de haut calibre qui l'accompagnent souvent, soit un guitariste, un trompettiste, un contrebassiste et un percussionniste, elle est et sera toujours une musicienne et mélodiste accomplie apte à composer de fort jolies chansons, comme Little Angels *et* El Camino de Navidad. *Elle voua à* Blue Christmas, *popularisé par Elvis, une touche personnelle, et un doux rythme de cha-cha à* I'll be Home for Christmas. La Peregrinacion (a la Huella) *fait partie du folklore de Noël chez les Espagnols. Cette magnifique chanson fut traduite en français par Gilles Drieu sous le titre d'*Alouette alouette. *Elle interpréta avec force et avec la magie des mots colorés et espagnols la chanson française* La Foule *d'Édith Piaf. Aux chants, dits de Noël, elle s'élança avec talent pendant une dizaine de minutes faire sauter* Christmas Blues. *On se serait crus dans une boîte de jazz de La Nouvelle-Orléans avec les solos de ses musiciens.* La Lune et la Neige *trônera comme la seule chanson en français de son spectacle.*

Je suis un admirateur de Florence K. Une femme dynamique, qui sait se mouvoir sur une scène, donne dans l'humour et sait aussi faire lever un auditoire de plus de dix mille personnes comme au Mondial des Cultures, dont elle est la porte-parole. Une icône et une chouchoute drummondvilloise. Un talent qui franchira certes les frontières.

Ce spectacle, quoique professionnel, n'a pas répondu aux attentes qu'elle proposa dans son ensemble. Un point de vue que partagent bien des gens, si je me fie aux commentaires entendus à l'entracte. J'ai senti une

Florence plutôt éteinte qui ne semblait pas en pleine forme. Ses entrées, ses sorties et ses quelques déplacements étaient empreints de froideur. Les propos qu'elle étayait ou susurrait à l'assistance semblaient une corvée. En retour, les applaudissements étaient polis, sans enthousiasme. Elle l'a même fait remarquer lorsqu'elle a voulu faire chanter l'auditoire. Ça ne levait pas. Nous étions loin de la fougue et de la fiesta annoncées. Le décor et l'éclairage, fort réussis, créaient l'ambiance feutrée d'un «lounge» et non un décor de Noël. Si le tableau que je viens de décrire a été pensé comme tel, je crois alors que la mise en scène ne sera pas conforme au projet tel qu'elle le décrivait dans son entrevue au journal. On n'y retrouve vraiment pas l'ambiance qui se dégage de son album Havana Angels.

Je n'ai pas reconnu «ma» Florence K. Quoique sa prestation artistique est toujours impeccable. Je reste toujours l'admirateur, mais celui qui a hâte de la retrouver en pleine forme au Mondial des Cultures.

Rappelons pour ses admirateurs qu'elle anime tous les samedis et dimanches soir à Espace Musique de Radio-Canada l'émission Planète K[3].

Depuis le fin fond de mon lit, j'éclate en sanglots. Ça y est. Ça se voit. Je suis foutue. À quoi ça sert maintenant que je me lève? Je n'ai plus rien à donner. À personne.

---

3. Bérubé, Claude, *L'Express*, «Florence K, une magnifique prestation mais, sans enthousiasme», collaboration spéciale, 22 décembre 2011.

SAINTE-THÉRÈSE

28 décembre 2011. C'est le dernier soir de ma tournée. Francine et Georges-Hébert viennent voir mon spectacle. Avec eux et toute l'équipe, nous allons manger dans un petit restaurant libanais de la banlieue avant qu'on monte sur scène. Georges-Hébert ne m'avait pas vue depuis quelques semaines. Francine non plus. Ils me trouvent méconnaissable. Enfin, c'est ce que je comprends. Je suis absente pendant tout le repas. Je mange à peine. Mais je sors toutes les cinq minutes pour fumer une cigarette. Je fume derrière le restaurant, cachée comme une voleuse, mon capuchon bien enfoncé sur les oreilles. Je tremble. Tout tremble constamment autour de moi. Je suis certaine que je frôle la folie. Je rentre de temps en temps dans le restaurant. J'essaie d'éviter les regards de tous ces gens attablés devant leur assiette, persuadée que tous me reconnaissent et qu'ils me trouvent bizarre, et que si certains d'entre eux ont des billets pour mon spectacle, ma simple allure leur enlèvera rapidement toute envie de venir m'écouter. Puis mes yeux se posent sur la table où mes proches sont assis. Francine, Georges-Hébert, Anne, Domenic, Charles, Kiko, Jean-François, Yvon, Guy… Je les aime tant, mais encore une fois un mur sépare leur monde du mien. Je peux lire la confusion et la tristesse sur leur visage à mon approche. Je n'ai rien à leur dire. Je suis ailleurs.

Ce soir, je donne mon meilleur spectacle de la tournée. Je chante comme si c'était la dernière fois de ma vie que je montais sur scène. Après ce concert, je n'aurai plus rien pour me tenir sur la route. Que mes cigarettes et l'envie de disparaître pour que mon ex rencontre une nouvelle femme et que ma fille puisse avoir une meilleure mère, pour que je cesse de parsemer ce qui m'entoure de mon énergie négative, pour que la terre soit un monde meilleur. Après ce soir, c'en est fini pour moi. J'en suis entièrement convaincue.

ALL APOLOGIES

Je me réveille le lendemain dans mon lit. Enfin, je ne me réveille pas puisque je n'ai pas dormi. La zopiclone ne fait plus effet. Ma fille est chez ma mère. Dieu merci. Elle est en sécurité, elle est entourée d'amour et de gens qui ont la capacité de s'occuper d'elle, d'être une bonne influence. Je sors la tête de mon drap. Je regarde autour de moi. C'est le bordel dans ma chambre. Je fais quoi maintenant ? Je n'ai plus de shows. Je ne suis plus capable d'être mère. Je n'ai plus de forces, plus de muscles, plus d'envies. J'ai bien un voyage de quatre jours à La Havane qui est prévu dans deux semaines, avec mon équipe de la radio et deux gagnants d'un concours, mais je doute que je sois en mesure de partir. J'enfile ma robe de chambre et je vais sur le balcon fumer douze cigarettes. Je n'ai plus rien dans les yeux. C'est vide. Je regarde le chemin de fer. J'ai envie d'y aller et de m'y allonger. Il me reste un peu de mon instinct de survie. Je rentre dans la maison. Je tourne en rond. Je m'allume une cigarette. À l'intérieur, cette fois-ci. Je m'en fous à ce stade. Toutes les barrières ont sauté. Même s'il reste encore quelque chose quelque part qui me tient en vie, c'est un tison que je n'arrive pas à rallumer.

Je m'assois à mon bureau. Je prends une feuille de papier. Il faut que j'écrive que ce n'est pas que je veux arrêter de vivre, mais plutôt que je veux arrêter de souffrir, de vivre dans un univers parallèle aux beautés de ce monde, qu'il faut que ça cesse, qu'une telle existence devient impossible, insupportable, insoutenable, que ça fait des mois que j'attends que ça change et que rien ne change. Jamais. Je l'écris. Je rédige. Je rédige des mots pour ma fille. Des mots pour mes parents. Ce n'est pas que je ne les aime pas. C'est que je ne m'aime plus. Plus du tout. En fait, je ne suis même plus moi-même. Surtout pendant que j'écris cette lettre. Je ne sais même plus pourquoi je l'écris. Un genre de *All Apologies* en version non poétique, et sans les mots justes et le génie de Kurt. Mais je l'écris quand même, en espérant que ces mots ne demeureront toujours que des mots, qu'ils ne se transformeront jamais en acte. Je ne sais plus si je réussirai à patienter jusqu'à Essaouira pour y finir mes jours. Bah, tant pis pour Essaouira. À ce stade. *Who cares ?* Puis ça cogne à ma porte. Jean me prend en flagrant délit d'écriture. Il saisit la lettre, empli de rage et d'autorité. « Maintenant, ça suffit, Florence. Tu embarques avec moi. »

L'HOSTO, PRISE 2

Jean m'attrape et me porte littéralement jusqu'au siège passager de sa voiture. En moins de deux, me revoici dans les corridors de l'urgence. Je lui en veux à mort. Mais je sais qu'au fond c'est ici que je dois être. Rage et résignation. Les deux à la fois. Et je suis là, à réexpliquer mon histoire, si plate soit-elle selon moi, à l'infirmière de l'accueil. Celle-ci me demande : « Avez-vous des pensées suicidaires ? Avez-vous un plan ? » Je réponds que non. Jean s'immisce entre l'infirmière et moi. « Oui, madame. Oui. » Et il lui tend la lettre. *Mais, Jean, non ! Ne dis pas ça ! Ils vont vouloir me garder ! Je ne veux pas rester ici dans un nid de coucous. Ça va me rendre encore plus folle. Personne ne me comprend. Chaque fois que vous m'emmenez à l'hôpital, c'est pire. Ça me rappelle que je n'ai plus de rapport dans ma propre vie. Ne me laissez pas pourrir ici. Pourquoi tu fais ça, Jean ?* Je me débats. L'infirmière me demande de passer la chemise bleue et me désigne un lit dans le cor-ridor. Si je suis suicidaire, alors je ne sortirai plus d'ici. Ils prennent mes affaires. Mes lacets, mon téléphone, mes clés, elle veut même prendre mes cigarettes. Jean lui dit de ne pas y toucher. Que ça, c'est presque une question de vie ou de mort. Il lui demande si je pourrais aller fumer dehors, sous sa supervision, évidemment. Elle accepte. Je ne sais pas du tout ce qui va se passer. Je patiente plusieurs heures dans un corridor surveillé (je suis dange-reuse pour moi-même) avant de voir le médecin. Jean m'emmène de temps à autre fumer dans le parking de l'urgence. Quand je reviens sur mon lit, j'attends. Je me couche. Je suis exténuée. Grise et fatiguée. J'espère être vue bientôt et partir de là le plus tôt possible. Tout dans ce couloir est un facteur aggravant de dépression. L'odeur de la maladie, les néons glaciaux, la couleur des murs (mais qui donc a inventé ce bleu-vert pourri?), les autres patients en overdose ou en état de psychose, les sonneries et les appels incessants de l'interphone, le café sans café que l'on me sert. Je veux m'en aller. Personne ne semble comprendre que le fait de rester ici n'aide pas ma cause.

Je finis par voir le médecin. Une jeune femme qui doit à peine avoir terminé ses études en psychiatrie. Elle m'interroge, m'analyse, puis me regarde dans les yeux et me dit que je suis un des cas les plus suicidaires qu'elle ait jamais vus. Je pense : *Eh bien, ma fille, ça paraît que ça doit faire moins d'un an que tu pratiques...* Elle me renvoie à mon lit dans le corridor. Je n'ai aucune idée de ce qui va m'arriver. Je ne sais pas exactement de quoi je souffre. Je ne sais plus s'il s'agit de moi ou d'une maladie, il n'y a plus rien sous mes pieds, dans ma tête, dans mon cœur. Jean m'emmène fumer. En inhalant ma première bouffée, j'ai déjà hâte de fumer ma prochaine cigarette.

Quand je reviens dans le couloir où on m'a installée, il y a un jeune homme en plein délire. Il est nu comme un ver et beau comme un cœur, et il se débat, il hallucine en criant qu'il y a des pyramides qui vont exploser. Sa mère, à côté de lui, pleure et essaie de le calmer en même temps. Une équipe vient le rhabiller, le rasseoir. D'après ce que j'ai compris, c'est un trip d'acide qui a mal tourné. J'apprendrai plus tard que ce jeune homme ne retrouvera jamais toute sa tête. Il en avait pourtant une belle. Et trois mecs qui coupent de la drogue dans un labo clandestin la lui ont enlevée.

WHAT ARE YOU DOING
NEW YEAR'S EVE ?

Je reste pendant huit jours dans ce corridor. On m'administre des médicaments au réveil, puis le soir avant la tombée de la nuit. Je suis sous surveillance constante. Mais la dame me laisse aller fumer, accompagnée bien entendu, sans mes bottes. Sans mon manteau. Alors, j'y vais, dans ma chemise bleue, les chaussons jetables en plastique aux pieds, dans la bouette. Fin décembre. Je m'en fous. Je fais des allers-retours entre le corridor et le parking. Peu de gens sont au courant de mon séjour à l'hôpital. Je n'ai pas mon téléphone. Jean et ma mère savent évidemment que je suis ici, mais pas Anne ni mon père. Je veux qu'on donne un break à Anne, c'est Noël, elle est avec sa copine, elle est épuisée, elle m'a tenue par la main pendant dix-sept spectacles. Et mon père, je veux l'épargner. Il est très émotif, ces temps-ci, avec tout ce qui se passe. Il croit que je me repose chez ma mère pour l'instant. Et Catherine le sait. Elle vient me voir. Elle m'apporte des cigarettes. Je vais fumer avec elle.

Catherine est une des seules personnes avec lesquelles je suis encore un peu moi-même. Surtout quand on va fumer ensemble. Elle me parle de sa vie de tous les jours, de son boulot, de ses enfants, et je l'entends, je la comprends, je suis encore un peu sur la même longueur d'onde qu'elle. Comme si j'avais encore un pied dans son monde, dans un monde réel, contrairement à tous les autres avec lesquels il y a une scission nette et claire. Après

151

trois jours de corridor, je décide de le dire à mon père, parce qu'il doit vraiment se demander ce qui m'arrive. Je l'appelle depuis le téléphone de l'urgence. Il aurait voulu le savoir avant. Il me dit qu'il vient sur-le-champ. Il arrive et me prend dans ses bras. J'éclate en sanglots. Je ne sais plus ce que je fais là. J'ai déjà été si énergique, si jeune, si en forme, si positive, si pleine de joie, si aimante. «Papa, rappelle-le-moi, s'il te plaît. Je veux redevenir comme avant. Je n'en peux plus. Pourquoi je suis devenue comme ça? Pourquoi je traverse ça? C'est inhumain, papa.» Papa m'écoute. Il va me chercher un vrai café. On va fumer une cigarette ensemble. Trois jours plus tard, on sera en 2012. Et la veille du jour de l'An, à 21 heures, je vois Anne débarquer dans le corridor. J'avais demandé à tout le monde de ne rien lui dire. C'étaient ses vacances. Elle les méritait bien. Je voulais vraiment qu'elle ait un break. Parce que, sinon, ce sont les autres autour qui finissent par craquer. Elle l'a su quand même. Elle arrive près de mon lit. S'assoit à côté de moi. Je ne sais pas quoi lui dire. J'ai peur de sa réaction. Elle me dit: «Tu sais, Flo, la vie, c'est tout ce qu'on a.»

JE VAIS MIEUX

2 janvier 2012. On m'appelle au cabinet du médecin. Je me lève de mon lit dans le corridor. Ça fait une semaine que je suis là. Qu'il n'y a plus de jour, qu'il n'y a plus de nuit, que je suis en train de devenir la *best* de la surveillante, que je lui refile même des

cigarettes, que de voir des toxicomanes arriver en hurlant au milieu de la nuit fait partie de ma routine, que je constate qu'il y a presque autant d'urgences de santé mentale que d'urgences de santé physique, sauf que notre état pousse ceux qui s'occupent de nous à le faire comme si nous étions en garderie. Ou en prison. Et ils ont raison de le faire. La douleur rend imprévisible. Le psychiatre me demande si je vais mieux. Je saute sur l'occasion de mentir. Ce que je veux, c'est sortir d'ici, que j'aille mieux ou non.

— Oui, oui, docteur, beaucoup mieux.

Je mens d'une voix enthousiaste.

— Qu'est-ce qui vous fait dire cela ?

— J'ai réalisé que la vie vaut la peine d'être vécue et qu'il y en a d'autres dans des états bien pires que le mien.

Je lui ai lancé cette réponse banale comme si je récitais du par cœur, sur un ton monocorde, automatique. Oui, j'ai bien réalisé tout cela, mais qu'est-ce que ça change ? Je ne me sens pas encore capable de rejoindre le vrai monde.

— Quel est votre plan à partir de maintenant si nous vous laissons repartir ?

— Je vais rentrer à la maison, recommencer à manger, à entretenir ma forme, à m'occuper de ma fille, et je vais me remettre à chanter. Et dans une semaine, je dois partir à La Havane, avec mon équipe radio, pour enregistrer une émission spéciale avec les gagnants d'un concours.

— Vous vous en sentez capable ?

— Oui, je crois. Puis, les doses que vous avez augmentées devraient faire effet bientôt, non ?

En fait, je ne mens qu'à moitié. C'est vraiment le plan que j'ai dans ma tête. Le plan que je souhaiterais de tout cœur réaliser. Mais je sais déjà qu'il est insurmontable. C'est perdu d'avance. La seule perspective d'entreprendre quoi que ce soit se traduit immédiatement en échec dans mon esprit. Et mon corps ne suit plus. Mais j'imagine que je suis assez convaincante puisque le médecin m'annonce deux heures plus tard que j'ai mon congé de l'hôpital, que je peux rentrer chez moi. Catherine vient me chercher. Ma fille est chez elle depuis deux jours, ma mère devait partir sur la route. Elle me propose de venir habiter chez elle quelques jours, le temps que je me rétablisse, et de renouer ainsi avec ma maternité. Elle croit vraiment que je peux me remettre debout et elle veut à tout prix m'aider à le faire.

CATHERINE ET BASTIEN

Je vais chez Catherine. Son amoureux et elle sont des plus accueillants, des plus respectueux et des plus aidants. Ma fille semble heureuse de me voir, mais elle demeure distante. C'est normal, elle n'a que cinq ans. Elle ne doit pas comprendre ce qui est arrivé à sa mère et se demande sans doute si, cette fois-ci, maman redeviendra réellement maman. Elle joue constamment avec les petits de Catherine, m'ignore un peu, et c'est mieux ainsi. Je ne suis encore qu'une loque. J'ai vraiment peur de tout, encore une fois. J'ai eu un regain d'espoir à la sortie de l'hôpital, un *high*, mais quarante-huit heures plus tard, je suis de retour au plus profond de mon abysse. Je passe du bain au balcon, pour fumer. Je prends dix bains par jour chez Catherine. C'est le seul lieu où je peux rester sans être prise d'une crise d'angoisse, d'une crise de mélancolie, d'une crise de quoi que ce soit. Le bain et le balcon, cigarette au bec, les cheveux mouillés enveloppés dans une serviette. Je ne veux pas que ma fille me voie. Catherine la garde occupée et elle passe la plus grande partie de la journée à l'extérieur avec les petits. J'ai si honte, si honte. De la honte ou de la culpabilité, je ne sais pas ce qui me fait le plus mal.

DEUX FOIS PLUTÔT QU'UNE

Ma mère revient à Montréal et je retourne chez elle avec ma petite. Ma mère est d'un soutien incomparable, elle fait tout ce qu'elle peut, même si elle se sent complètement impuissante. Elle qui a passé sa vie à réussir à faire rire les gens grâce à ses sketches humour-opéra, elle qui a toujours su faire sourire les visages les plus durs, les plus fermés, elle n'arrive pas à m'extirper une seule expression de joie. Je sais que ça l'affecte énormément. Or, elle ne se doute pas que, du plus profond de mon abysse, je lui suis incroyablement reconnaissante. Elle fait tout ce qu'elle peut pour que sa fille aille mieux. Elle sait que l'énergie du désespoir m'a permis de faire ma tournée le mois précédent, et elle décide de m'encourager à partir à La Havane dans deux jours, comme prévu, avec mon équipe et les gagnants du concours, pour enregistrer une émission spéciale avec des musiciens cubains. Si j'ai pu continuer à exister en montant tant bien que mal sur scène pendant deux mois, peut-être que cette occasion de faire la musique que j'aime le plus au monde, la musique cubaine, remplie de rythmes joyeux et d'amour, la musique qui me fait vibrer le plus depuis des années, me permettra de mettre un pied devant l'autre à nouveau, ou du moins d'essayer de le faire.

Maman est convaincue que de retourner en terrain connu, dans un des lieux qui m'a le plus inspirée auparavant, de retrouver d'anciens amis, de me mettre au piano avec des musiciens hors du commun et de rencontrer des « fans », des gens qui apprécient ce que je fais musicalement, entourée de ma super équipe, concordera parfaitement avec le moment où mes nouvelles doses de médicaments feront effet, et que la combinaison des deux, assaisonnée de la vitamine D du soleil, me donnera la poussée, le *momentum* nécessaire pour que je commence à prendre du mieux. Elle m'aide à préparer ma valise.

Mon vol est à 6 heures du matin, évidemment, donc je dois me présenter à l'aéroport à 4 heures. Le défi est énorme. Émerger de sous mes couvertures, m'habiller, prendre un taxi et arriver à l'aéroport. Pour quelqu'un qui a déjà fait une tournée complète en allaitant, je suis loin d'avoir les mêmes barèmes de réussite qu'il y a cinq ans. Mais je réussis. Je monte dans le taxi, avec ma valise, et j'aboutis à Dorval. Je m'assois dans le hall, devant le comptoir Sunwing, et j'attends, avec ma culpabilité d'avoir pris cette décision de partir, mais de ne pas encore être digne d'être une mère. J'attends que mon équipe arrive. Il était prévu qu'on se rencontre à 4 heures pile. Il est 4 h 15. 4 h 20. 4 h 30. Je sors constamment fumer. Je ne comprends pas. Mais de toute façon, ça fait des mois que je ne comprends plus rien, alors une de plus ou de moins, qu'est-ce que ça change ? À 4 h 40, je décide d'appeler ma gérante, parce que là, c'est sérieux, on va louper le vol. Elle me répond d'une voix ensommeillée :

— Oui, Flo, ça va ? Qu'est-ce qu'il y a ?

— Bien... Je suis à l'aéroport, ça fait trois quarts d'heure que j'attends... Vous êtes où ?

— Flo ! Flo ! Flo ! Ce n'est pas aujourd'hui le vol... C'est demain !

Eh merde ! Pour une fois que j'avais réussi à accomplir quelque chose, il fallait que ce ne soit pas au bon moment. Je monte dans un taxi et je retourne chez ma mère. Je fonds en larmes et je me couche. Je reste au lit toute la journée.

LÁGRIMAS NEGRAS

Le lendemain, pendant la nuit, je me pointe à nouveau à Dorval. Cette fois-ci, c'est la bonne. Je fume une dernière cigarette avant de rentrer dans l'aérogare, et surtout avant que toute mon équipe et les gagnants du concours me voient. Dans ma tête, me faire prendre en train de fumer dehors, moi, la chanteuse soleil qui aime la musique du Sud, c'est comme si je me faisais attraper en plein délit de corruption, ou en train de m'enfoncer une aiguille dans le bras, ou en train de commettre un vol à l'étalage. Dans mon esprit qui virevolte à gauche et à droite, les angoisses se multiplient à une vitesse phénoménale. Personne ne me voit fumer. Mais tout le monde doit le sentir. Je pue la cigarette. Le vol est plein. Les passagers sont en gougounes et en short. Ils ont déjà leur chapeau de paille sur la tête et boivent du mousseux en parlant fort. Je me cale contre le hublot. Je ferme les yeux. Je pensais que j'irais mieux en sortant de l'hôpital. Je fais face au constat que non, je ne vais pas mieux. Peu importe le nom de cette putain de phase nulle qui me pourrit la vie depuis quelques mois, c'est officiellement un cauchemar. Mais vais-je me réveiller un jour ?

Je vous en supplie, quelqu'un quelque part, aidez-moi. Sortez-moi de ce trou sans fond. Ce n'est pas moi. Je ne suis pas ce que je vis. Je ne me reconnais plus. Je ne suis plus grand-chose. Je meurs à petit feu. Qu'est-ce qui se passe ? Neurotransmetteurs, êtes-vous là ? Récepteurs de sérotonine, wouhou ? Au boulot, les mecs, arrêtez de paresser, on a besoin de vous là… Dopamine, allô ? Active-toi, je t'en prie, ne me laisse pas tomber comme ça, j'ai besoin de toi, ne le vois-tu pas ? Bouge, petite dopamine, bouge, fais-toi aller dans mon système nerveux, et toi, l'adrénaline, tu peux te pointer au bon moment au moins ? Arrête de m'envahir la nuit, laisse mon système nerveux parasympathique se calmer, me donner une chance de dormir, reviens au matin, quand j'ai besoin de toi, je te propulserai avec un bon petit café, comme avant, et tu vas voir, toi et moi, on va reprendre ensemble. Comme dans le bon vieux temps où tu t'activais dès que je montais sur scène, et les moments où j'avais envie de passer un bout de temps avec toi, alors je courais, ou j'allais voir des films d'horreur, ou bien je me lançais dans une nouvelle aventure excitante. Mais vous êtes où, les mecs, quand on a réellement besoin de vous ? Ne me laissez pas tomber comme ça. Ne me laissez plus tomber.

Mes appels à l'aide demeurent sans réponse. Neurotransmetteurs, récepteurs de sérotonine, dopamine et adrénaline sont en grève, apparemment. Grève d'une durée indéterminée.

Pour une raison dont je ne me souviens plus, notre trajet nous fait atterrir à Varadero plutôt que directement à La Havane. Ça veut dire qu'il y a environ deux-trois heures de bus à faire avant d'atteindre notre destination. Je m'enroule dans mon coton ouaté, j'en rabats le capuchon sur ma tête, je m'allonge sur la banquette, juste derrière Anne, sa blonde Krissi, qui est avec nous, et mon équipe, et je ferme les yeux. Évidemment, je ne dors pas. Mais je tremble, la mauvaise suspension de l'autobus m'aide en cela. J'ai les nerfs à fleur de peau. Le vortex dans ma tête est le porte-voix de toutes ces pensées qui participent au cercle vicieux de mon autodestruction. C'est horrible.

L'autobus s'arrête à un « restoroute » touristique, un point de vue duquel on peut observer la beauté de la vallée qui s'offre à nous depuis la route. Je m'en souviens, je l'ai déjà vue, cette beauté, quinze ans auparavant, avec mon père, lors de notre excursion à La Havane. Je ne la vois plus. Anne m'encourage à sortir du bus. Je la suis, comme un automate. Je marche vers la terrasse du restoroute, d'un pas mou et pas du tout convaincu, ni convaincant, en fumant une cigarette. Il y a un trio de musiciens cubains. Ils jouent une guajira. Je me dirige directement vers eux. J'ai besoin de montrer à Anne que ça va aller, que je veux vraiment continuer à exister, que je veux récupérer ma santé. Je vais parler au chef du groupe, celui qui joue du *tres*.

— *Señor, por favor,* je peux chanter avec vous ? Lágrimas negras ?

— *Si, señora, con mucho gusto.*

Ils entament le boléro qui a toujours été un de mes morceaux préférés. «*Aunque tú, me has echado en el abandono, y aunque tu has muerto todas mis ilusiones, en vez de maldercite con justo encono, en mis sueños te colmo. En mis sueños te colmo, de bendiciones.*»

Je rentre sur le début du premier couplet. Je ne suis plus capable de chanter. Je n'ai plus de voix et, surtout, je ne sais plus où j'en suis. Ça ne m'est jamais arrivé auparavant. La musique s'embourbe dans ma tête, les notes me rendent malade. La panique monte, monte, monte, je regarde les musiciens. Ils sourient fixement et m'encouragent d'un signe de la tête à poursuivre la chanson. Mais je n'y arrive pas. Je les implore d'entamer un solo. Les notes se battent dans mon esprit. Je ne retrouve ni la tonalité ni le tempo. Les touristes me regardent. Je dois avoir l'air vraiment bizarre. Ou bien du genre artiste tourmentée. On aime ou on exècre, c'est selon. Ou bien je leur fais peur. Ou bien ils ont pitié de moi. Je ne sais pas. Mais d'une façon ou d'une autre, je suis de plus en plus mal à l'aise. Cette fois-ci, *all is lost.* Si même la musique m'a quittée, alors j'ai tout perdu.

THE SHINING

La Havane. Lieu de prédilection de mon amour pour la musique cubaine. Le Nacional, mon hôtel préféré. J'y avais vécu presque un mois lorsque j'enregistrais *Havana Angels* en 2010. La fenêtre de ma chambre qui donnait sur le Malecón, en permanence ouverte, le vent fouettant les lourds rideaux de velours bleu, l'odeur des cigares partout, à tous les étages, les vieux ascenseurs, les vieux meubles, la pianiste au restaurant du rez-de-chaussée qui ressemblait à ma téta libanaise et avec laquelle j'allais jouer des boléros cubains en duo le soir, le restaurant dans le jardin où nous alternions les trois plats du menu : *pescado, arroz, frijoles negros*, le grand jardin-terrasse où nous commandions des mojitos dès que nous revenions du studio, pour finir la soirée en éclats de rire, le regard toujours tourné vers la mer, la piscine où je plongeais tous les matins pour y faire mes longueurs au son du reggaeton un peu fatigant des *speakers*, les photos de Fidel un peu partout, les membres du personnel, adorables, avec qui nous tenions de longues discussions sur leur pays, eux se privant de nous dire leur véritable opinion, de peur d'être dénoncés.

Et là, j'arrive au Nacional, et la seule chose que j'éprouve, c'est un chagrin extrême de ne plus ressentir ne serait-ce qu'un millième de ce que j'y ai déjà ressenti. Je ne retrouve plus mes repères. Rien n'a changé depuis l'an dernier, mais plus rien n'est pareil pour moi. Je me mets à paniquer. Tout s'assombrit d'un seul coup. Je dois fumer. Je m'achète des cigarettes au bar du jardin. Je cours. Je vais me cacher dehors, derrière une colonne de marbre. Je fume. Une cigarette après l'autre. Ici, les cigarettes ont un goût plus rond, plus sucré presque, que nos cigarettes canadiennes que je trouve parfois acides. On dirait que leur odeur est meilleure, qu'elle pourrait presque faire office de parfum. Elle se rapproche de celle des cigares. Je fume et je pleure.

Katerine, la femme du réalisateur de mon émission de radio, est assise sur un des fauteuils de la terrasse. Elle sirote un mojito. Elle me voit revenir de ma cachette à cigarettes, le visage ravagé par les larmes. « Florence, est-ce que ça va ? » C'est une femme maternelle, qui en a vu d'autres et qui n'a pas peur d'ouvrir ses bras à quelqu'un qui en a besoin. « Est-ce que tu es OK ? » Je pense que mon réalisateur ne l'a pas prévenue de mon état. Il est discret. « Ta fille est correcte ? Elle va bien ? » Je ne sais pas quoi répondre. « Oui, oui. » J'ai envie de crier. De lui dire que dans ma vie tout va bien, sauf le personnage principal. Que tout est parfait, mais que je ne suis plus capable de le voir, de l'apprécier, de l'aimer. *C'est MOI, le problème, ma belle !* J'ai envie de lui dire, de lui crier, j'ai envie qu'elle me sauve. Mais personne ne peut me sauver à ce stade-ci. Il va falloir que je tombe encore plus bas pour pouvoir finalement me rendre compte que je dois me faire soigner.

Oui. Va te faire soigner, Florence. Incroyable. Je me dis ça à moi-même. Je marmonne deux, trois mots plus ou moins incompréhensibles à Katerine puis je monte à ma chambre, cigarette au bec. Ici, on a le droit, c'est Cuba tout de même. Je me sens moins coupable de fumer que dans notre Amérique du Nord astiquée où, maintenant, on se fait regarder croche dès qu'on a la clope aux lèvres. C'est là que j'ai ma première psychose. Dans le corridor de l'hôtel Nacional. Les murs se mettent à se refermer sur moi, comme un étau, je dois courir, je dois trouver une façon de fuir avant de me faire écraser par les parois. *Vite, vite! Je dois atteindre ma chambre le plus vite possible. Vite, je vais me faire écraser.* Je me mets à courir comme une folle. Au vrai sens du terme. Je sprinte dans le corridor. Je croise des clients de l'hôtel et je vois qu'ils lisent cette panique sur mon visage en se demandant si j'ai un meurtrier à mes trousses. *Vite, vite, tassez-vous. Ce n'est que sur moi que ces murs se referment. Vous, vous êtes à l'abri, ne vous en faites pas, vous n'êtes pas dans le même monde que moi. Littéralement.* Je dois avoir l'air d'une toxico en crise, sans came. En fait, je suis comme une junkie en manque, mais en manque de quoi? Ça, je ne le sais pas.

J'atteins finalement ma chambre, essoufflée. Je me précipite à l'intérieur, je ferme violemment la porte, la verrouille et me jette sur le lit. La fenêtre est grande ouverte. Le vent fait valser les rideaux. On entend de la salsa au loin. La mer est là, la même, qui fouette les pierres du Malecón. Rien n'a changé depuis la dernière fois, Raúl est toujours au pouvoir, Fidel est évidemment toujours vivant, et personne n'a ravalé les façades des immeubles de la ville. Quatre-vingt-dix milles au nord de mon hôtel, les États-Unis boudent toujours le caïman. Ma psychose m'a épuisée. Je me mets à pleurer, en grattant comme une obsédée la cicatrice de mon ancien piercing de nombril. Je m'automutile. Je me fais mal. Je gratte, je gratte au sang. Mon nombril va éclater. Je vois des points noirs partout. Je suis foutue. Même la musique ne veut plus de moi. Les cigarettes ont bien fait leur boulot. Je dois avoir quelques nodules qui se sont installés sur mes cordes vocales, parce que chaque note que je pousse me fait mal, m'étrangle, comme une main autour du cou. Parce que je n'ai plus d'aigus, parce que je n'ai plus d'harmoniques, parce que je n'ai plus de puissance, et déjà, là, je n'en avais jamais eu énormément. Et là, comble de tout, cerise sur le sundae, je fais des psychoses. C'est à ce moment-ci que je suis frappée par un terrible constat : je me dis que je suis en train de subir la fameuse maladie que Marta m'avait prédite, deux ans auparavant. Qu'elle m'a jeté un sort, la vilaine sorcière, et qu'en plus elle a choisi la plus laide de toutes les maladies, la maladie mentale, pour me punir de ne pas avoir engagé son connard de mari Juan Pedro pour réaliser mon disque. Je me demande si je dois faire appel à un sorcier spécialiste du vaudou. Je pleure et je me dis que, si je parlais de ma révélation à Anne, elle me ferait interner encore une fois. La seule chose qui me reste à faire à part mourir, c'est fumer. Et c'est exactement ce que je fais. Toute la nuit. Dire qu'à peine deux ans auparavant, je me levais dans une chambre de ce même étage, disposée exactement de la même façon, que je mettais sur mon ordinateur la *playlist* « Morning », qui commençait par *Mad World*, la version de Gary Jules, et qui faisait ensuite résonner *Halo* de la superbe Beyoncé. Je ne dors pas. Mais ça, c'est normal maintenant. Mon nombril est en sang. J'appelle le service aux chambres pour avoir de l'alcool parce que j'ai mal et parce que j'ai peur que ça s'infecte et que j'attrape l'hépatite. Je me détruis, mais en même temps je paranoïe à l'idée d'attraper une infection. Paradoxe total.

Le lendemain matin, je dois rencontrer mon réalisateur, Alex, sur la terrasse pour préparer la journée de travail et l'enregistrement. J'étais censée avoir déjà avancé, mais évidemment je n'ai rien à proposer. Je prends un papier blanc. Un crayon. Je m'allume une cigarette. Je suis blanche comme un drap. Tout ce que je vois autour de moi est flou. Ça y est. Je me mets à halluciner, il ne me manquait plus que cela. Génial.

— Flo, ça va?

— Oui, oui.

— Tu vas être capable d'enregistrer?

— Oui, oui.

— T'es sûre?

— Oui, oui.

Je m'allume encore six cigarettes. Le reste de l'équipe arrive. Ils me regardent. Je lis presque de la pitié dans leurs yeux. Pas méchante, remplie de compassion, de l'impuissance mêlée à de la pitié. *Merde. Je fais pitié maintenant. Flo, ressaisis-toi, s'il te plaît.* Je regarde ma feuille, où j'ai écrit trois mots : « Compay Segundo chante »… *Bravo, Florence. Pour une universitaire, c'est pas pire, ça, en une heure de réunion !*

ABDALA

On se rend au studio Abdala. Je reconnais absolument tout autour de moi. Les gens, les lieux. Mais plus rien n'est pareil, gracieuseté encore une fois de cette foutue cloison qui me sépare de la réalité. Je m'assois au piano. J'essaie. Je chante de ma voix éraillée « *Bien pagá, bien pagá, bien pagá* », une chanson qu'a chantée Diego el Cigala sur son album avec Bebo Valdés et que j'ai toujours beaucoup aimée. Cette chanson me faisait du bien avant. Et là, elle ne me fait rien du tout. Ça me demande tout mon petit change. Toutes les dix minutes, je prends une pause, je me réfugie dans les toilettes. Je pleure. Je me cache, je ne veux pas qu'on me trouve. Je ne veux plus qu'on me voie ainsi, j'ai si honte. Les gagnants arrivent. Je les salue. Je fais de mon mieux pour me composer une tête. Mon équipe les emmène visiter le studio. Là, c'est clair. Ma place n'est pas ici. Ma place est à l'hôpital. Ça ne peut plus continuer comme ça.

Le lendemain, nous allons tous visiter le marché d'art de La Havane. C'est un véritable labyrinthe. J'en profite pour m'enfuir. Je porte une longue robe noire. Je déambule. Je n'entends plus rien, tout est flou. Ça y est. Je crois que je fais une autre psychose. Les allées rétrécissent, s'agrandissent. J'ai l'impression que tous les regards sont fixés sur moi. Que tout le monde parle de moi. Que je me fais suivre, poursuivre. Il y a du bruit partout. Quand je croise un membre de mon équipe, il me demande si tout va bien, si je veux être accompagnée en attendant les autres. *Non, non, ça va. Laissez-moi tranquille.*

Je vais hurler. Tout tourne. Les couleurs des toiles sortent des tableaux. On va m'attaquer. Je m'arrête au kiosque d'une dame qui semble me parler. Elle voit que je suis sur une autre planète, que j'ai besoin d'aide. Elle m'attrape les mains et récite une longue prière à la Sainte Vierge en espagnol.

S'il vous plaît, quelqu'un, quelque part, là-haut, faites que ses incantations fonctionnent, vaudou s'il le faut, je m'en fous, allez, je suis ouverte à ça, à n'importe quoi, les chamanes, les herbes, les pierres magiques, les décoctions de druide. Sortez-moi de ce cauchemar, sortez-moi de ce piège à rats. C'est quoi, cette histoire, bordel de merde? Je n'ai jamais jamais jamais été comme ça jusqu'à cette année. Je suis normale, je suis saine d'esprit, moi, d'habitude, j'ai une vie, j'ai une fille, j'ai une carrière, j'ai un monde, il est où, merde? QU'EST-CE QUI M'ARRIVE, QU'EST-CE QUE VOUS M'AVEZ FAIT? Pourquoi vous me laissez tomber? Vous n'êtes pas censé être là pour aider, vous, monsieur Dieu? J'ai vingt-huit ans, je ne peux pas mourir maintenant!!! Arrêtez de me dire que c'est dans ma tête! Ce n'est pas dans ma tête!! Chaque cellule de mon corps est en train de subir cette merde. Ce n'est pas possible. Tout l'enfer au complet ne peut pas résider dans une seule tête, ce n'est pas possible, ce n'est pas possible.

Je veux me jeter dans la mer. Je m'approche du bord. Mon équipe arrive. Je n'ai pas le courage de passer à l'acte. Je ne l'ai jamais eu. Heureusement. En fait, je devrais plutôt dire que j'ai le courage de ne pas passer à l'acte. Malgré la psychose, malgré le cauchemar qui se déroule en permanence dans ma tête, il y a un fil. Quelque chose qui me tient en vie. Qui me dit, au fin fond de moi, de tenir le coup. Je me sens si lâche. Mais je tiens le coup. Je reste en vie. Est-ce que ça veut dire que, même quand il n'y a plus d'espoir, il y en a peut-être toujours un peu ? Je ne me jette pas dans la mer. À la place, j'allume une cigarette. Puis deux, puis dix. Ça m'aide à ne pas repartir en plein délire. Et j'attends les autres derrière mes lunettes de soleil. Les yeux bouffis par les larmes.

Le soir même, nous soupons tous au restaurant. Je ne me rappelle plus le nom de la place, mais je l'avais toujours aimée lors de mes voyages précédents en raison de la délicieuse paella qu'on y sert. Toute l'équipe est là. Et moi aussi. Je ne tiens pas en place. Je suis dévastée. Je suis convaincue que l'émission de radio que j'ai réussi de peine et de misère à enregistrer est une horreur sans nom. Je *spinne* dans ce sens-là. Je sors fumer une cigarette. Je reviens, je m'assois, je ressors, je m'allume une cigarette, je reviens, je m'assois, je ressors, et le ballet dure ce qui me semble être une éternité, en attendant que la paella soit servie. Je reviens une dernière fois, je regarde les membres de mon équipe et je leur dis qu'il faut tout recommencer. Que je suis prête à payer de ma poche le studio et les musiciens, mais qu'il faut prendre une autre journée et réenregistrer l'émission. Leur tête. Silence. « Mais non, Florence, ça va, on a réussi, l'émission est dans la boîte, on va la monter. T'en fais pas. » Le mantra du blasphème revient au galop dans ma tête. *S.V.P., mon Dieu, où que vous soyez, emportez-moi. Enlevez-moi la responsabilité de devoir le faire moi-même.*

AÉROPORT JOSÉ MARTÍ

Au diable le concours, au diable mes deux jours de vacances qui étaient prévus après l'enregistrement. Après la soirée d'hier, Anne a passé une bonne partie de la nuit au téléphone avec ma famille à Montréal. On décide d'écourter mon voyage. Je dois rentrer. On va dire aux gagnants qu'il y a un pépin, un imprévu, mais qu'eux peuvent continuer leur séjour normalement.

Anne et un chauffeur m'escortent à l'aéroport José Martí. Je porte mon coton ouaté. Je me cache sous le capuchon. Je m'allume une cigarette. Dans l'aéroport. On a le droit ici. Anne m'enregistre. Je suis sur un vol du soir, j'atterrirai à Montréal à 1 h 30 du matin. Ma tante Marie-Claude viendra me chercher à Dorval et m'emmènera chez elle. Ma mère est en tournée dans le fin fond de l'Ontario. Ça me fout la trouille parce qu'ils ont un fils, mon cousin Olivier, âgé de quatorze ans, et que j'ai peur de le traumatiser. Anne se compose une tête, mais je vois bien que ça ne va plus du tout maintenant. Je me sens impuissante. Je ne veux pas la quitter parce que, en même temps, tant qu'elle est là je ne meurs pas.

En vol, je me dis que l'avion va s'écraser parce que je suis dedans, parce que je porte malheur. On ne se crashe pas. On atterrit. À la sortie de la zone des bagages, ma tante accourt vers moi. Je vais chez elle. Elle m'installe dans le sous-sol, elle enlève tous les objets tranchants de mon champ de vision. Je suis couchée sur le matelas au sol. La seule chose que je suis capable de faire, c'est de jouer à *Cut the*

Rope sur mon iPhone. La petite grenouille avale des bonbons. Ce jeu me fait le même effet que mes cigarettes. Tant que je suis occupée à couper les cordes pour que ma grenouille puisse manger des bonbons, je reste en vie. Alors, je fais ça. Pendant trois jours. Ma petite est avec son oncle Yan et sa tante Geneviève. On ne lui dit pas que je suis revenue. Elle ne peut pas me voir dans cet état. Et mon état, il est de pire en pire, car je vis mon voyage à Cuba comme l'échec final de ma vie professionnelle. La goutte qui fait déborder le vase, le dernier clou enfoncé dans le bois du cercueil dans lequel ma carrière repose désormais définitivement.

Anne est restée à Cuba avec Krissi pour trois jours de plus. Ça devait être leurs vacances. Elle passe la totalité des trois jours au téléphone avec ma tante, avec ma mère, avec Radio-Canada, à éteindre des feux, à essayer de comprendre ce qui se passe. Elle me téléphone sur mon iPhone. Je lui mens constamment. « Oui, ça va super bien, Anne, je me repose, je joue à des jeux vidéo. » Je raccroche. Je monte fumer une cigarette. Ma tante et mon oncle me regardent, tristes. Ils espéraient que ce repos forcé chez eux me ferait du bien, que le sentiment de sécurité que j'y ressentirais m'aiderait à passer à travers le plus dur. Il n'en est rien.

Ma tante me fait à manger. Des spaghettis et un avocat à l'huile d'olive. D'habitude, ce sont mes plats préférés. Je ne mange rien. Je fume. Je suis dehors. Puis tout se met à tourner. Merde. Pas une autre psychose ???? Vite, il faut que je parte en courant. Je dis à ma tante que je vais au dépanneur m'acheter des clopes, que je reviens tout de suite, qu'elle n'a pas à s'en faire. Je marche comme une défoncée dans Ville-Mont-Royal, direction le dépanneur, mais la vérité c'est que je marche parce que j'ai l'impression d'être poursuivie. Poursuivie par tous les fantômes de mes erreurs, de mes chagrins, de mes angoisses. Ils me courent après, je dois aller plus vite. Merde, la psychose me rattrape. J'atteins le dépanneur. Je rentre m'y réfugier. Je fouille dans les poches de mon manteau. J'ai assez de monnaie pour m'acheter un paquet. «Un paquet, s'il vous plaît.» Je jette un coup d'œil par-dessus mon épaule. Vite, les fantômes vont me rattraper. Ils ressemblent aux bonshommes de *Cut the Rope*. Je m'en vais. Je marche en fumant. Je reviens chez ma tante. Je me dirige en trombe vers le sous-sol. Il faut que je fuie les fantômes. Arghghghg. Ils envahissent ma tête. Mais est-ce bien ma tête qu'ils envahissent ou sont-ils réellement présents dans la pièce? Au secours. Personne d'autre que moi ne les voit. Mais existent-ils vraiment ou est-ce ma folie qui me joue des tours?

Je remonte. J'allume l'ordinateur de ma tante. Elle me demande si ça va. «Oui, ça va, ça va. J'ai juste envie de faire des recherches sur Internet, Marie-Claude, tout va bien.» J'ouvre un document Word. Vide. J'écris. Tout d'abord, j'écris un mail à l'Espagnol. Un mail enragé où je l'accuse de m'avoir mis dans la tête des idées noires dont je n'ai jamais su par la suite me débarrasser. Je lui envoie le mail. Puis je tape une lettre de suicide-testament à l'ordinateur. J'y écris un paragraphe pour ma fille. Je donne le nom de ma compagnie d'assurances, j'énumère mes avoirs et mes dettes, je m'excuse, je demande pardon, je dis que ce n'est pas que je ne les aime plus, mais plutôt que c'est invivable de vivre désormais ainsi, surtout lorsque l'on a déjà été saine d'esprit. J'écris un paragraphe pour mon ex, je lui demande de trouver une femme fantastique pour s'occuper de ma fille. Il y a aussi un paragraphe pour mes parents, pour mes sœurs, pour mes amis, je veux qu'ils sachent que ce n'est pas de leur faute, que je ne fais pas ça en grande égoïste, mais que là, avec les psychoses, c'est impossible de continuer. J'écris. Je sauvegarde. Je ferme. Je dis à Marie-Claude que j'ai fini ma recherche, que je retourne en bas.

Je descends. Je tourne en rond. Anne m'appelle pour savoir comment ça va. « Super, tout va bien, Anne, je me repose, ça fait du bien de me retrouver chez des gens que j'aime, à prendre ça relax, je vais aller mieux, c'est certain, je vais rester ici jusqu'à ce que les médicaments fassent effet, je te promets, tout est cool. » Anne n'est pas convaincue. Je raccroche. Je tourne en rond. Je vais dans la salle de bain. Je cherche quelque chose de coupant. Il n'y a plus rien. Ma tante a tout enlevé. Il faudrait que je casse le miroir. Je n'ai jamais fait cela. OK, je prends une note mentale que c'est mon dernier recours. Je vais dans le petit couloir qui mène à l'atelier de mon oncle. Il est verrouillé. Je gosse après la serrure, je l'ouvre. C'est le paradis. Des cordes, des outils. Je me mets à jouer avec. J'hésite. J'ai peur. J'ai autant peur de la mort que j'ai peur de la vie. Je n'ose pas. Mais je veux oser. J'ai peur d'avoir mal, j'ai peur du sang. J'ai peur de survivre et de devenir légume. Merde. Arhgjhfjhfgjhdfg. Ça se dégrade encore plus. J'entends les pas de ma tante au-dessus de ma tête. Elle accourt en bas. Elle est au téléphone avec Anne, qui l'a appelée pour lui dire qu'elle venait de me parler et que ça n'allait pas du tout. Ma tante me surprend dans l'atelier, une corde à la main, un marteau dans l'autre. Elle hurle le nom de mon oncle. Il vient me chercher. «Maintenant, Florence, on ne te laisse plus deux secondes toute seule. C'est fini.» Luc appelle Jean. Jean appelle le 911. «On ne niaise plus là. C'est fini, Florence. Tu vas à l'hôpital.» Jean et l'ambulance arrivent. Je pleure en boule sur la marche du balcon arrière, tout en fumant dans la neige. Je ne ressens même pas le froid. Mon oncle a trouvé et imprimé ma lettre de l'ordinateur. Il la tend aux ambulanciers. Humiliation totale. Les ambulanciers essaient de me parler, de me raisonner pour que je vienne avec eux. Je refuse. J'ai mon iPhone à la main. Anne me rappelle depuis Cuba. Je lui mens au nez, devant les ambulanciers. «Oui, oui, Anne, tout va bien, je relaxe. T'en fais pas.» Ma tante attrape le téléphone et lui dit exactement ce qui est en train de se passer. Je refuse de partir avec les ambulanciers. Ils doivent appeler la police. Je n'ai plus le choix. Les policiers m'emmènent de force. Je suis comme une meurtrière qui a planifié un attentat contre sa propre personne.

Je suis dans l'ambulance avec les policiers. Je pleure. Le policier à ma droite déplie le papier que l'ambulancier lui a donné. C'est ma lettre. Il la lit devant moi. Je ne me suis jamais sentie aussi humiliée de toute ma vie. Il la lit en silence en faisant des «non» de la tête. *Voilà. Bon ben, maintenant, vous savez tout de moi.* Il lit ce que j'ai écrit pour ma fille, mon ex, mes parents. Je me sens violée, je pleure encore plus. J'ai si honte. Si honte. J'ai peur. J'ai honte, je me sens coupable. Comment peut-on se rendre la vie si misérable ? Dans ma tête, je suis responsable de tout ce qui m'arrive et de tous les maux de la terre.

On arrive à l'urgence. Le policier m'accompagne jusqu'à ce que je sois vue au triage. Il raconte sa version des faits à l'infirmière. Il n'a rien compris, ce con. J'ai encore plus honte. On me fait voir un psychiatre. Cette fois-ci, hors de question que l'on me laisse sortir. Je suis un danger public, surtout pour moi-même. Ils m'enferment dans une petite pièce isolée de l'urgence. Un lit, pas de drap. Qu'une chemise. Et une vitre pour que l'on me garde à l'œil sans arrêt. On me donne une panoplie de somnifères. Je m'endors. Je me réveille dans une crise de panique. *Au secours. Qu'est-ce que j'ai fait ? Je veux rentrer chez moi, redonnez-moi ma vie, putain de merde.* À la place, on me redonne du Seroquel. Pour les psychoses. Pour l'anxiété. Catherine arrive. « Catherine, merci ! Il n'y a que toi qui me comprennes. Je t'en prie, fais quelque chose. » La pauvre. Elle ne peut rien faire d'autre que de rester avec moi et me caresser la main et les cheveux. Et c'est exactement ce dont j'ai besoin. Elle a tout compris.

Le médecin vient m'annoncer que l'on m'interne, il y a un lit qui m'attend en psychiatrie. Je fais une crise de panique. Je me mets à me gratter le nez comme une désespérée. Je saigne, je saigne. Je me gratte les jambes, au sang. Catherine va chercher l'infirmière. Hop! un somnifère. Je suis un peu *stone* pendant qu'ils me montent à l'étage. Il y a de la musique dans le corridor. En fait, je ne crois pas qu'il y en ait, mais moi je l'entends. Tout bouge, tout le monde est une forme spéciale. La seule fois de ma vie où je me suis sentie comme ça, c'était à seize ans, quand, mes amis et moi, on avait mangé un spaghetti au *mush*. On trouvait ça super cool. Mes amis avaient des gueules de vampires et ma copine Sarah avait failli se jeter par la fenêtre, car elle pensait qu'il y avait le Colisée de Rome dehors. Aujourd'hui, je suis loin de trouver ça cool. La dernière chose que j'aurais envie de faire, c'est de prendre quelque chose qui me mènerait à l'état dans lequel je suis en ce moment, à jeun. Sérieux, je ne comprends même plus qu'il y en ait qui trouvent ça cool de s'auto-infliger cet état et qui payent pour y accéder. L'infirmière et le gardien de sécurité poussent la lourde porte de la section *High Care*, la section des gens dangereux pour les autres ou pour eux-mêmes. On vient m'annoncer que je suis désormais sous la tutelle de l'État. Catherine est à mes côtés. Elle ne bronche pas. Elle me tient la main, elle me donne ce qu'elle peut d'amour. Des larmes naissent dans ses yeux. Elle pleure en silence. C'est probablement son amitié qui fait en sorte que je ne suis pas en train d'essayer de m'autoétouffer à mort.

Je ne peux pas sortir. Je suis en observation. L'endroit est horrible. Mais sécuritaire, ça, c'est le moins qu'on puisse dire. Pas de lacets, pas de manteau, pas de fenêtres qui s'ouvrent, pas de rideaux, pas de draps, une salle de bain pour douze personnes, pas de miroirs, rien. Juste rien. Je passe trois jours couchée sans bouger du lit. Je ne peux même pas aller fumer. C'est un privilège que je n'ai pas encore acquis parce que je suis fâchée. Je refuse de parler. Au médecin, aux infirmières. Je suis fâchée contre moi-même, ça, c'est clair. Mais aussi contre le monde entier. Même si je sais clairement qu'il ne faut pas aller là, qu'on n'a pas à blâmer les autres pour la façon dont on gère les aléas de la vie. Que dans la vie tout peut arriver, qu'il ne tient qu'à nous de pouvoir maîtriser la situation ou non. Mais j'aimerais tellement qu'ils sachent que j'ai toujours été normale, que j'ai toujours été responsable, que j'ai toujours été en forme, que j'ai toujours veillé à mes affaires, que normalement je suis une bonne mère, une bonne amie, une bonne personne. Que, oui, je suis de nature sensible et que j'ai beaucoup de questionnements existentiels, mais que la fille qu'ils ont enfermée, ce n'est pas moi. Qu'un monstre a envahi ma tête et qu'il ne veut plus en sortir.

Personne ne m'écoute. On me donne des pilules et on me dit de rester couchée. Que je dois me reposer. Qu'il faut laisser une chance aux médicaments de faire effet. Ma famille vient me voir. Anne vient me voir. Bastien et Catherine sont là, Francine vient me rendre visite. Ils ont le cœur brisé. Mais ils ont fait ce qu'il fallait faire. Ce n'était plus possible sinon. Je n'ai jamais mis les pieds dans une prison, mais, honnêtement, il y a des allures de pénitencier ici. J'ignore les autres patients. Ils me font peur. Ils crient, nuit et jour. Ils marchent d'un bout à l'autre du corridor. Est-ce que je suis comme ça, moi ? Peut-être que c'est pour ça que je n'ose plus me lever de mon lit. Pour ne pas avoir à faire ce genre de constat là. Je suis en vol au-dessus d'un nid de coucous. Non, pardon. Je suis un coucou dans un nid de coucous. Cette fois-ci, je suis convaincue que je ne serai jamais pardonnée d'avoir abouti là.

ONE FLEW OVER THE CUCKOO'S NEST

Il y a huit chambres dans la section de l'hôpital où je séjourne, le fameux *High Care*. C'est la deuxième section la plus sécurisée de l'étage psychiatrique. C'est-à-dire qu'il y a une section où les coucous sont plus dangereux et une où ils le sont moins. Ici, c'est le juste milieu. On n'a pas perdu toute notre tête. Juste une partie. Et on est capables de faire du mal. Aux autres ou à nous-mêmes. Durant les trois premières journées de mon séjour, je suis en état de choc. Pas nécessairement à cause de l'environnement, qui, bien franchement, a de quoi choquer (la psychiatrie est la dernière section de l'hôpital que l'on rénove, on doit se dire que les fous, ça ne remarque pas la déco, encore moins la propreté, j'imagine…), mais parce que je suis complètement traumatisée par la spirale que je viens de parcourir et qui m'a menée droit ici. Je me rejoue sans arrêt le scénario des six derniers mois.

Il y a six mois, j'étais sur la scène du Club Soda, au Festival de jazz, et je présentais un nouveau spectacle que j'avais monté avec mes sept musiciens

177

et des artistes exceptionnels, comme Samian, Molly Johnson et Ian Kelly. Ensuite, je montais sur scène à la Saint-Jean-Baptiste, sur les Plaines, puis à la fête du Canada avec une panoplie d'autres artistes, puis au Festival d'été de Québec. Tout l'été, j'ai enregistré une émission de radio. Je me sentais so-so, mais pas de quoi en faire un drame. De l'angoisse, c'est normal, je vivais une séparation. Puis il y a eu le fameux Espagnol avec ses délires d'artiste dark et incompris. Je perdais confiance en moi, OK, mais pas de quoi être internée... C'est en septembre que tout a déboulé. À la vitesse de la lumière. Une avalanche, puis j'ai fini par aboutir dans une chambre qui a tout d'une cellule de prison, avec des graffitis sataniques sur le mur, des trucs écrits grossièrement au Sharpie, du genre «Pills will make you crazy», et des voisins que l'on attache à leur lit lorsqu'ils crient trop. Super. Vraiment. Génial. Bravo, Florence, tu t'es bien débrouillée. Toi qui voulais vivre toutes sortes d'aventures dans ta vie, chapeau, tu as réussi. Attends que cela se sache, que cela s'apprenne. La folie, c'est tabou. «Dépression», c'est un mot qu'on n'ose même pas prononcer, au même titre qu'«obésité», «pauvreté», «chômage». C'est un mot qui dérange, un mot dont on ne sait pas quoi faire. Un mot qui met mal à l'aise et qui suscite à la fois une pitié condescendante et un sentiment de supériorité chez ceux qui se sont toujours perçus comme n'ayant pas froid aux yeux et n'ayant pas peur de relever leurs manches. Et une fois qu'on le prononce, on est stigmatisé à tout jamais. Florence K = dépressive. Tu veux qu'on te colle cette étiquette à la peau ? On ne va te parler que de ça. Oublie définitivement ta carrière après ça, ma belle. T'es censée être *une femme forte, une mère de famille, une artiste respectée et souriante. Dépressif = loser, rappelle-toi. On est en 2012. Les gens ont honte de ne pas filer. De nos jours, on prône le succès, la réussite, on ne célèbre pas les losers, ni l'échec, et encore moins la maladie mentale. Traiter quelqu'un de malade mental, c'est communément l'insulter, c'est pire que de le traiter de voleur, de menteur, ou enfin, ça sous-entend que c'est aussi un voleur, un menteur... Toi-même, Flo, depuis l'adolescence, tu utilises ce terme : « Oh my God, c'est un truc de malade mental. C'est quoi son problème, à ce malade mental ? Il est malade mental ou quoi ? » Tu vois, c'est celui qui le dit qui l'est. Et là, ma belle, t'as visé en plein dans le mille.*

WANG'S ANATOMY

Je rencontre le médecin qui m'est assigné. Le Dr Wang. Si je pensais que l'interne d'il y a deux mois avait tout de ce que l'on peut s'imaginer d'un psychiatre, eh bien, c'est parce que je n'avais pas encore rencontré le Dr Wang. L'impassibilité de ces mecs est incroyable. Le Dr Wang ne sourit pas. Il m'étudie, ne montre aucun signe d'indulgence devant mes pleurs et mes supplications pour qu'il m'accorde le privilège d'aller fumer. On lui a transféré mon dossier. Il sait tout de mes visites précédentes. Il a tout lu. Il ne vient pas m'examiner dans ma chambre-cellule. Les consultations se font dans le poste des infirmières. Avec les infirmières, un interne et deux stagiaires en travail social, bien entendu. Tant qu'à y être, autant filmer la consultation et la mettre sur Facebook. Rien de mieux qu'un paquet de monde qui nous observe et prend des notes pendant que l'on vomit sur la place publique toutes les poussières de notre âme. Ils viennent me chercher pour m'emmener dans le bureau du personnel. L'espace est étroit, mais des chaises ont été disposées en cercle, de manière à ce que je sois le point de mire de la pièce.

« *OK. So what is going on ? For how long have you been feeling like this ? How would you describe your psychoses ? Why do you feel that everything is falling apart in your life ? What is the situation with your ex ? For how long have you not been sleeping ? What is your family situation ? Is there suicide history in your family ? Alcoholism ? Bipolarity ? Drug addiction ? Do you do any drugs ? Do you drink ? How do you describe the situation between the whole world and yourself ?* »

Des fois je parle beaucoup, des fois je me tais. En fait, je crois que je commence à préférer les stagiaires et l'interne à mon psychiatre, le Dr Wang. Au moins, j'arrive à lire un peu de compassion dans leurs yeux, un regard du genre : « Ne t'inquiète pas, c'est peut-être horrible maintenant, mais ça va s'arranger. » Le Dr Wang, lui, ne se compromettra jamais. Aucune façon de lire quoi que ce soit dans ses yeux, il ne laisse rien transparaître. Ni empathie, ni condescendance, ni surprise, ni espoir, ni conclusion, ni rien du tout. Il ne peut pas. Ça fait partie de sa job, je crois. Je préfère les jeunes stagiaires en travail social. Elles ont au moins cinq ans de moins que moi, et j'ai envie de le leur rappeler. Juste pour qu'elles sachent que j'ai déjà eu toute ma tête, que moi aussi j'ai étudié, que moi aussi j'ai déjà fait des stages, que moi aussi je suis normale, que je suis comme elles, que j'ai déjà fait du *backpacking* l'été entre mes sessions scolaires. J'ai envie qu'elles sachent que je n'ai pas toujours porté cette chemise horrible, que j'ai déjà eu les cheveux propres et que moi aussi, comme elles, j'ai déjà passé de longues minutes à la pharmacie pour bien choisir ma couleur de vernis à ongles, et que je regardais *Sex and the City* avec mes copines en me faisant ma manucure et en discutant de garçons. Que moi aussi j'ai déjà fait partie de leur monde.

Le Dr Wang me renvoie dans ma chambre. Il va falloir que l'on se revoie avec ma famille. Il veut rencontrer mes proches. Connaître leur version des faits, j'imagine. Peut-être analyser s'ils sont aussi fous que moi et si ça a à voir avec mon état. Il me demande de penser à qui j'aimerais inviter à cette réunion. Deux personnes. Habituellement, ce sont les parents ou le conjoint du patient qui y vont. Je rentre dans ma chambre, dépitée. Je n'ai pas envie que mon ex vienne à cette réunion. De toute façon, il est à Kuujjuaq. Ma mère, oui. Je dois avoir avec moi quelqu'un qui connaît mon historique familial. Mon père, non. Je veux lui épargner un peu tout ce drame. J'ai l'impression qu'il prend les choses tellement à cœur que je ne sais pas comment il vivrait cette réunion. De plus, je me censurerais certainement en sa présence. Catherine, peut-être, mais je trouve que c'est rajouter un poids immense sur les épaules de la seule personne qui m'apporte encore de la joie. Et je suis égoïste, j'ai grandement besoin de cette joie qu'elle réussit à me faire vivre un peu chaque jour. Je demande qu'Anne soit là. S'il y en a bien une qui me connaît et qui m'a vue basculer, c'est elle. Elle a encore assez de recul face à la situation, un peu plus que mes parents. Et elle est témoin de tout ce qui se passe dans ma vie depuis les sept dernières années. Je fais passer le message au Dr Wang pour qu'on organise le rendez-vous. Deux jours plus tard, on se retrouve donc, Anne, ma mère et moi, dans le petit bureau. Il y a des stagiaires encore, et une infirmière. Nous sommes tous assis en cercle. Ma mère à ma droite. Anne à ma gauche. Le médecin en face. L'interrogatoire commence. Le Dr Wang veut savoir s'il y a un historique de dépression, d'alcoolisme ou de maladie mentale dans ma famille. Ma mère prend la parole :

— Oui, docteur. Mon grand-père s'est donné la mort. Mon grand-oncle aussi. Et deux cousins également. Il y a eu de l'alcoolisme dans la famille. Des bipolaires ? Rien de diagnostiqué, mais j'en connais qui en ont déjà présenté des symptômes. La grand-mère paternelle de Florence, lorsqu'elle est arrivée du Liban où elle avait vécu la guerre, était en dépression tellement avancée qu'elle a subi un traitement aux électrochocs. Il y a énormément d'anxiété aussi dans ma famille. Et il y a eu des dépressions post-partum.

— Quoi ? Maman ? Et tu t'étonnes que je sois internée ? C'est quoi, ce cirque ? Si la génétique joue un rôle dans la transmission de l'ADN de la maladie mentale, bien je suis numéro un pour la recevoir ! Et, toi et papa, vous n'y avez jamais pensé ? Mais merde ! Tu me dis que la moitié de la famille a déjà failli se flinguer et ça fait trois mois que vous ne comprenez pas ce qu'il m'arrive?

Ma mère pleure. La pauvre. Elle ne mérite pas que je m'emporte de la sorte. Elle fait ce qu'elle peut. Depuis le début de ce cauchemar. Personne dans ma famille ne sait ce qu'il faut faire. Moi la première. Ils sont désemparés. Autant mon père que ma mère. Jean, le conjoint de ma mère, l'ingénieur rationnel, est le seul parmi eux à avoir tenu tout le long de ma chute le même discours : « Florence, sa place en ce moment, c'est à l'hôpital. Elle est malade. Point. » Je regarde ma mère, qui vient pour la première fois de briser sa façade, sa contenance, son amour du bonheur et du travail constant vers celui-ci. Je me sens comme un monstre. Elle n'avait pas besoin de ça. Elle pleure toujours. Je veux la réconforter, mais je n'y arrive pas, et je lui lance : « Maman, calme-toi, s'il te plaît. C'est pas toi qui es à l'hôpital, là, c'est moi. » Je suis sous le choc. Je viens de me rendre compte que, dans le tirage au sort de l'ADN, je suis probablement, dans ma famille, celle de ma génération qui est venue au monde avec le gène de la maladie mentale et du suicide. J'ai l'impression d'avoir raclé les fonds de tiroir de la génétique de tous ceux de mon arbre généalogique qui se sont donné la mort. Je me dis alors : *Fuck. Je suis condamnée.* Et une fois la réunion terminée, je me retire dans ma cellule. Et je pleure, je pleure, je pleure à n'en plus pouvoir pleurer.

JACK NICHOLSON

Si c'est vrai que la créativité est l'enfant de la folie, en tout cas, au point où j'en suis, je ne serais même pas en mesure de dessiner un bonhomme-allumette au crayon à mine. Je n'arrive plus à lire, car les lettres dansent devant mes yeux, et encore moins à réfléchir, car tout ce à quoi je pense est d'une toxicité pourrie. Alors, toutes les bandes dessinées et tous les magazines people qu'on m'apporte et dans lesquels Johnny Depp est en train de laisser Vanessa Paradis, tous ces livres que ma famille dépose sur le rebord de la fenêtre ne servent pour l'instant qu'à prendre la poussière, tout comme ma vie, d'ailleurs. J'ai l'impression que les heures ne se succèdent plus tant le temps avance lentement. Le Dr Wang ne m'a pas encore octroyé le privilège d'aller fumer dehors, donc je ne peux même plus ponctuer mes journées de ces paliers de survie que sont pour moi les cigarettes. Et je suis affreusement en manque de nicotine. Vu la quantité que j'ai consommée durant les trois derniers mois, mon système doit être en train de devenir fou lui aussi.

Je dois prendre mon mal en patience, depuis ce lit, ce matelas rigide dont la texture du recouvrement me rappelle les matelas d'éducation physique de mon école primaire. Chaque fois que je rassemble assez d'énergie pour relever la tête de mon oreiller, j'y retrouve un paquet de cheveux. Ils tombent encore. Tous les membres de mon corps sont mous. Une maigre molle. Mes muscles ne servent plus à rien, et leur patron, dans mon cerveau, celui qui leur donne des ordres, se tait depuis ce qui me semble déjà une éternité. J'ai toujours eu les fesses bien rondes, mais là, on dirait deux planches à repasser. Mais on s'en fout, de toute façon, personne ne me voit ici. Je reste enfermée dans ma chambre-cellule parce que j'ai bien trop peur de ce qui se passe dans la petite salle commune. La veille, j'ai effectué mon expédition de la journée pour me rendre au téléphone du *High Care* et appeler Francine afin de la supplier de me faire sortir de là. Juste comme je commençais à lui parler, la *bitch* de l'étage, une bipolaire enragée qui me semble plutôt unipolaire du côté maniaque, est venue me gueuler dessus pour me dire qu'elle avait besoin du téléphone, puis elle l'a raccroché pour moi en me disant : « *Move out, bitch !* » La classe. Une maniaco qui engueule une dépressive, rien de mieux pour me convaincre que je suis au bon endroit pour guérir…

SYLVAIN

Deux des précieux amis de ma famille sont Francine et Alain. Ils ont connu mon père à l'époque du Liban et ils demeurent à Paris. Mon père est le parrain de leur fille Christel. Francine et Alain ont également eu un fils, Sylvain, un beau garçon enjoué et artiste lui aussi, et surtout doté d'un humour extraordinairement subtil. Durant mon enfance, lorsque j'allais en France avec mon père, nous logions chez eux, et je jouais avec leurs enfants, surtout avec Sylvain, qui avait un âge proche du mien. Et tous les deux ans, ils venaient nous rendre visite à Montréal. J'ai toujours cru que la famille était une affaire de cœur plutôt que de sang. Et pour moi, Francine, Alain et leurs enfants, c'est ma famille, même si l'océan qui nous sépare ne nous permet pas de partager un certain quotidien.

Un jour, au début des années 2000, nous avons appris que Sylvain, qui se plaignait depuis quelque temps de migraines épouvantables, souffrait d'une forme rare de cancer, une tumeur insidieuse qui finirait par venir à bout de sa vie. Francine et Alain ont tout fait pour que leur fils s'en tire. Ils ont consulté les meilleurs médecins, sont allés à New York voir mon oncle qui est oncologue, ont essayé du mieux qu'ils pouvaient de rassembler tout le savoir possible sur ce type de maladie pour que leur fils puisse la combattre. Malheureusement, au printemps de 2004, on a bien vu que Sylvain en était à ses derniers milles. Ce fut la chose la plus triste du monde. Il n'y a rien à comprendre à ce genre de destinée, à cette mort qui se promène la faux à la main et qui arrache la vie de ceux qui méritaient de la garder encore et encore bien longtemps. Sylvain était jeune, il n'avait jamais fait de mal à une mouche, avait le cœur sur la main, et la vie avait décidé de s'en aller peu à peu de son corps. Sylvain, il était bon. Vraiment bon. Alors, pourquoi lui? Et pourquoi moi, qui l'ai eue, la santé, je la rejette si violemment aujourd'hui? J'ai voulu m'enlever la vie. Sylvain, lui, il a tout essayé pour pouvoir la garder. Je ne comprends plus rien et je m'en veux. Je trouve la vie injuste. Les cartes sont mal distribuées. Je repense au refrain de cette chanson de IAM que j'adorais lorsque l'album *L'École du micro d'argent* est sorti. Cette chanson, *Nés sous la même étoile*, qui dit :

La vie est belle, le destin s'en écarte
Personne ne joue avec les mêmes cartes
Le berceau lève le voile, multiples sont les routes
qu'il dévoile
Tant pis, on est pas nés sous la même étoile

Moi, mesdames et messieurs, je suis née sous la bonne étoile. Avec une grande sensibilité et une génétique apparemment un peu *fuckée*, mais jusqu'à présent mon étoile a été pas mal cool avec moi. C'est comme ça que je la remercie, ma charmante étoile ? Je me dis que je ne suis qu'une ingrate. Francine et Alain ont traversé le pire, ce qu'aucun parent ne peut même oser s'aventurer à imaginer. Et ils sont toujours là, debout, non pas dans un état de déni ou de refoulement, mais avec toute la noblesse de ceux qui savent ce que c'est que cultiver l'amour et le bonheur, pas le genre de bonheur avec un grand *B* que l'on perçoit comme une cible impossible à atteindre, mais le vrai bonheur, celui du petit jour, celui des instants de grâce attrapés au vol dans la poussière laissée derrière le sable s'écoulant dans le sablier qui compte nos heures. Et ils me téléphonent à l'hôpital. Ils me parlent, remplis d'amour. M'invitent à venir les rejoindre à Cannes lorsque je serai sortie de là, me disent qu'ils m'accueilleront, qu'ils m'aideront à me remettre sur pied. Jamais ils ne mettent en doute l'ampleur de ce que je traverse, malgré ce qu'eux-mêmes ont vécu. Leur appel me fait du bien. Vraiment.

WHO KNOWS ?

Après quatre jours de croupissement dans mon lit, le Dr Wang me convoque à nouveau dans sa salle d'examen. Je croise les doigts en espérant qu'il me dira que finalement je ne suis pas faite pour être ici, qu'il a trouvé un monastère bouddhiste dont la communauté propose un traitement de la dépression par la méditation, qu'il a découvert après vingt ans de recherche une superpilule magique qui redonne le goût de vivre à ceux qui l'ont égaré, ou bien qu'ils vont m'opérer au cerveau pour réajuster mes neurotransmetteurs et qu'après je serai *back to normal* en moins de deux, ou que tout le monde s'était trompé, que j'ai un problème de fer ou de glande thyroïde et qu'en fait je ne suis pas du tout en train de composer avec un trouble psychique, qu'il s'agit de rééquilibrer mon système hormonal et que tout va bien aller. J'espère, je croise les doigts à m'en couper la circulation sanguine.

Puis j'arrive dans son bureau. Maintenant, je ne sais plus comment m'adresser à un psychiatre. Si je bluffe en disant que je vais mieux, il va savoir que je bluffe, c'est sûr, c'est son boulot. Et là, il va ajouter «mythomane» à la liste des pathologies qui me décrivent. Si je suis honnête et que je lui dis que, sincèrement, il n'y a aucun progrès, que la seule différence ici, c'est qu'au moins on est sûrs que je ne passerai pas à l'acte, faute de moyens, il va me dire que c'est justement pour ça qu'on me garde et qu'on va me garder un petit bout de temps. Si je dis que je sens une amélioration, il va regarder les tableaux remplis par les infirmières au sujet de mes repas, de mes activités quotidiennes (= *nada*) et de mes heures de sommeil (qui dépendent entièrement de la prise de somnifères). Et là, il va écrire : « *Patient is delusional.* » Quoi qu'il en soit, je suis dans un cul-de-sac. Entièrement à la merci de la perception que le Dr Wang a de moi.

J'opte pour l'honnêteté. Il me demande comment je me sens. Je lui dis la vérité. Je ne me sens pas bien. Sauf que j'ajoute que, d'après moi, l'environnement du *High Care* est nocif à mon rétablissement. Que d'être entourée de malades plus malades que moi, ça me déprime encore plus, tout comme l'état des lieux, les couleurs sur les murs, l'odeur malsaine de la salle de bain, les cris des autres patients et le fait de ne pas pouvoir fumer. Il me demande si j'ai des idées noires. Là, par contre, je mens.

— Non, docteur, plus du tout. Ça, c'est parti depuis que vous avez augmenté ma dose d'Effexor.

— *Good, good.*

Il ne me dit rien de plus. Il me renvoie dans ma chambre. Le mot d'ordre de l'équipe médicale, c'est « *We don't know* ». C'est ce qu'ils disent à ma famille, à ma mère. Et c'est vrai. Ils ne savent pas. La maladie mentale, les troubles psychiques, c'est un domaine flou. On ne sait jamais à 100 %. Tout diagnostic posé est en fait un amalgame des meilleures conclusions que l'on a pu tirer d'un cas. Ça rend Francine folle. Elle vient me visiter et elle ne comprend pas, premièrement, que l'endroit soit si décrépit et, deuxièmement, que personne ne sache ce qu'il faut faire pour que je guérisse. Je la supplie de trouver une façon de me sortir d'ici. Il n'y en a

pas. Je ne m'appartiens plus. Je suis sous la tutelle
de l'État. Je suis mieux de m'y faire. La vérité, c'est
que toute l'équipe médicale de l'hôpital fait exactement ce qu'il faut faire. Mais à l'époque, je suis
entièrement convaincue du contraire.

ON CAUSE POUR LA CAUSE

Je traverse la petite salle commune. Les autres
patients de ma section sont assis autour de la table.
La télé est allumée. J'ai un choc affreux lorsque je
me vois passer à l'écran. Dans une pub à laquelle
j'ai participé l'année dernière. C'est un *feeling* horrible. En plus, je me souviens bien du tournage.
Je commençais à aller mal. Je n'avais pas fait mes
ongles et il y avait un gros plan sur mes mains
au piano. J'étais perdue, mais je tournais toujours
malgré tout! C'était à l'époque où je fonctionnais
encore. J'arrache la télécommande à Mme Barry
avant que quelqu'un se rende compte de la res-
semblance un peu troublante entre la fille dans la
télé et la fille dans la chemise d'hôpital. Vite, je
change de chaîne. C'est anglo ici. On met Global.
Ou CBC. Je ne sais plus. Nous sommes au mois de
janvier, alors la programmation est bombardée d'annonces de *Bell Cause pour la cause*. C'est leur campagne pour lutter contre la maladie mentale. Clara
Hughes parle. Elle a combattu la dépression. Et elle
est toute belle, toute mignonne à la télé. Donc, il
y a toutes ces pubs qui passent en boucle à chaque
pause publicitaire, devant une douzaine de personnes gravement affectées par la maladie mentale.

Est-ce qu'elles se rendent compte de l'absurdité de la chose ? De toutes ces publicités pour contrer la maladie mentale que l'on entend résonner à l'autre bout de l'aile psychiatrique ? Je n'en ai aucune idée. Tout ce que je sais, c'est que si Clara Hughes dit vrai, si elle a réellement déjà été dans mon état, et que là elle a l'air si radieuse à la télévision, eh bien je veux qu'elle me vende son remède.

Je continue à avancer dans la salle commune. Mme Barry chiale. Elle ne fait que ça. Et elle chiale fort. Tommy hurle. Les autres le surnomment Big Bird. Je ne sais pas pourquoi. Mais Mme Barry lui dit sans arrêt : « Ferme-la, Big Bird. » La *bitch* flirte avec un type qui est ici depuis cinq mois parce qu'il a tout détruit dans le bureau de son médecin quand il est entré. Il est, lui aussi, diagnostiqué bipolaire, mais à cause de ses antécédents de violence et de vols de guichets ATM, on le garde ici indéfiniment. Il y a une petite nouvelle, Sandra. Elle est danseuse au centre-ville. Elle n'a que dix-huit ans et elle a essayé de se pendre. Elle pleure comme une Madeleine dans son fauteuil. Et il y a Julie, qui se promène dans le couloir, des allers-retours incessants, avec des petits breaks dans les chambres des autres patients, histoire de leur voler quelques-uns de leurs maigres biens. On retrouve toujours nos objets personnels, nos oreillers, nos chaussettes, nos boîtes de biscuits, sous le lit de Julie. Et quand on la surprend en flagrant délit, elle nous regarde en souriant. Pas un sourire méchant, un sourire rempli de bonté, comme si le fait qu'elle nous ait volé quelque chose nous unissait, comme si ça faisait automatiquement de nous des amis, des proches. Pour Julie, c'est comme ça qu'on socialise. Je l'aime bien. Et Tommy aussi. Sandra, je n'ai pas encore réussi à lui parler, elle ne fait que pleurer pour l'instant. Le violent des guichets ATM, mine de rien, il est sympa. Il se prend un peu pour un gangster, mais en fait ça lui va bien. Un bon gangster. Du genre qui vole aux riches pour donner à ses amis pauvres. Robin des Bois. On dirait que la *bitch* l'énerve un peu. Elle est vraiment après lui. La *bitch*, de toute façon, c'est réglé, j'ai décidé en mon for intérieur que je ne m'en approcherai plus jamais. Elle aussi est un facteur aggravant de ma dépression. Je traverse ce groupuscule et je regagne ma chambre, je m'allonge sur le lit.

Dix minutes plus tard, une infirmière entre. «Mademoiselle Florence, le Dr Wang a décidé de vous donner le privilège d'aller fumer dehors, accompagnée par un membre de votre famille immédiate ou du personnel, jusqu'à concurrence de trois fois par jour.» La nouvelle me fait le même effet que lorsque j'étais encore dans le monde des gens normaux et que j'obtenais un gros contrat. *Hallelujah! Thank the Lord.* Maintenant, j'ai peut-être une chance de survivre à ce séjour en institut.

REGGIE

Depuis l'obtention de mon privilège, je ne vis plus qu'au rythme des pauses-cigarette de ma journée. J'ai le droit d'y aller à 9 heures, à 14 heures puis à 20 heures, avant le dodo. Le seul bémol à la chose, c'est que les visites ne peuvent avoir lieu que de

14 heures à 19 heures. Donc, je suis OK pour ma cigarette de 14 heures, et c'est tout. Il faut que je trouve quelqu'un pour m'accompagner pour ma dose de nicotine du matin et pour celle du soir. Je demande au gangster des guichets ATM comment il fait, lui, pour aller fumer, s'il n'y a jamais personne qui vient le visiter. Il me dit que c'est Reggie, le préposé aux bénéficiaires du *High Care*, qui l'accompagne sous le préau de l'hosto aux heures prescrites. Et quand ce n'est pas le *shift* de Reggie ? Alors, il faut faire les yeux doux au concierge. Et d'habitude, ça marche si tu lui refiles deux ou trois de tes cigarettes. Parfait. Je vais demander à ma mère de m'acheter une cartouche. Ils auront toutes les cigarettes du monde s'ils veulent, mais moi il faut que je fume. Sinon, je vais mourir. Alors, ça vaut bien la contrebande.

Le soir même, Reggie cogne à la porte de ma chambre : «*Apparently you have a new privilege!* Veux-tu nous accompagner pour la cigarette du soir ?» Je ne me fais pas prier. Toute ma mollesse se contracte d'un seul coup et me propulse sur mes jambes. Il ne m'en fallait pas plus pour me motiver à bouger. Je n'ai pas de cigarettes dans mon casier d'objets personnels, qui est sous la supervision de Reggie, avec le reste de mes affaires, dont mon manteau, mon téléphone et mon jeu *Cut the Rope*, et ma carte d'assurance-maladie. Reggie m'en refile deux. Il est adorable. Il a toujours le sourire aux lèvres. Fin cinquantaine, il vient des îles, de la Barbade je crois, et il en a la nonchalance dans la démarche, la bonne humeur et l'accent. À partir de ce soir-là, Reggie devient une étoile dans ma vie à l'hôpital. Chaque matin, chaque soir, il vient me chercher dans ma chambre et m'emmène fumer, avec le gars des guichets ATM et un autre patient schizophrène. Le sourire est fidèle au poste. Et finalement, ce sourire constant, une ancre dans mes réveils brumeux, deviendra contagieux. Si, plus tard, je finirai par guérir, ce sera en partie grâce à l'espoir que Reggie m'aura refilé jour après jour, au fil de nos conversations, au fil de nos cigarettes sous le préau. Au fil des moments où il m'écoutera pleurer, où il viendra s'assurer qu'il ne me manque rien et où il me dira que je lui rappelle sa fille, sa grande fille qui vit à New York et qu'il ne voit que rarement.

Reggie aime la musique. Reggie aime la vie. Reggie ne l'a pas eu facile, il a galéré, il a connu le deuil, il a connu la pauvreté, il a connu l'éternel recommencement, et il connaît certainement la réalité de la folie humaine, il travaille quarante heures par semaine dans un nid de coucous. Ça ne l'impressionne plus. Il aime ses patients, ça paraît. Il en prend bien soin, non seulement par devoir, mais aussi parce qu'il sait qu'il peut réellement faire une différence dans la vie de ceux que plus personne ne comprend. Avec plus d'attention que les médecins, que les infirmières. Il leur parle, il les écoute. Il les réconforte, il les emmène fumer, il devient leur ami, parfois leur seul ami. Et quand un patient s'en va, il recommence avec celui qui vient prendre sa place. Reggie est un ange, un vrai. La médecine, ça ne passe pas que par les diagnostics, les médicaments ou la thérapie, ça passe par la bonté, par la bienveillance, par la présence. Reggie a compris ça depuis longtemps et, à sa façon, il soigne tous ceux dont l'âme est à sec.

J'ABDIQUE

Ça fait environ dix jours que je suis hospitalisée. Je ne peux pas dire qu'il y a une grande amélioration de mon état, mais j'ai arrêté de résister. *I gave in.* Jenny, l'infirmière de service, ne cesse de me répéter que la dépression, c'est une maladie, au même titre que le diabète. Sauf que c'est un peu plus compliqué à diagnostiquer. Il n'y a pas de prise de sang ou de *scan* qui permettent de diagnostiquer un trouble psychique. Et elle ajoute, pour m'encourager, que les diabétiques, c'est normal qu'ils prennent leur insuline. Alors, les dépressifs, c'est normal qu'ils prennent leurs inhibiteurs de sérotonine, c'est-à-dire leurs antidépresseurs. Reggie m'a raconté des dizaines d'histoires de patients dans le même état que moi auxquels il a eu affaire. « *You wouldn't believe it. Doctors, lawyers, writers...* Des riches, des pauvres, *moms, dads, businessmen.* Tant de gens que tu ne t'attendrais pas à retrouver ici ont eu à faire face à des troubles psychiques. *You really don't have to feel like you're one in a million.* »

Donc, OK, je souffre d'un épisode dépressif majeur. OK, je suis à l'hôpital en psychiatrie. OK, je suis sous médication. OK, je ne sais pas pour combien de temps j'en ai. OK, je suis sous la tutelle de l'État. OK, je ne suis pas capable de fonctionner. OK, je fume comme une forcenée. OK, je suis probablement un peu une forcenée en ce moment.

OK, c'est de la grosse merde. OK, j'ai honte. OK, je me sens hyper coupable. OK. OK. OK. Et maintenant, je fais quoi ? J'attends que ça passe ? Ça fait six mois que j'attends. Essayons de trouver une chose constructive dans ma vie en ce moment. Mmmm. Je me creuse les méninges.

Avant que je rentre « en dedans », j'avais remarqué les débuts d'une nouvelle mode, des tee-shirts et des tasses avec l'inscription : *Keep Calm and Carry On*. Il y a aussi la célèbre phrase « Lâcher prise », déclinée sur d'innombrables couvertures de livres de développement personnel. Lâcher prise parce qu'on est dans les embouteillages ? Parce que notre chum n'est pas à l'heure pour le souper ? Parce que notre carte de crédit est pleine ? Parce qu'on se fait doubler dans une file d'attente ? Parce que téléphoner à Hydro, ça nous énerve ? OK. Peut-être que ça peut marcher. Lâcher prise lorsqu'on fait faillite, lorsqu'on traverse un divorce, lorsqu'on perd un emploi, un être proche, lorsqu'on fait face à la maladie, c'est une autre paire de manches. Et lâcher prise quand tu souffres d'anxiété ? C'est n'importe quoi. *Keep Calm and Carry On*. Ça m'a toujours énervée, ce genre de « lâche prise », avec un demi-sourire d'ange et une voix mielleuse... Mais bon, je n'ai rien d'autre à faire que d'essayer. Alors, essayons. Au moins, ici, je peux abdiquer complètement. Je ne risque pas de faire une connerie, de toute façon, il n'y a rien qui le permette entre ces murs.

Donc, OK. Premier constat : je suis en sécurité. Même si je délire, même si je panique, même si je sombre encore plus dans le tuyau sans fin d'un aspirateur de pensées, il ne peut rien m'arriver. L'autre soir, Sandra la danseuse hurlait de rage et de tristesse. Ils l'ont attachée à son lit. Ils l'ont piquée dans la fesse. Comme dans les films. Elle s'est calmée. Endormie probablement. Ça ne donne pas envie de délirer, en tout cas. Ça incite à essayer de rester tranquille. Elles sont là, les attaches pour les *straps*. De chaque côté de mon lit. Donc, voici une première bonne raison de ne pas hurler, de ne pas me laisser aller entièrement au désespoir, d'essayer d'atteindre une première borne, de rassembler mes canards en rangée. OK. Mais où donc est tracée la ligne qui distingue la volonté de la capacité ? Suis-je réellement capable de volonté ? Pendant des mois, je n'en avais plus. Enfin, si, j'en avais, je voulais absolument m'en sortir. Je voulais guérir, je voulais sortir de ce trou noir, je voulais recommencer à vivre comme avant, à être moi-même, à fonctionner, à travailler. La volonté, elle y était. Mais lorsque venait le temps de la mettre en action… Rien. *Nada.* Que dalle. Zéro. *Nothing. Niente. Nichts.* C'est la capacité qui manquait.

Elle est peut-être là, la maladie, finalement. C'est quand on sait au fin fond de soi qu'il y a d'autres options que la mort, mais qu'elles sont inaccessibles. Qu'elles sont comme des astéroïdes que l'on espère secrètement voir poindre dans notre orbite un jour ou l'autre, devenir des météores et nous rentrer dedans pour nous faire reprendre conscience du réel. Mais les météorites sont rares. Et on attend, on attend. On regarde vers le ciel, les astéroïdes sont trop loin. Et ils s'éteignent, les uns après les autres, amincissant par le fait même nos chances de revenir à la réalité. La réalité concrète qui est qu'on respire. D'une certaine façon, tout le reste est d'une importance relative.

KEEP CALM
AND DRINK YOUR COFFEE

Ici, la vie continue. Minute après minute, heure après heure, jour après jour. Elle ne s'arrête pas, contrairement à ma période de préhospitalisation. Quand j'étais à la maison, réfugiée sous mes couvertures, je n'avais plus de rythme. Il paraît que la routine est une façon de combattre l'insanité. Alors, comme j'ai dit «OK» il y a quelques jours, comme j'ai abdiqué, comme j'ai lâché prise, j'adhère désormais à la routine du *High Care* sans résister. De toute façon, si je résiste, on va m'enlever mon privilège-cigarette, et leur chantage émotif, eh bien, il fonctionne avec moi. Puis le gangster bipolaire m'a dit récemment que la meilleure façon d'obtenir un *upgrade* en classe *Normal Care* (la section psychiatrique où les patients ne sont plus enfermés), c'est d'avoir un livret de bonne conduite impeccable. Donc, OK. C'est ça que je veux. Un but. Enfin un objectif qui prend forme dans ma vie. Ça fait des mois que je n'avais pas connu cette sensation. C'est officiel, mon objectif de vie à court terme : passer du *High Care* au *Normal Care*. C'est moins gros et inaccessible que de guérir spontanément ou d'obtenir mon congé de l'hôpital. Je me dis que c'est un but réaliste.

Donc, ma seule tâche ici, idées noires ou pas, c'est de suivre le troupeau. Ainsi, tous les matins, on est réveillés par la distribution des bonbons, on est tous en ligne devant le poste des infirmières et on attend notre dose. La mienne est relativement maigre comparée à celle de mes compagnons d'infortune. Lithium, Xanax, Prozac, Celexa, tant de noms différents. Moi, le matin, c'est Effexor à 150 milligrammes et Seroquel à 100 milligrammes. Et le soir, 100 milligrammes de zopiclone. Un antidépresseur, un antipsychotique et un somnifère. C'est tout. C'est quand même pas pire, non ? Le lithium, c'est pour les cas les plus intenses et pour les bipolaires. Rien que le mot fait peur. Pour moi, de toute façon, *Lithium*, c'est une chanson de Nirvana. Une de leurs meilleures. Chaque fois que j'entends le mot « lithium », la voix de Kurt résonne dans ma tête : « *I'm so happy cause today I found my friends. They're in my head.* » Ouaip. C'est à peu près ça, Kurt, ici. Les gens pensent comme ça. *Yeaaaaaaahh yeahhhh ahhh ahhh*. Puis vient le petit café du matin, décaféiné et infect, mais bon, petit café du matin quand même. Je commence à avoir mes habitudes. Je m'assois dans un fauteuil au bord de la fenêtre et je le bois en regardant dehors. Dehors, il y a une grande artère, une rue qui frétille de vie et de circulation automobile, malgré la neige, malgré le froid, malgré le vent, malgré la noirceur des matins qui tardent à se réveiller. Il y a beaucoup d'autobus. Et de taxis. C'est sûr, c'est un hôpital. C'est le bordel dans le parking. Les gens se gueulent dessus. Ils sont mécontents de l'absence de places. On ne peut pas les blâmer. Ils ont attendu six mois et plus pour obtenir un rendez-vous, alors quand ils arrivent et qu'il n'y a pas d'endroit où se garer, ils pètent un câble. Je préfère cette vue à celle de ma chambre, dont la fenêtre donne sur le stationnement des médecins. Des BM, des Mercedes, des Audi, des Porsche. Ils les méritent bien, quand même, dix ans d'études et de nuits blanches, et des vies à sauver chaque jour. Tous les matins, je vois depuis ma chambre une doctoresse qui stationne sa Audi blanche et qui entre par l'arrière du bâtiment. Elle doit avoir mon âge. Je la suis du regard, et je regrette.

Je regrette d'avoir choisi d'être une artiste, d'avoir toujours laissé mes émotions guider mon quotidien et mon travail, d'être à la merci d'une sensibilité exacerbée, de n'avoir pas choisi un métier stable, un métier où on sait ce qu'on a à faire, un métier normal, un métier avec des tâches claires et précises, un métier qui ne nous expose pas à l'opinion publique, un métier qui n'est pas tourné exclusivement vers celui qui le pratique, en faisant le centre de l'univers, un métier où notre business, ce n'est pas notre look, notre style, notre voix, nos gestes, notre corps, nos pensées, notre allure. Un métier décollé de soi. J'aurais dû devenir médecin. J'aurais pu me sentir utile, j'aurais pu avoir comme objet de mes pensées autre chose que ma petite personne et son expression artistique. Quand je commence à penser comme ça, c'est foutu. Le vortex m'emporte. Alors, je préfère de loin prendre mon café sans café dans la salle commune, entre les complaintes de Mme Barry, les cris de Big Bird, les pleurs de Sandra, la kleptomanie de Julie, la violence du gangster et le *bitchage* de la *bitch*, tout en regardant le mouvement de la grande artère dehors, plutôt que de le boire dans ma chambre, en faisant face à tout ce que j'aurais pu être à la place de ce que je suis aujourd'hui.

LE DASH

Ça fait presque deux semaines que je suis ici. Ma stratégie d'abdication fonctionne. J'ai obtenu une pause-cigarette supplémentaire dans ma journée, juste après le lunch, et donc mon break de 14 heures a été déplacé à 16 heures. Je suis privilégiée, je suis bien entourée. Tous les jours, j'ai de la visite. Même si mes parents ne savent plus trop sur quel pied danser, qu'ils ne savent plus trop quoi me dire pour apaiser mon mal, jour après jour ils viennent quand même. Mon père, qui me cuisine de la *molokheya*, ma soupe égyptienne favorite, se désole de voir que mon appétit n'est pas encore revenu. Sa soupe, pour l'instant, est complètement inutile, je ne mange pas beaucoup, mais il me l'apporte tous les jours malgré tout. Ma mère, de son côté, entre deux spectacles à l'autre bout du monde, deux préados et ma propre fille, trouve le temps de venir m'embrasser, de m'apporter des sous-vêtements propres et des cigarettes, dont je fais une réelle contrebande maintenant. Anne vient me voir quotidiennement, parfois avec Krissi, et elle éteint les feux et s'assure que personne dans le milieu n'est au courant de ma situation, pour me protéger. Bastien s'occupe des choses de mon condo : les factures, les tuyaux, la neige, et surtout il vient fumer avec moi tous les jours et me parler de la vie. Francine m'apporte du pad thaï en espérant que je vais le manger et s'indigne chaque fois de la décrépitude des lieux.

Parfois, je passe des heures entières à ne pas adresser la parole à ceux de ma famille qui viennent me voir. Je ne parle qu'à Catherine et à Bastien, à Anne aussi. Les membres de ma famille, je les aime, je leur suis reconnaissante de venir me voir, mais je ne sais plus quoi leur dire. Je crois que je vois trop de leur propre souffrance dans leur regard pour pouvoir apprécier quoi que ce soit. Avec Catherine, Anne et Bastien, c'est différent. Avec Francine aussi. Le lien du sang n'est pas là pour brouiller les cartes. Et Catherine, qui est entre deux contrats, vient me voir tous les après-midi. Elle a obtenu le droit de m'accompagner sous le préau pour fumer. Je lui demande un jour comment elle fait, elle, pour ne jamais flancher, malgré les hauts, malgré les bas. « Flo, honnêtement, je ne sais pas, j'ai toujours eu la certitude que tout finit toujours par s'arranger. Alors, je ne m'en fais pas trop. » J'aurais tout donné pour être comme ça de nature. Est-ce qu'elle est née avec des neurotransmetteurs plus efficaces que les miens ? Est-ce qu'elle produit plus de dopamine ? Est-ce que c'est grâce à son éducation, à la stabilité de son enfance ? Est-ce que c'est parce qu'elle a toujours été mignonne, qu'elle a l'amitié facile et qu'elle est entièrement épicurienne ? Bon, acquis ou inné, de toute façon, ce qui compte, c'est le résultat, non ? Mais être avec Catherine, ça me fait du bien. Depuis toujours.

Maïna et Manou viennent aussi, le plus souvent possible. Elles mettent des fleurs dans ma chambre. Pour l'instant, les fleurs ne font pas encore leur effet sur mon moral, mais la philosophie de mes copines, c'est : *Fake it until you make it.* J'ai de la chance. Ça, je le sais. Je ne peux même pas m'imaginer ce qui se passerait si je n'étais pas soutenue par autant de gens aimants. Si, en plus de ma dépression, je devais vivre dans une réelle solitude, je ne serais probablement plus ici. Personne ne vient voir Big Bird. Encore moins Mme Barry. Personne non plus n'apporte de petits plats à Julie. Ça doit être pour ça qu'elle me vole les miens. Sandra est repartie. Elle a réussi à convaincre les médecins qu'elle n'était plus suicidaire, elle les a suppliés parce que sinon, son boss, au club de danseuses, allait la mettre dehors, et en sortant elle n'aurait plus de boulot et risquerait de redevenir suicidaire. Dommage, j'aimais bien sa présence. C'était la seule autre dépressive de ma section, parfois on jasait ensemble du vortex qui aspirait notre joie de vivre et de l'impossibilité à laquelle on faisait face lorsqu'on essayait de le traverser. On se comprenait. Ça nous aidait mutuellement. Des fois, elle venait pleurer dans ma chambre. Et moi, je pleurais à mon tour. Un festival de madeleines qui se serrent les coudes.

Avant qu'elle quitte l'étage, elle a cogné à la porte de ma chambre et m'a demandé si elle pouvait me lire quelque chose. Elle a sorti un petit papier un peu froissé de la poche de sa veste. *The Dash Poem*, de Linda Ellis. Ce joli petit poème qui suggère à celui qui le lit que ce qui compte dans la vie, c'est le trait d'union entre notre date de naissance et notre date de décès. « *Live your dash, live your dash!*» me disait souvent ma mère lorsque j'étais plus jeune. Il est joli, ce poème, l'allégorie est belle. Sandra est tellement convaincue qu'elle se prépare à un nouveau départ lorsqu'elle me le lit. Je le lui souhaite du fond du cœur. De mon côté, je sais que le poème a raison, que Sandra aussi. Je donnerais tout pour être capable de vivre mon *dash* en ce moment, mais mon état m'empêche encore de le faire. D'une certaine façon, ce que je vis actuellement, cette partie de ma vie qui n'en est pas tout à fait une, cette pause forcée de ma propre existence, elle fait elle aussi partie du *dash*.

Le *dash*, ce n'est pas seulement ce qu'il y a de beau et de plaisant. Quand on vient au monde, on signe en quelque sorte un contrat dans lequel il est écrit que nous allons tous inévitablement traverser des épreuves difficiles. La maladie, la mort de nos proches, le deuil, avoir à travailler, à faire des choix, les peines d'amour, les déceptions, les trahisons, les séparations, les moments gris, les moments morts, parfois même des choses insensées comme la guerre, la famine, les catastrophes naturelles, la misère, l'exploitation. Le *dash*, c'est aussi tout ça. Et notre job, c'est de faire du mieux qu'on peut. Je sais qu'en ce moment je fais de mon mieux. Et le mieux que je puisse faire, c'est d'être enfermée ici à essayer tant bien que mal de me remettre d'un tsunami mental.

Mine de rien, je commence à les aimer un peu, mes voisins de palier. Et mine de rien, chacune des visites de mes proches me fait du bien. Je suis capable de déceler des mercis logés quelque part dans le côté gauche de ma poitrine. C'est ainsi que, pour la première fois depuis des mois, je renoue intérieurement avec cette sensation qui se nomme la gratitude et qui, pour moi, sera un premier pas vers quelque chose de mieux. Il faut bien commencer quelque part.

NATALIE

Au plan physique, il n'y a pas une énorme amélioration. Je suis encore toute molle. Toute lourde, quoique plus maigre que jamais. Je ne me suis pas vue depuis mon arrivée. C'est mieux ainsi. Quand je descends pour fumer, parfois j'attrape mon reflet dans les vitres des autres sections ou dans l'aluminium de l'ascenseur. Mais ce n'est qu'une silhouette. Je n'ai pas envie de me voir, je ne demande pas à Catherine ou à ma mère de me prêter un petit miroir de poche. Pour ce qui est du corps et des cheveux, c'est la même chose. L'inertie entraîne l'inertie. Mon exercice journalier, c'est de descendre sous le préau et de traverser la salle commune. Autrefois, j'aimais tant faire du yoga. Au début de ma dépression, j'y allais encore quelques fois, puis de moins en moins, puis plus du tout. Ça fait cinq mois que je n'ai pas déroulé mon tapis de yoga. Ma mère croit que cela me ferait du bien de renouer avec cet ancien amour, que peut-être que ça déclencherait dans mon cerveau une quelconque volonté de bouger, de respirer, de regarder vers le ciel au lieu d'avoir constamment la tête en bas. De m'approprier à nouveau un peu de grâce et de dignité. Moi, je me dis que j'ai tellement fumé depuis l'automne qu'il ne doit plus y avoir grand-place dans mes poumons pour faire des exercices de *pranayama*… Encore moins pour pratiquer des *asanas*. Elle insiste. Elle me parle de Sue. Sue a une fille qui a mon âge, Natalie, et qui est prof de yoga. Je la connais, elle enseigne au studio que je fréquentais avant d'être malade.

Maman me dit qu'elle a raconté à Sue, puis à Natalie, ce qui m'arrivait. «Tu sais, ma chérie, Natalie a vécu une passe terrible. Elle est tombée dans la drogue, dans la prostitution, elle est allée en prison. Elle en a vu d'autres. Et aujourd'hui, elle va bien, elle enseigne le yoga à temps plein, elle est sobre, elle est rayonnante. Elle veut t'aider. Laisse-la venir te voir, peut-être même te donner un petit cours ici, dans ta chambre?» *Merci, maman. Je n'avais vraiment pas besoin que tu racontes mon histoire à des gens hors de notre cercle de proches.* Mais bon, à ce stade, qu'est-ce que ça change? Je suis déjà mal foutue, de toute façon. Je ne comprendrai que plus tard ce que mes parents eux-mêmes ont vécu pendant cette période. Que faire lorsque la personne à qui on a donné la vie ne veut plus de cette vie, n'en voit que le mauvais côté, quand notre progéniture se déteste, quand on croit tout d'un coup qu'elle perd la tête? Quand on ne comprend pas encore réellement ce qu'est la maladie mentale et pourquoi elle s'attaque à notre enfant? Que faire à part flipper?

Tout au long de mon cauchemar, je ne pense qu'à moi. MA dépression. MON anxiété. MON insomnie. MA vie. Mais autour de moi, il y a une panoplie de gens qui tiennent à moi plus que moi-même et qui risquent tous les jours de perdre pied eux-mêmes à travers cet ouragan. La vérité, c'est qu'un parent qui voit son enfant sombrer, que ce soit dans la dépression, dans la violence, dans la drogue, ne peut faire autrement que de se remettre entièrement en question, ou du moins de remettre en question la façon dont il l'a élevé. Où et quand a-t-on commis l'erreur qui a fait en sorte qu'une coupure se creuse chez notre enfant, se transformant en faille de San Andreas, avec ses surprises et ses dangers ? Qu'est-ce qui nous a échappé ? A-t-on bien su doser notre amour ? Trop ? Pas assez ? Trop protecteur ? Trop de laisser-aller ? Trop sévère ? Pas assez ? Trop d'attention ? Pas assez ? Pourtant, on a eu l'impression d'avoir fait de notre mieux, dans les circonstances du moment. Il n'y a pas de mode d'emploi clair et précis pour élever de façon optimale un enfant, mis à part le petit manuel remis par le ministère de la Santé à l'hôpital lorsque l'on en ressort avec un nouveau-né. Il y a des centaines de théories, certes, des traditions, des évidences, mais LA façon, la bonne, d'élever notre enfant, c'est loin d'être une science exacte. Je dis OK à maman. Plus pour lui faire plaisir que pour moi, mais elle y tient tant. Natalie peut venir me voir.

Trois jours plus tard, Natalie vient me visiter. C'est l'après-midi, et pour la première fois depuis le début de mon séjour le soleil inonde ma chambre. Je n'ose peut-être pas encore me l'avouer, ou l'avouer tout court, mais ça fait du bien. Je n'ai pas de vêtements de yoga. Au *High Care*, la tendance du moment, et de tous les moments, c'est la chemise bleue. Mais ma mère m'a apporté une brassière de sport et un minishort que j'ai mis dessous. Prête pour mon yoga. Je suis couchée quand Natalie entre dans ma chambre. Je me surprends moi-même à être heureuse de la voir. C'était une de mes profs préférées au studio. Elle ouvre la porte, radieuse. Mais pas faussement radieuse, vraiment radieuse. La beauté d'une femme qui n'a pas besoin de se faire belle pour l'être. Une femme dont la sérénité acquise a effacé sur son visage toute trace d'un passé troublant et qui sait désormais s'en servir pour réconforter les autres, pour leur dire, sans qu'elle-même s'en rende nécessairement compte, qu'il y a un après. Et que l'après peut être différent, voire meilleur. Natalie s'assoit sur le bord de mon matelas. Elle me prend la main. J'éclate en sanglots.

— Natalie, je n'ai pas encore compris tout ce qui m'est arrivé. Est-ce qu'on s'en sort ? C'est comme une prison ici. Je veux sortir. Je veux qu'on me sorte d'ici. Je fais avec, mais je n'aime pas ça. Je ne suis même pas sûre que ça m'aide à guérir. Et puis, de toute façon, Natalie, si je sortais, je ferais quoi ? Je n'ai pas d'énergie, je vis dans un trou, dans un autre monde. J'ai l'impression que personne ne peut comprendre ce que je vis. Si, il y avait Sandra, mais elle est partie. Je n'arrive même pas à envisager qu'un jour je puisse arrêter de fumer. Est-ce que tu me comprends ?

Natalie me regarde. Elle prend mes deux mains dans les siennes. Elle m'observe avec toute la bonté du monde.

— *Yes. I've been there, sweetie. You have no idea how much I understand.*

— Mais maintenant, regarde-toi, tu es magnifique, tu es sobre, tu es tout l'opposé de la déprime, tu es en santé, tu es une super prof de yoga. Moi aussi, je crois que je veux tout lâcher et devenir prof de yoga. Ça y est. C'est ça que je veux faire quand je sortirai d'ici. Je ne sais pas si je serai encore capable de monter sur scène. Je veux être prof de yoga.

— *Teaching yoga is a beautiful life. But trust me, it doesn't solve everything. You're going to get out of this. You can take this moment and open it up to the world, and help tons of people later* [4].

Natalie a écrit un livre après s'être sortie de ses années difficiles [5], un livre que j'ai lu il y a deux ans. Je peine à croire que c'est la même personne qui se tient devant moi, parce qu'elle est à des années-lumière de ce qu'elle décrit dans son texte.

— *Let's begin with a couple of gentle breathing exercises.*

— Je ne sais même plus si je serai capable de faire un exercice de respiration, mes poumons doivent être noirs.

— *It's OK, sweetie. I quit smoking way after I started doing yoga. Just try. Close your eyes.*

Je n'ose pas le lui dire, mais, pour moi, fermer les yeux sans être sous somnifère, surtout quand l'intention n'est pas de dormir, ça veut dire replonger.

---

4. Enseigner le yoga est une belle vie. Mais crois-moi, cela ne règle pas tout. Tu vas t'en sortir. Tu peux prendre ce moment et l'ouvrir au monde, et aider un tas de gens plus tard.

5. McLennan, Natalie, *The Price: My Rise and Fall as Natalia, New York's #1 Escort*, Phoenix Books, Beverly Hills, 2008.

Ça veut dire laisser le champ libre à mon anxiété et à un maelstrom de pensées noires. Ça veut dire recommencer à *spinner*, à paniquer, peut-être même à *paranoïer*, peut-être même à avoir une psychose. Surtout si on me demande de me concentrer sur quelque chose. *Mais non, Florence. Leur anti-psychotique, il fonctionne. Regarde, depuis ton entrée à l'urgence, tu n'as pas fait de psychose. Ça va aller. Écoute Natalie. Ferme tes yeux.* « *OK. Close your eyes, sweetie.* » Je m'exécute. Natalie ne lâche pas mes mains. À la façon dont elle caresse gentiment le bout de mes doigts, je sens qu'elle comprend. Mais vraiment. Qu'elle s'est déjà trouvée là où je me trouve, qu'elle a déjà été victime d'un tsunami intérieur qui a tout ravagé sur son passage, qui a avalé tout ce qu'elle avait construit dans sa vie auparavant, tout en l'épargnant elle, mais en la laissant nue, entièrement affaiblie, complètement vidée de toute force, de toute volonté, recroquevillée sur une plage déserte où contempler la beauté de l'océan ou sentir le vent effleurer sa peau relevait de l'impossible. Tout comme de constater qu'elle avait de la chance, car elle respirait encore.

Je décide de lui faire confiance, de mettre en branle toutes les parcelles de mon être qui fonctionnent encore, et ça me demande un effort surhumain, mais je suis les instructions qu'elle me donne. « *Five deep breaths, in and out through the nose.* » OK, ça va, j'ai failli basculer vers l'inspiration numéro 3, mais je n'ai pas perdu pied, j'ai réussi à rester en équilibre, je n'ai pas déraillé, je n'ai pas dérapé, je suis restée accrochée à la réalité. Natalie déroule son matelas sur le sol franchement dégueulasse de ma chambre. La moitié des carrés de prélart sont à demi arrachés, ils passent la *mop* tous les jours, mais il faut savoir que c'est la même qui a auparavant servi à nettoyer tout un étage d'hôpital. Bon, c'est la psychiatrie, c'est peut-être moins grave que les fluides de la gastro-entérologie, mais quand même.

Natalie s'installe en *balasana*, la posture de l'enfant. Enclenche sa respiration *ujjayi*. Je la regarde. Tout dans son être respire la santé. Elle se relève tranquillement, une vertèbre à la fois, me sourit et m'invite à la remplacer sur son tapis. «OK. Je vais essayer, Natalie.» Je dois avoir l'air folle, c'est clair, avec ma chemise qui s'ouvre dans le dos, les boxers de ma mère et ma peau sèche. Natalie s'en fout. Je m'installe en posture de l'enfant. J'ai envie de vomir. Ma tête est plus basse que mes hanches, qui sont, elles, appuyées avec mes fessiers sur mes talons. Mes bras sont allongés devant moi. J'ai le tournis. «*Breathe, sweetie, breathe.*» Chaque respiration se frotte à une armée de petits bonshommes de goudron qui logent dans mes poumons depuis que j'ai commencé à fumer. *I breathe.* Mais ça siffle. Je n'aime pas ça. Ma voix n'est plus la même. Quelle voix? Je n'en ai plus. Qu'un filet à la Carla Bruni, sans son look ni son portefeuille. Merde. Et ça me fait presque mal de respirer profondément, surtout installée de cette façon-ci.

Et si j'avais bousillé ma voix à tout jamais? Peut-être que c'est ça que je cherchais à faire depuis le début de toute cette histoire… M'autosaboter, comme ça personne d'autre que moi ne pourrait le faire. Mais c'est mieux comme ça, non? De toute façon, je n'arrive plus à entendre de notes de musique, encore moins à en produire. Mais comment je vais nourrir ma fille maintenant ? Ah, tiens ! Tu vois, Florence, tu penses à ton avenir, c'est un bon signe, non ? Je pourrais devenir prof de yoga. Ah, mais non, pas amochée comme tu es, avec ton incapacité chronique de remplir tes poumons au tiers. Ça y est. Je suis foutue. À quoi ça sert que j'essaie d'aller mieux, que j'essaie de guérir ? Une fois que je serai sortie d'ici, je ferai quoi ? Ça fait six mois que je suis incapable de dormir seule, de travailler normalement, d'avoir une vie. Tu crois que lorsque tu sortiras d'ici ça va être mieux ? De toute façon, tu es foutue, Flo, rappelle-toi, tu risques de passer ta vie sous antidépresseurs, et ta fille ne sera pas fière de t'avoir comme maman, et elle va avoir une enfance dysfonctionnelle par ta faute, et tu as ruiné sa vie, et tu es un monstre, et ça ne sert à rien que tu essaies d'aller mieux, encore moins de faire du yoga. Tiens, c'est drôle, Florence, tu es capable de faire du yoga, mais pas de t'occuper de ta fille ? Tu vois le genre de personne que tu es ? Pour qui te prends-tu, voler un lit d'hôpital à quelqu'un qui vaut réellement la peine d'être sauvé ? Tu es un monstre, Florence. Peut-être qu'ils vont t'envoyer à Douglas, ou à Pinel, peut-être que ça y est, tes plus beaux jours sont derrière toi. À vingt-huit ans. Tu as tout raté. Tu sais le nombre de personnes qui auraient tout donné pour être à ta place ? Et toi, tu t'arranges pour te retrouver ici, en jouant à la pauvre petite victime, abandonnant tous ceux qui comptent sur toi. Bravo, Florence. Tu es nulle, Florence. Tu ne mérites pas de vivre, Florence.

« Florence, Florence, Florence, are you there ? I've been calling your name for a couple of minutes already ! Florence, are you OK ? »

La voix d'Eminem résonne dans ma tête : « *Snap back to reality. Ooops, there goes gravity.* » J'ai encore laissé le maelstrom m'emporter. Ce maudit maelstrom, il est toujours là dans un coin, m'attendant sournoisement au détour d'un mouvement de ma pensée. Il l'apprivoise, la séduit et l'entraîne dans une suite d'idées sans fin, autodestructrices de préférence, qui m'emmènent si loin que je n'ai aucune chance de revenir en arrière. J'éclate en sanglots. « *Natalie, please. Help me get out of my head.* »

PSYCHOLOGIE INVERSÉE

J'aurais aimé être capable de voir ma pensée évoluer dans la direction opposée. Du genre, on fait un *rewind* et on recommence ainsi : je m'installe en posture de l'enfant, *balasana*. Je suis en chemise, mais ce n'est pas grave. Ce qui compte, c'est ma respiration. Oui, c'est difficile pour moi en ce moment de laisser passer l'air librement entre mes poumons.

Parce que, oui, ma chérie, tu vas recommencer à chanter un jour. Je te le promets. Combien de gens sont dans ton état ? Tout le monde rushe. *Tout le monde* rushe *quelque part dans sa vie. Regarde autour de toi : c'est le festival des « isme ». Alcoolisme, « shopaholisme », « drogaholisme », « sexaholisme ». Regarde le nombre de cures de désintox, de* born-again, *de sectes, d'Églises plus ou moins dignes de ce nom, de types de thérapie, de* shops *de massage avec* happy ending *partout, les best-sellers en ce moment, ce sont les livres sur le développement personnel, le* positive thinking.

Même si la violence fait rage partout dans le monde, avec ses vols, ses agressions, ses viols, ses meurtres, les instituts de bien-être poussent comme des champignons, tout comme les studios de yoga, la moitié des journaux gratuits sont parsemés d'annonces de diseurs de bonne aventure, tout le monde prend des pilules, on en prescrit comme on fait des manucures, sinon on fume un petit joint, et hop, ça va vous faire du bien. Et toi, tu as honte d'être à l'hosto ? Et alors ? Si c'est pour guérir, qu'est-ce qu'on s'en fout ! Donne-toi une chance. Déjà, regarde, tu vas mieux. Tu as réussi à sympathiser un peu avec les autres patients, tu n'as plus de psychoses, tu vas aller mieux. Je te le promets. Rappelle-toi, ton nouvel objectif : être transférée en Normal Care. *Jusqu'à présent, les médecins n'ont pas écrit de mauvais rapports. Reggie t'a dit qu'il semblait y avoir une petite progression dans ton état. Et ta fille ? Elle est entre de bonnes mains. Oui, c'est dur d'être séparée d'elle, mais c'est pour le mieux. Tu vas revenir vers elle en santé, elle aura sa maman. Elle est avec ses cousines. Elle est bien. Tu n'aurais pas pu t'occuper d'elle. On ne laisse pas une mère dans ton état transmettre un tel traumatisme à un enfant. Tu es exactement où tu dois être. Tu es malade, alors tu es à l'hôpital. C'est mieux que d'être dans un cercueil, non ? Le phénix renaîtra de ses cendres. Ta carrière n'est pas derrière. Tu as encore plein de musique à créer. Qui sait, peut-être qu'un jour tu écriras ton histoire et que ça aidera quelqu'un, quelque part, à savoir qu'il n'est pas seul au monde à avoir traversé un désert si vaste. Allez, continue à respirer. Ça va aller, ma belle.*

ARGHGRHRGHGHGHRGHRGHRGHRGHR-GHRG ! JE VEUX PENSER COMME ÇA !!!!

On appelle ça le positive thinking. *Oui, mais le* positive thinking, *des fois, ça ne devient pas de l'illusion ? Dans ton cas, ma belle, rends-toi à l'évidence, ton* negative thinking, *c'est de l'illusion aussi. D'un côté comme de l'autre, tu es dans le champ. Parce que l'avenir, on ne sait jamais de quels matériaux il sera construit. JAMAIS. Alors, pourquoi ne te remets-tu pas au neutre ? Le vrai beau gros sens. Au neutre. Ni futur, ni passé, ni positif, ni négatif.* Plain neutral. Realist thinking. *OK. Je vais essayer.*

— Natalie, on peut essayer encore ?

— *Of course, sweetie. Close your eyes. I will rub your back. So you know you're still in contact with the reality. You, focus on your breathing. Bring your attention to it. As much as you can. Everything is OK. As soon as your thoughts want to lead you back to that horrible place, just make the single effort of bringing your attention back to the movement of your breath. Do it. Just do it.*

Je recommence. L'aspirateur veut m'avaler. Tout rond. Je résiste, je résiste, je reviens à ma respiration. C'est tellement difficile. Tout mon petit change y passe. Mais je ne me laisse pas aspirer. Je résiste encore. Ça y est. Je reviens au mouvement de ma respiration. Je parviens à porter mon attention dessus pendant au moins dix secondes. Ça, c'est un progrès monumental. J'ai accompli quelque chose. J'ai réussi. J'ai réussi à avancer même dans le souffle d'un tourbillon qui s'attaquait à moi de front. *Bravo, Florence.* Mais cette fois-ci sans le sarcasme.

— OK. On peut réessayer, Natalie ?

— Yes, sweetie. But in another posture. Come into a standing position. Tadasana. We're gonna try to go into tree pose.

Je me mets debout. J'ai la tête qui tourne. Je suis molle molle molle. Ce n'est pas grave. On s'en fout de la posture. Ce qui compte ici, c'est la respiration. Ça marche. Ça marche. Je résiste une ou deux minutes et je suis crevée. Mais quelque chose s'est passé. Quelque chose de différent. J'ai réussi à accomplir quelque chose. Je me répète cette phrase dans ma tête. *All is not lost anymore.*

— Merci, Natalie. Merci. Merci. Merci.

Elle me prend dans ses bras et m'embrasse. Quand elle referme la porte derrière elle, le soleil envahit encore ma chambre de sa présence. Et moi, je me recouche. Quelque chose a bougé. J'ai résisté au vortex. Ça va marcher. À 16 heures, Reggie m'emmène fumer une cigarette pour célébrer l'événement. Il sourit. Je souris. Il sait que cet accomplissement, c'est un peu le début d'un temps nouveau.

SPA

Quand on veut aller fumer, il faut traverser l'étage pour rejoindre les ascenseurs. Et quand on traverse l'étage, on passe par l'aile du *Normal Care*. Ici, les fous sont plutôt sympas. Ils sont dans cette section de l'hôpital parce qu'ils ne représentent aucun danger, ni pour eux-mêmes, ni pour les autres. Ils sourient de manière inoffensive, me saluent, parlent de Dieu ou bien jasent entre eux dans un cadre de porte. Je vais aller les rejoindre bientôt. C'est sûr. C'est mon objectif. Depuis que j'ai réussi à me concentrer sur ma respiration avec Natalie, je sais que j'en serai capable. Je suis toujours aussi molle, mais quelque chose s'est allumé en moi. Comme si, désormais, je ne me considérais plus comme une cause perdue. Oui, il y a le fait que je me suis résignée à mon sort et que je m'adapte tranquillement à ma nouvelle réalité, il y a ma séance de yoga-respiration avec Natalie, mais je crois aussi que les médicaments commencent à faire leur effet. Ils ont trouvé les bonnes doses, le bon *mix* entre antidépresseurs, somnifères et anxiolytiques. Peut-être est-ce tout ça. Je ne suis plus dans le même état qu'il y a un mois, ça c'est sûr. Même si je suis encore extrêmement léthargique et triste, même si je suis rongée par la peur, même si je n'ai aucune estime de moi, il y a un *shift* qui s'est produit. Je commence à sentir une différence. Et mon entourage aussi.

Je poursuis mes consultations avec le Dr Wang, à sa convenance, et au rythme qu'il dicte aux infirmières. Bien franchement, le psychiatre ne fait pas dans la thérapie, il ne me dit pas grand-chose. Il m'observe. Son objectif, c'est que je ne me suicide pas. Que je ne meure pas. C'est bien ça, le but de chaque médecin, non ? Mais là, je commence à fortement ressentir le besoin d'une thérapie. C'est beau, tout ça, on *patche* avec des pilules, OK, je comprends, on remet le wagon sur les rails, ça c'est clair. Mais à un moment donné, vous allez pas me donner des trucs ? Non. Ça, c'est la thérapie. C'est après. Là, pour l'instant, il faut recommencer à marcher, à fonctionner. Ma mère m'a apporté du vernis à ongles et je m'en suis mis. Mais surtout, j'ai offert une manucure à toutes les filles du *High Care*. Il y avait un vrai *line-up*. J'avais du *gold* et du rouge. J'ai eu du plaisir à faire ça. Mme Barry m'a demandé d'alterner les deux couleurs sur ses ongles. Julie a failli me voler mes flacons, mais je lui ai dit que, si elle le faisait, les autres filles ne pourraient pas avoir droit à leur soin des mains. Elle m'a regardée sans broncher, m'a rendu les vernis et est repartie à sa chambre, les ongles *gold* brillant au bout de ses doigts. Ça me fait du bien de faire plaisir aux filles, et en allumant une lanterne pour éclairer le chemin des autres, on finit par illuminer le nôtre.

FESTIVAL DE JAZZ DE L'HÔPITAL

Après une vingtaine de journées d'hospitalisation, en passant dans le corridor du *Normal Care*, je remarque qu'il y a un petit passage vers la droite entre deux chambres et je demande à Reggie ce qui se trouve au bout. Il me répond que c'est la salle de lavage du *Normal Care*. (Oui, au *Normal Care*, on peut porter ses propres vêtements, et même les laver! Wow! un vrai *club resort*. J'ai hâte d'y avoir droit moi aussi.) Et il me dit qu'il y a aussi un vieux piano qui s'y trouve. Un piano? Mes yeux s'écarquillent.

— Reggie, est-ce qu'on peut tenter quelque chose? Ça fait des mois que je n'ai aucun plaisir à faire de la musique. Ça fait des mois que j'ai peur de m'approcher d'un piano parce que je crains d'avoir perdu tout ce que j'avais à lui dire. Je peux l'essayer?

— *Of course, my dear.*

Je m'approche du piano. Toute la peur du monde m'envahit. Peur d'avoir perdu mon talent, peur de ne plus jamais donner de concerts de ma vie, peur d'être incapable de jouer, peur de n'avoir plus de goût, plus de jugement dans mon jeu, peur de regretter d'avoir sombré, peur de ne plus jamais pouvoir me relever. J'avance à reculons. Comme lorsque, adolescente, je m'amusais à prendre les escaliers roulants en sens inverse dans le métro. C'est le même *feeling*. Reggie me regarde marcher vers l'instrument. Je sens sa présence, sa bienveillance. Je sens qu'il m'encourage silencieusement. Je m'approche à petits pas. Je m'assois sur le vieux banc en bois dont la moitié de la surface est arrachée. Il est dur et froid. Le piano est juste à côté des machines à laver, dans un placard assez large pour l'accueillir et dont les portes ont été enlevées. Il me rappelle le piano de chez Stash, désaccordé, mais identique. En bois brun, vieux, avec des touches dont le blanc est en partie arraché, ne laissant apercevoir que leur surface en bois, des touches dénudées, amochées. Un peu comme tout le monde à cet étage. Je pose mes mains sur le clavier. Je ferme les yeux. Je commence à jouer. Ma main droite fait *mi-do-mi, ré-do-ré-mi-do-la-mi. Mi-do-ré, do-la-do-la-do-si. Mi-do-mi, ré-do-ré-mi-do-la-mi, mi-sol, mi-sol-la-do, mi-ré-do-ré-mi-do-la.*

Summertime, and the livin' is easy. Fish are jumpin' and the cotton is high. Oh, your daddy's rich, and your ma's good looking. So hush, little baby. Don't you cry. Je me surprends moi-même à fredonner la mélodie par-dessus les notes que mes doigts saisissent à leur passage sur le piano. Je n'ai plus qu'un voile de voix à cause de mes foutues cigarettes, mais je me ressaisis en pensant à Mick Jagger qui a dû lui-même en fumer pas mal, et qui persiste et signe. Wow! J'ai eu une pensée encourageante envers moi-même! Ça revient! C'est génial! D'une certaine façon, en me comparant de la sorte, je me suis envoyé un petit peu de compassion, d'empathie. Ce n'est peut-être pas encore de l'amour *full pin* ou même de l'estime de soi, sauf que c'est une étincelle de quelque chose. Je me suis dit que c'était correct d'être là où j'en étais.

Je tourne la tête. Reggie me regarde en souriant et dit: «*Man! That sounds great! Why don't you play a little more? Look, I'm not the only one who appreciates it[6]!*» Je balaie la salle de lavage du regard. Elle se remplit peu à peu. Les patients du *Normal Care* se sont rassemblés autour du piano. Ils battent des mains, chantent, disent «Bravo, encore!», m'encouragent à continuer. Alors, je reprends. Je chante un peu plus fort. Ma voix suit. Ça me motive encore plus. J'ai un public extraordinaire. Je joue du swing. Ils dansent. Un vieil homme qui a déjà été rabbin et qui me bénit chaque fois que je traverse le corridor pour fumer se met à battre la mesure et à chanter. Le visage d'un schizophrène qui a habituellement l'air complètement éteint s'éclaircit. Il sourit. La musique fait son effet. Je suis son messager. Je joue de plus belle. Je m'aventure dans ce qu'il me reste de souvenirs de

---

6. Wow! Ça sonne bien! Pourquoi ne joues-tu pas encore un peu? Regarde, je ne suis pas le seul à apprécier!

la sonate *Alla Turca* de Mozart, et là, c'est la fête. Je joue *Jammin'* de Bob Marley pour Reggie, il fredonne avec moi, on me redemande *Summertime*. Tout le monde semble connaître *Summertime* à cet étage.

Et tout d'un coup, je vois, derrière les têtes enjouées, apparaître celle de la *bitch*, qui est désormais au *Normal Care*. Celle-ci écarte les autres patients du revers de la main et, d'un pas décidé, vient se planter directement à côté de moi. Je suis nerveuse. Je commence à jouer tout croche. J'ai peur qu'elle soit venue pour me dire que je l'ai dérangée ou que je suis une grosse truie de monopoliser l'attention de tout le monde de la sorte. Elle attend que je termine mon morceau. J'accélère un peu le tempo, je trouve une fin dont les coins sont pas mal ronds, je laisse la pédale faire résonner les cordes du piano, puis je pose mes mains toutes moites sur mes genoux. Elle ne se fait pas prier avant d'ouvrir la bouche. Elle est sur un *high*, je crois. « *Girl!!! That was A-MA-ZING. Oh my God! Oh my God! You should totally be on TV! What the hell are you doing in here! We HAVE to get you to play at the Jazz Festival. My cousin knows the bouncer of the Club Soda. Maybe he can try and get you to meet the owner so you get a gig! Oh my God! And you can sing too! We HAVE TO get you a show at the Jazz! Get out of this crazy hospital! Get on stage!* »

Je suis sidérée. La *bitch* veut gérer ma carrière maintenant! Son enthousiasme, sa soudaine et sincère gentillesse et sa sympathie me touchent réellement. En même temps, j'ai envie de pleurer. Un goût de misère me monte à la bouche. J'ai envie de lui dire que, oui, c'était ma vie avant, mais que je ne crois pas sincèrement être assez forte pour pouvoir un jour remonter sur scène. J'ai envie de lui dire que j'avais tout ça dans la poche avant, mais que, là, je me suis laissée attraper par Dieu-sait-quelle-mouche-qui-m'a-piquée et que je vais probablement y laisser ma carrière. Je lui souris silencieusement et lui réponds : « *Oh, you're so sweet! Maybe one day.* »

Le concert est terminé. Ça m'a vraiment bouleversée qu'elle me dise ça. Je suis renversée par un surplus de regrets et de nostalgie. Les patients en redemandent. Je leur dis que je suis fatiguée, mais que je vais revenir, je leur promets. Reggie me prend par le bras. « Reggie, est-ce qu'on peut aller fumer, maintenant ? C'est la première fois que je réussis à me concentrer sur de la musique depuis si longtemps. Je suis crevée. » Reggie et moi, on descend. Maintenant, j'ai le droit d'aller fumer ailleurs que sous le préau. *Guess I have been a good girl.* On est devant l'entrée de l'hôpital. Je suis même autorisée à aller avec Reggie au Second Cup. Mais là, j'ai besoin de fumer. Alors, on va fumer. Reggie connaît un peu mon *background*. Il me dit :

— *You know you're going to get back to music, right? I saw it, I heard it. It's there. It needs to get out. Trust me, I'm a pro at reading crazy people's minds!*

— OK, Reg. Je te prends au mot là-dessus.

MIROIR, MIROIR, DIS-MOI
SI JE SUIS ENCORE BELLE

Les journées passent. De moins en moins lentement. Je me suis fondue dans la routine de cet Hotel California. Je pense que j'aime presque ça. Non. Pas vraiment. Mais malgré la décrépitude des lieux, malgré les cris des autres patients, malgré le Dr Wang qui m'observe sans broncher par la lucarne de ma porte de chambre, malgré la léthargie encore évidente de mon être, malgré ma suraddiction à la nicotine, malgré mon manque d'estime de moi, malgré ma confusion, malgré ma tristesse, malgré ma frustration, malgré mes pilules, malgré mon poids encore trop léger par rapport à ma constitution, malgré mon manque d'appétit, malgré ma fatigue, malgré tout, je vais mieux. J'ai recommencé à lire. Pas encore des romans, mais des bédés. Avec Astérix et ses amis, ma concentration revient. Je ne suis pas retournée jouer du piano, j'ai encore trop peur de me retrouver dans un grand face-à-face avec moi-même, avec la musique pour arbitre. Je ne suis pas encore prête à écouter de la musique. Mais maintenant, j'ai le droit d'aller au Second Cup au rez-de-chaussée de l'hôpital et de m'y asseoir une demi-heure avec un des membres de ma famille. Quand je le fais, je me sens encore différente des autres, je suis encore dans un monde un peu parallèle. Le monde des gens perdus, des gens qui ne savent pas où aller, des gens qui sont écrasés par le poids d'une vie qui ne les a pas écoutés, ou d'une vie qu'eux-mêmes n'ont pas su écouter.

Une fois, ma mère m'y emmène pour prendre un chocolat chaud et je lui demande si l'on peut s'arrêter aux toilettes publiques du rez-de-chaussée. Je veux me voir dans le miroir. Ça fait presque un mois que je ne me suis pas vue, par contrainte, mais aussi par choix. Elle me demande si j'en suis certaine. «Oui, maman.» On y va. Je me vois. Grise. C'est le seul mot qui me vienne en tête. Je suis grise. Mon teint n'a plus de couleurs, mes joues encore moins, mon visage est creusé par des cernes presque noirs, mes sourcils n'ont pas été épilés depuis une éternité, tout est déconfiture. «OK, maman. Merci.» Verdict : il y a du boulot. Ça me donne un coup de blues. Et le tourbillon recommence : *Flo, tu brûles ta jeunesse à cause du luxe que tu t'es payé de te poser des questions existentielles. De quel droit pouvons-nous détruire ce que la vie nous a si gracieusement offert ? Mais non, ma chérie, pour réussir, t'es mieux d'avoir l'air d'une image* photoshoppée *avant même que l'on ait ouvert l'application Photoshop. Tu vois ? Tu as foutu ta vie en l'air. ARGHGRHGRHGRHG. C'est reparti. Au secours.* Soudain, ma mère, comme si elle n'avait pas perdu un seul des mots de mon monologue intérieur, me prend par le bras. Elle me secoue.

— Cette fois-ci, Florence, montre-moi qu'il y a un changement, montre-moi que tu as progressé depuis ton arrivée ici. N'embarque pas dans le tourbillon de tes pensées. Reste avec moi. Je vais aller te faire fumer vingt cigarettes s'il le faut, mais tu restes avec moi.

— OK, maman. Je reste avec toi. Je reste avec toi.

Je reviens à ma respiration. Toute mon énergie est mise au service de cette simple action de concentration. *Je respire, maman.* J'y arrive. Je collabore bien. On marche vers le Second Cup. *Bravo, ma belle.*

Maman me donne des nouvelles de ma fille. Chaque mot m'arrache une partie de mon cœur. Elle me manque terriblement. Mais je refuse qu'elle me voie dans cet état. Bientôt, mais pas encore.

TRUE BLOOD

Fin janvier 2012. Une infirmière cogne à ma porte. « *Come in!* » Je suis couchée, comme d'habitude, en train de terminer un épisode de *True Blood*, qui m'emporte si loin de ma morne réalité que ça me fait un bien fou d'être témoin des déboires de vampires hypersexualisés qui s'entretuent, de *shapeshifters* qui sauvent des fées et de loups-garous qui tombent amoureux de celles-ci, le tout dans un bled de Louisiane nommé Bon Temps. C'est le plus grand plaisir de ma vie en ce moment. Et c'est aussi un excellent exercice, parce qu'il y a à peine trois semaines je n'arrivais même pas à garder ma concentration sur un écran plus d'une minute.

Marie-Claude et Luc m'ont offert un mini-lecteur DVD et Anne m'a apporté trois saisons de *True Blood*, deux de *Fringe*. Je suis capable de regarder l'écran, de suivre le fil de ces histoires, d'écouter et parfois même d'apprécier les bandes originales de ces séries, surtout la chanson du générique de *True Blood*. Je commence à me construire un lieu sûr dans ma tête, à l'abri des tourbillons, un *safe haven*, mais je n'en suis encore qu'aux fondations. Alors, il suffit d'un coup de vent un peu trop fort, et hop, ça repart. Mais petit à petit, l'oiseau fait son nid ; c'est en forgeant qu'on devient forgeron ; *practice makes it perfect* ; c'est 10 % de théorie, 90 % de pratique ; *never give up.* Bref, on peut rassembler toutes les meilleures citations de Facebook, c'est ça qui est ça. Je continue, Sookie Stackhouse à la rescousse.

L'infirmière entre dans ma chambre.

— *OK, sweetie, this morning, you're going to get your things ready, Dr Wang is moving you into the Normal Care section*[7].

Quoi ?????? Je n'en crois pas mes oreilles.

— *For real, Susy ?*

— *Yes. You have to go now. Another patient is gonna take your room in a couple hours. Get your things ready. We're gonna send Reggie to help you*[8].

J'ai réussi. Ça a marché ! Je suis transférée. Le *Normal Care*, ça veut dire la liberté. On n'y est plus embarré dans une section à part. On est libre de nos allées et venues, tant qu'on signe la feuille et qu'on ne sort pas plus de deux heures. On peut aller fumer quand on veut ! QUAND ON VEUT ! C'est un premier pas vers l'indépendance. Il y a

---

7. OK, ma belle, ce matin, tu prépares tes affaires. Le Dr Wang te change de section, tu vas au *Normal Care*.

8. Oui, tu dois y aller maintenant. Un autre patient va prendre ta chambre dans quelques heures. Prépare tes affaires. On envoie Reggie t'aider.

des miroirs au *Normal Care*. Peut-être pourrai-je demander à ma mère de m'apporter un peu de maquillage. On a le droit de porter nos propres vêtements au *Normal Care*! Il y a une salle communautaire avec une table de ping-pong, un tapis roulant et un ordinateur avec Internet au *Normal Care*! Il y a plus d'heures de visite au *Normal Care*! C'est le Club Med au *Normal Care*!! Yeah! OK. OK. Il faut que je rassemble mes affaires, c'est un gros déménagement. Une douzaine d'Astérix, six coffrets de téléséries, le minilecteur DVD, mon manteau, un paquet de petits gâteaux que ma famille m'a apporté et mes précieuses cigarettes.

LUCKY

On m'ouvre la porte de ma nouvelle chambre. Elle se situe à une quinzaine de mètres de mon ancienne cellule. Sauf que celle-ci est du bon côté des choses. Juste à sa gauche se trouve la lourde porte qui sépare les deux sections, le *Normal* du *High*. Je tournerai la tête vers elle chaque fois que je sortirai de ma nouvelle chambre et je lui ferai un pied de nez. *Nah nah nah nah nah. Tu n'es plus maîtresse de ma destinée, vilaine-porte-lourde-qui-ne-se-déverrouille-que-lorsqu'un-membre-du-personnel-appuie-sur-le-bouton-à-l'intérieur-du-poste-de-surveillance.* Ce poste de surveillance est donc situé en face de ma nouvelle chambre. Et ça, c'est une bonne nouvelle parce que ça veut dire que je vais croiser Reggie souvent. Reggie, l'étoile de mon séjour dans les ténèbres, Reggie, qui m'a redonné le goût de sourire, avec sa compassion, avec nos conversations au rythme de nos inhalations de tabac. Reggie ne s'occupera plus de ma section, mais il travaille souvent au poste de surveillance. Peut-être qu'on pourra encore aller fumer ensemble. Je suis arrivée depuis à peine une heure lorsqu'une infirmière que je n'ai jamais vue entre dans ma chambre.

— *Miss Florence ?*

— *Yes.*

— *It's the floor meeting. Please come join us in the community room*[9].

Quoi ? Des rencontres de groupe ? Pour faire des activités de groupe ? Ah non, c'est pas vrai. Moi, dans mon séjour dans votre Club Med, j'ai coché le profil « individuel », donc, oui, je réside dans votre *resort*, mais désolée, les activités de groupe, ça ne m'intéresse pas.

— *Mmmm… I understand, Miss Florence. But there is one little detail. If you ever want to get out of here, you need to participate to at least two community activities per day. We need to see how your state is evolving, and prepare you for your eventual release*[10].

Quoi ? Encore du chantage émotif ? Au *High Care*, il faut se tenir tranquille pour gagner le droit d'aller fumer une clope ou deux. Puis il faut montrer qu'on est capable de continuer à se tenir

---

9. C'est la réunion de l'étage. Rejoignez-nous dans la salle communautaire, s'il vous plaît.

10. Mmmm… Je comprends, mademoiselle Florence. Mais il y a un petit détail à ne pas négliger. Si vous voulez sortir d'ici un jour, vous devez participer à au moins deux activités communautaires par jour. Nous avons besoin de surveiller la progression de votre état et de vous préparer pour votre sortie prochaine.

tranquille si on veut être transféré un jour dans un endroit un peu plus humain. Et là, il faut que j'aille suivre des formations avec vos G.O. pour que vous décidiez si je suis guérie ou non ? C'est une *joke* ?

— *No, Miss Florence. I'm sorry, that's the way it is. You have five minutes to get ready* [11].

Elle referme la porte et s'en va. J'entends ses talons claquer sur le plancher du corridor. Elle s'éloigne. *Get ready, get ready.* Ça va, je ne suis pas en train de me faire belle pour le bal... Bon. Comme ils m'ont surprise avec ce déménagement, je n'ai pas eu le temps d'en avertir qui que ce soit, et je n'ai encore que ma chemise d'hôpital. Il va falloir que je me pointe à la salle communautaire du *Normal Care* vêtue par le *High Care*. C'est comme entrer à l'école secondaire dans notre uniforme d'école primaire. C'est humiliant. C'est ne pas être en mesure de montrer qu'on a entièrement gravi un échelon. Ça me met le moral un peu à plat. J'enfile mon chandail par-dessus ma chemise, et les pantalons qui vont avec celle-ci. Puis je mets mes pantoufles et je sors de ma chambre.

Un regard vers la porte, à gauche. Je m'apprête à faire mon pied de nez intérieur au *High Care* lorsque j'aperçois, par la maigre vitre de la lourde porte, certains des visages de mes compagnons d'infortune. Pendant un moment, une grande peine me transperce la poitrine. Je me suis rendu compte que j'allais probablement m'en sortir, et plus tôt que ce que j'aurais pu croire. Mais la plupart de ces

---

11. Non, mademoiselle Florence. Je suis désolée, c'est comme ça. Vous avez cinq minutes pour vous préparer.

personnes avec qui j'ai vécu mon séjour au *High Care* ne sont pas près d'être transférées. J'ai eu de la chance. Je vis un ÉPISODE dépressif majeur. Ce n'est pas une vie dépressive majeure. Je commence déjà à maîtriser certains des symptômes avant-coureurs de mon anxiété. Peut-être que, dans un avenir proche, je remettrai les pieds dans le vrai monde, le monde qui se réveille, qui se fait un café, qui prend une douche et qui va au travail, le monde qui fait l'épicerie, qui va chercher ses enfants après l'école, qui prépare le souper, qui lit avant de dormir, qui peut-être même fait l'amour, bref, le monde de tous les jours. *I AM EVERYDAY PEOPLE.* Je chantais cette chanson au Maroc. Mais ceux que j'ai laissés derrière la lourde porte, ils y sont pour un bon moment. Peut-être pour toujours. Ce constat me secoue de la tête aux pieds.

À partir de cet instant, je décide de guérir pour eux. Parce que mon état semble aller en s'améliorant, parce que je pourrai probablement reprendre une vie normale un jour, parce que j'ai vingt-huit ans et que je peux m'en tirer. Alors, je décide de saisir cette chance, de la chérir au creux de mes mains, de la protéger, de lui donner de l'attention, de l'amour, de l'aider à s'épanouir, de lui laisser le loisir de me redonner ce que je croyais avoir perdu. Je tourne le dos à la porte et je contracte mes muscles, pour la première fois depuis un bon bout de temps. Je marche d'un pas décidé, là aussi pour la première fois depuis un bon bout de temps, en me dirigeant vers la salle communautaire. Je vais y mettre du mien. C'est promis. Pour toi Julie, pour vous Mme Barry, pour toi Big Bird. Je vais guérir parce que maintenant je crois que j'en ai l'occasion. Et ne pas saisir cette occasion, ce serait une insulte à tous ceux qui n'en verront jamais même l'ombre se détacher au loin dans le décor de leur vie parallèle à celle du monde de tous les jours.

CURRICULUM VITÆ

Je me rends à la salle communautaire. Des chaises sont disposées en demi-cercle, une travailleuse sociale est au centre, debout, devant un tableau. Une vraie salle de classe. Je reconnais la plupart des patients. Je les ai déjà croisés, sous le préau ou dans le corridor, ou bien lors de mon concert improvisé dans la salle de lavage. Ils me sourient lorsque je les rejoins. La travailleuse sociale m'invite à m'asseoir. « *OK, welcome, Florence, we are going to start now.* » Je m'attendais à une thérapie de groupe, il s'agit plutôt d'un atelier sur la préparation de notre sortie de l'hôpital. Sur notre « réinsertion » en société, si l'on veut. Dans mon cas, ça ne fait qu'un mois que je suis ici, mais j'ai déjà l'impression de vivre à des années-lumière du monde extérieur. Je ne peux même pas m'imaginer une seconde ce qu'il en serait si cela faisait plusieurs mois que je me trouvais internée en psychiatrie. Et que dire des mois qui ont précédé mon séjour ? Oui, je vivais en société. Mais je n'y fonctionnais plus. Enfin, si, je pouvais fonctionner, au prix d'efforts surhumains, d'un bluff digne de Sarah Bernhardt et de tout le soutien de mon entourage. Mais je n'étais pas là.

Alors, je me dis que cet atelier, il devrait être bon pour ma santé mentale. Wow! Je me surprends moi-même encore une fois, j'ai laissé un rayon de positivité percer les nuages de mes pensées. La bonne voie. Je suis sur la bonne voie. Je le sens, je le sais. Mes pensées me mènent de moins en moins vers l'indicible, vers l'envie de mettre fin à mes jours. L'éventualité de cette sinistre solution finale à ma souffrance mentale s'estompe peu à peu depuis environ deux semaines. Je le remarque. J'en suis fière. Oui, je suis encore découragée. Immensément découragée par ce qui m'attend. Lorsque je vais sous le préau pour fumer, chacune de mes exhalations renvoie dans l'air un mur de fumée opaque, comme celui qui divise la vie qui va, la vie de dehors, et la mienne. Il y a encore cette scission entre la réalité telle qu'elle est et la réalité telle que je me la représente. Donc, il y aura du pain sur la planche, même lorsque les médecins décideront que j'aurai pris assez de force pour affronter un éventuel retour à la normalité.

La travailleuse sociale entame sa leçon du jour : l'art de se trouver du boulot, et surtout la façon de monter un CV. Je boude un peu au début. Je ne trouve pas ma place ici, mais plus la jeune femme parle, plus je l'écoute. Et plus je l'écoute, plus je trouve ça intéressant parce que, dès qu'elle commence à évoquer l'éventualité d'une vie dehors, je sens qu'elle transmet à son mince public un courant d'espoir, mêlé toutefois à une certaine retenue qui découle de la peur de ne pas y arriver, de ne pas réussir à s'en sortir, à s'en remettre, à combattre les démons qui envahissent les têtes et qui menacent de ressurgir à n'importe quel instant de vulnérabilité. Il y a donc une certaine fébrilité dans l'air. Ça fait des mois que je n'ai pas éprouvé cela, et ce qui est étrange cette fois, c'est que je le ressens pour les autres plus que pour moi-même. Je suis heureuse pour eux, parce qu'ils vont sortir. Et aussi pour moi, parce que désormais je fais partie de leur groupe, du groupe de ceux qui vont peut-être guérir. J'apprends comment rédiger mon curriculum vitæ, ça faisait des années que je n'avais pas eu à le faire, et on ne sait jamais. En musique, on passe des auditions. On se fait entendre, juger sur ce qu'on transmet, sur la façon dont on joue ou chante, et, qu'on le veuille ou non, sur notre apparence aussi. Le dernier CV que j'ai eu à présenter, c'était pour mon entrevue au poste de relationniste de presse à l'OSM, il y a près de dix ans. Donc, lors de cette première rencontre de groupe, je suis capable de me concentrer. Et vlan, 1-0 pour Florence dans ce match contre la dépression.

FRIENDS

Lors des jours qui suivent, je m'installe dans un petit train-train quotidien. Je suis très sage, donc j'ai acquis le privilège d'aller fumer dehors non accompagnée par un membre du personnel ou de ma famille. Il suffit que je signe une feuille à l'entrée et que je revienne dans les trente minutes. J'ai même le droit d'aller faire un tour au Second Cup du rez-de-chaussée, tant que je continue à respecter les règles. Donc, tous les matins, je me lève, je descends me chercher un déca, il est hors de question encore que je prenne de la caféine, je consomme trop de médicaments en même temps, et j'ai bien trop peur de faire une crise de panique si je sens le rythme de mon cœur s'accélérer sans que je lui en aie d'abord fait la demande. Je ne suis pas la seule de mon étage à avoir pris cette habitude et je lie conversation avec Jonathan, un jeune homme sympathique de vingt-deux ans qui est interné ici depuis neuf mois.

Tout allait bien dans sa vie auparavant, il étudiait normalement, il sortait et buvait de temps en temps, s'allumait un pétard par-ci par-là lorsque le cœur lui en disait. Puis, un jour, il fume un joint un peu plus fort que d'habitude et il se met à halluciner. Il décolle de la réalité. Il part en psychose. Il voit des fantômes, il veut mettre le feu à l'appartement de son frère, personne ne le reconnaît. Il devient dangereux. Ses camarades l'emmènent de force à l'hôpital et on l'interne. Sa schizophrénie s'est révélée comme ça, un jour au début de sa vingtaine. Il est sous haute dose de médicaments, mais son état demande qu'il reste en observation pendant plusieurs semaines encore. Rien n'y paraît. Il va bien, me dit-il. Mais parfois il a peur de déraper. Ça peut arriver comme ça, d'un coup. Il est mieux ici. Il sait qu'il est en sécurité et que ses proches le sont aussi.

On fume beaucoup ensemble. On rigole bien. Il me demande de lui relater mon histoire. Je la lui raconte, depuis le début. Il ne semble pas s'en faire pour moi. «Tu sais, Florence, le truc, c'est que dès que tu sens que tu commences à aller mieux, tu continues à suivre ton traitement. J'en ai vu plein, moi, des dépressifs qui sont sortis parce qu'ils allaient mieux, qui ont arrêté de prendre leurs médicaments sans en parler à leur médecin et qui sont revenus ici même pas trois semaines plus tard, pour y rester encore plus longtemps.» La perspective de devoir revenir entre ces murs et surtout de revivre un jour le cauchemar qui commence finalement à se dissiper me glace le sang. Je me prends une note mentale de toujours suivre la mise en garde de Jonathan.

À notre duo viendront se greffer, au fil des jours, Momo, un jeune Afghan qui a vu lui aussi sa schizophrénie se déclencher à la suite d'une surconsommation de mari, Jimmy, un jeune homme schizophrène qui ne parle pas, mais qui sourit et qui fume, et dont je ne connaîtrai jamais l'histoire, ainsi que Vanessa, qui en est, à l'âge de quarante-cinq ans, à son sixième épisode dépressif majeur et qui aimerait bien que celui-ci soit son dernier, d'une façon ou d'une autre. Elle a trop joué avec ses médicaments, arrêtant, reprenant, au fil de ses humeurs, au fil des saisons. L'été, avec le soleil, elle arrêtait puis repartait en crise, et on l'internait à nouveau. Elle pleure beaucoup, elle a l'impression qu'elle ne vaut rien, que son fils de douze ans ne l'aime plus, qu'elle n'aura jamais de travail, ni d'amoureux. J'essaie de la consoler, mais je n'arrive pas à lui dire ces mots que l'on attend des autres lorsque l'on est désespéré : «Mais non, bien sûr qu'il t'aime, et puis tu vas voir, tu vas te trouver un travail que tu apprécieras et un amoureux qui t'adorera, et tout va aller.»

Parce que, maintenant, je sais qu'il ne nous appartient pas de prédire aux autres ce qui n'a pas lieu d'être. Maintenant, je deviens un peu une obsédée de la réalité. Je suis effrayée à l'idée de m'en éloigner, même lors de simples conversations. Pour moi, la projection dans l'avenir revient désormais à se décoller de ce qui est réel, ce qui est synonyme d'une éventuelle psychose. Et si je lui dis ça et que ça ne se produit pas ? Ça lui donnerait une raison de plus de ne plus croire en la vie, de ne plus avoir d'espoir, et en lui promettant des choses dont je n'ai pas entièrement la certitude, je me retrouverais d'une certaine façon en train de jouer avec sa vie. Ça me prendra quelque temps avant d'apprivoiser à nouveau ce qui est de mon ressort et ce qui ne l'est pas, et de recommencer à pouvoir me projeter dans le temps à la manière de tous ceux qui sont déterminés à réussir ce qu'ils ont entrepris. Pour l'instant, je marche sur des œufs avec les concepts de réalité, d'interprétation de celle-ci, et d'avenir aussi. Je me sens mieux. Alors, je ne vais pas en demander trop, trop rapidement.

SUPER HIGH CARE

Un jour, pendant que nous sommes affairés à terminer notre café sans caféine dans l'un des fauteuils en cuir bien troués de la salle communautaire, Momo me pointe du doigt une porte qui se découpe sur le mur du fond. Une porte plus large que la moyenne, sans fenêtre, qui semble très lourde, peinte de la même couleur que le mur. Momo me dit que derrière cette porte vivent les cas extrêmes. Les cas qui ne sortiront jamais de l'hôpital. Qui iront à Douglas peut-être, mais qui ne se remettront jamais de la folie. Les cas hyper graves, les hyper violents. Je suis sans voix. J'imagine pendant quelques instants tout le désespoir, toute la souffrance, la misère, l'injustice, la tristesse, la violence qui sont enfermés derrière cette porte. Et la douleur des proches qui ont dû gérer, qui doivent toujours gérer, comprendre et supporter le sentiment que ça aurait pu être eux, que la maladie mentale est parfois génétique. Que la maladie mentale est parfois à l'origine des crimes les plus sordides, les plus méchants. Je demande à Momo s'il y est déjà allé. Il me répond que non. Aucun de ceux qui ont séjourné dans la section *Super High Care* n'est jamais revenu vivre dans la section normale de l'étage psychiatrique. Et tout ça se déroule à quelques mètres de nous, qui sirotons tranquillement notre café entre une table de ping-pong et deux ou trois patients inoffensifs qui parlent au mur. Je me dis alors que, même à l'étage psychiatrique d'un hôpital, certains font partie des privilégiés de ce monde. Je ne serai jamais capable de traverser la salle et de m'approcher de la porte. Maintenant que je sais ce qui se cache derrière, j'en ressens les vibrations, je la crains, et je ne pourrai plus nier son existence. Le *High Care* où je résidais auparavant vient de se prendre un grand coup de dédramatisation dans le ventre. Peut-être qu'il y a toujours mieux que ce que la vie nous sert, mais une chose est certaine, il y a aussi toujours pire. Toujours.

Ma concentration, je la dompte peu à peu lors des ateliers d'ergothérapie. Le local d'ergo ressemble en tout point à la classe de maternelle de ma fille. Il y a du matériel d'art partout. Mais il y a aussi des jeux de cartes, des jeux de société, des papiers, des Lego. En y mettant les pieds pour la première fois, j'imagine la tête que ma petite de cinq ans ferait en entrant dans une telle pièce. Et ça me fait mal. Je n'arrive pas à penser à elle, la douleur est trop grande. Ma fille me manque terriblement, ça me transperce le cœur. Mais j'ai encore peur qu'elle me voie ici. J'ai peur de la traumatiser à tout jamais, j'ai peur qu'elle croie que j'ai cessé de l'aimer. Car Dieu sait que ce n'est pas le cas.

Je décide de lui faire un dessin. Puis d'appeler ma mère et de lui demander de m'apporter de jolis vêtements, un peu de maquillage pour effacer le gris de mon teint, de parler un peu de moi avec la petite puis de l'emmener au Second Cup du rez-de-chaussée, où je lui donnerai mon dessin. Je vais soumettre l'idée à mon médecin. Je m'applique pendant la séance d'ergo à colorier le tracé d'un Mickey Mouse des années 1930, un Mickey Mouse avec un vieux téléphone à la main. Ce n'est pas encore tout à fait simple pour moi. Pas parce que je n'ai pas de talent en coloriage, non, ça, j'en ai tellement fait avec ma petite que j'ai quand même une bonne technique de base, mais plutôt parce que ma concentration se laisse encore facilement détourner lorsque j'essaie de l'installer sur des rails bien droits, dont le chemin est bien déterminé.

Ma concentration est de connivence avec mon vortex d'anxiété, même si ce dernier se tient de plus en plus tranquille. Je dois être prudente. C'est la même chose que de marcher sur un fil de fer, mais dans ma tête. À la différence d'il y a deux mois, j'y arrive. Je suis crevée après la tâche, mais je réussis. Je colorie le Mickey Mouse, le montre à l'ergothérapeute, qui tape joyeusement des mains, comme si j'avais encore l'âge de ma propre fille, puis je quitte la salle et me dirige vers le poste des infirmières. « Bonjour, Nancy, pourriez-vous laisser savoir au Dr Wang que j'ai une demande à lui faire ? » D'habitude, ça prend une éternité. Le Dr Wang doit avoir un millier de demandes, surtout à un étage comme celui-ci, où chaque patient évolue plus ou moins dans sa propre bulle. À ma grande surprise, il me convoque dans les vingt-quatre heures qui suivent.

— *Yes, Florence. You need to ask me something ?*

— Oui, docteur. Je m'ennuie terriblement de ma fille. J'aimerais la voir. Croyez-vous que, si ma mère me l'amène, ça va la traumatiser ?

— Je ne peux répondre à cette question, on ne sait pas.

— *Of course.*

— Mais si vous sentez que vous êtes prête et si votre mère croit que cela ferait du bien à Alice, que ce serait une bonne chose qu'elle voie que sa mère va mieux, progresse et guérit peu à peu, pourquoi pas ? Je vous donne la permission. Maintenant, c'est à votre mère et à vous de voir.

Oh non ! Une décision. Ça me fait peur ça aussi. Le vortex arrive à toute allure : *Vas-y, Florence, c'est ça, cause encore plus de tort à ta fille que ce qu'elle a vécu en voyant sa mère disparaître peu à peu, montre-lui que tu es dans un hôpital, pour cause de folie momentanée, expose-la à toutes sortes de germes, et ensuite, juste au moment où elle pensera avoir récupéré sa maman pour de bon, dérobe-toi à elle en remontant à ton étage et laisse-la repartir une fois de plus sans toi. Bravo, Florence. Tu es bourrée de bonnes idées, vraiment. ARGHRGHRGHRGHRGHRGHG! MAUDIT VORTEX. MAINTENANT TU VAS TE TAIRE ET TU VAS M'ÉCOUTER. Je vais mieux. Je vais bientôt sortir, enfin je l'espère, je m'ennuie de ma fille, ma fille s'ennuie de moi, et tu sais quoi, elle ne sera pas traumatisée. Tu sais pourquoi, espèce d'imbécile de vortex? Parce que je vais bien faire les choses. Et que lorsque l'on fait bien les choses, elles ont plus de chances de bien se passer. Et tu sais quoi? Ma fille, elle comprendra peut-être en venant ici que maman était ma-la-de. Que maman n'a pas choisi de la laisser tomber, que maman ne l'a pas laissée tomber. Que maman devait se faire soigner justement parce que maman veut être la meilleure maman du monde. Alors, pour une fois, espèce de connard de vortex, tu te la fermes et tu me laisses faire.*

Le Dr Wang doit être tellement habitué à ce genre de monologue intérieur chez ses patients qu'il attend patiemment que je le regarde à nouveau et me dit :

— *So?*

— Alors, j'ai décidé que je verrai ma fille. Ma mère va la préparer et nous allons y aller doucement.

— Bien, Florence. Je constate que vous commencez à être capable de prendre des décisions raisonnables pour vous-même.

Je lève les yeux avec curiosité. *Alors, ça veut dire quoi, doc, tu vas augmenter mes privilèges ? Tu vas me mettre sur la liste de ceux qui pourront sortir bientôt ?* Évidemment, le Dr Wang n'en dit pas plus.

MAMAN VA GUÉRIR

Le grand jour arrive. Je me lave les cheveux. Ils ne tombent plus en grappes, juste en petites poignées. Je me dis que c'est bon signe. Je me fais belle avec les vêtements que ma mère m'a apportés. Je me maquille un peu, surtout du fond de teint. Je suis encore cernée. Et grisâtre. Pas de soleil depuis si longtemps, pas d'air frais non plus et, surtout, trop de clopes. Je suis toujours très, très fatiguée aussi. Cela nécessitera plusieurs semaines encore, et la capacité de m'endormir avec une dose réduite de somnifères, pour que disparaisse cet état léthargique. Mais je reprends vie, tranquillement, heure après heure, jour après jour, et au fur et à mesure que cette vie m'emplit à nouveau, mes idées noires s'estompent peu à peu. Je suis nerveuse. J'ai demandé une permission d'une heure, que j'ai obtenue. Je descends un peu avant l'heure fixée pour le rendez-vous et je vais prendre une cigarette. Je ne veux pas que ma fille me voie fumer. Je l'écrase après ma dernière bouffée et je rentre à l'intérieur, direction le Second Cup. Je m'assois, je déroule le dessin de Mickey Mouse et j'attends.

À peine cinq minutes plus tard, je l'entends au loin. Sa petite voix, sa voix que je savais reconnaître parmi les troupeaux d'enfants dans les corridors de son école lorsque j'allais l'y chercher. Elle semble joyeuse. C'est bon signe. Elle entre dans le cadre de porte, sa main dans celle de ma mère. Elle m'aperçoit. Elle n'accourt pas vers moi. Au contraire. Elle serre maintenant le bras de ma mère. Ça me fout une boule énorme dans la gorge. Mais je m'y attendais. Les enfants nous boudent lorsque l'on part trop longtemps. Ils s'adaptent à leur nouvel environnement et ça prend du temps avant que les choses redeviennent comme avant. J'ai des amis qui ont une garde partagée et ils m'ont déjà expliqué que cela arrivait parfois lorsque les petits changeaient de maison.

VORTEX, tiens-toi loin de moi, je te sens arriver à grands pas. Je ne ferai pas attention à toi. Dégage, imbécile.

Je souris à ma petite, elle s'agrippe toujours à ma mère, mais elles avancent ensemble et elle répond finalement à mon sourire par un « Maman !!!! ». Le plus beau son du monde. Ma mère l'accompagne jusqu'à la chaise où je suis assise. Ma fille fait la gênée. Je lui montre mon dessin.

— Maman, c'est toi qui as fait ça ?

— Oui.

— Il y a des crayons ici ?

— Oui, en haut, là où je dors.

Je lui embrasse le dessus de la tête, je fourre mon nez dans ses cheveux. Je l'adore. Elle m'a tellement manqué. Je veux réussir à surmonter cette merde de maladie une fois pour toutes. Je ne veux plus jamais sombrer. Peut-être que ce ne sera jamais moi qui aurai le dernier mot là-dessus, mais tel est mon souhait le plus cher, et je le formule à haute voix à ma mère. En même temps, je me fais la promesse de toujours faire mon possible pour ne pas faire de rechute.

Alice veut aller voir l'endroit où il y a des crayons. Je lui dis qu'aujourd'hui ce n'est pas possible, mais que peut-être une prochaine fois, oui. Je lui pose des questions sur l'école, sur ses amis. Elle est de plus en plus à l'aise avec moi. Elle me fait un câlin, puis deux, puis trois, puis elle ne me lâche plus. Ma mère a les larmes aux yeux. Moi aussi. Je dois absolument faire tout en mon pouvoir pour me remettre sur pied de façon stable et solide. Et lorsque je ne me sentirai pas capable de le faire pour moi, lorsque le vortex se présentera à la porte, eh bien, je devrai me souvenir de ce petit être qui dépend de moi, son père étant en contrat de travail à l'extérieur la plupart du temps, et de l'odeur de ses cheveux, et de la douceur de sa nuque, et de ses joues encore bien charnues comme celles d'un bébé, et de sa fierté lorsqu'elle me montre qu'elle apprend à lire.

La séparation est dure, surtout pour moi, mais je dois remonter. Ma fille a hâte de retourner chez ses cousines parce qu'il y a une activité spéciale cet après-midi. Alors, elle me fait un dernier câlin, sans pleurer, demande à ma mère si elle pourra revenir bientôt, puis, quand nous sortons du café, nos chemins prennent deux directions différentes, et je la regarde s'éloigner. Elle se retourne une dernière fois et me lance un «Bye, maman!!!» de sa petite voix que j'aimerais pouvoir enregistrer et me rejouer sans arrêt une fois arrivée à ma chambre. *Ma chérie, ta maman va revenir bientôt.*

Ma mère me racontera plus tard que ma fille, après avoir commencé à me rendre visite, disait à tout le monde : « Maman va guérir, maman va guérir ! » Comme si en elle régnait une confiance innée dans le fait que sa maman lui reviendrait en un seul gros morceau.

TRICOT MACHINE

En ergothérapie, je fais de gros progrès. J'effectue de plus en plus de coloriages et l'ergothérapeute me propose de m'initier à une nouvelle activité, maintenant que je suis en voie de récupérer mes capacités de concentration. Mmmmm. Elle me montre des aiguilles à tricoter et une pelote de laine. D'accord, je veux bien. J'ai toujours admiré les chapeaux, les foulards et les chandails que Krissi nous tricote, à ma fille et à moi, depuis que je la connais. L'ergothérapeute m'explique comment ça marche. Je n'avais jamais touché à des aiguilles à tricoter. Ma grand-mère coud, elle ne tricote pas. Je commence. Aiguille droite, aiguille gauche, et hop, fil de laine par-dessus, fil de laine par-dessous, et là, le miracle arrive. Je réussis à faire une rangée. Puis deux, puis trois. J'accomplis quelque chose ! Et contrairement à la musique, aux notes qui s'envolent une fois qu'on les a jouées et qu'on ne peut jamais saisir, mes rangées de tricot restent et deviennent quelque chose de plus grand qu'elles-mêmes. Je me prends à mon propre jeu, je commence à vraiment aimer ça. Wow ! Ma fille va être fière de moi.

PIZZA

Anne vient me visiter au moins quatre fois par semaine, des fois seule, des fois avec Krissi, dont j'aime particulièrement la présence rassurante et qui me prend toujours dans ses bras avec beaucoup de tendresse et de chaleur. Un câlin de Krissi, et le monde va déjà un peu mieux. Elle a cette force. Krissi me tricote aussi des chapeaux, des tuques. Elle me prête un tee-shirt, m'apporte un roman de Charlaine Harris, celui qui est à la base de ma série du moment, *True Blood*. Parfois, Anne m'emmène fumer en bas, à son grand désespoir. « Tu sais, Flo, la cigarette, c'est vraiment LA connerie que tu as décidé de faire dans tout ça. Tu vas finir par perdre ta voix complètement. » *Peut-être, Anne, mais c'est ça ou c'est pire. Désolée. Et puis toi, tu en as profité aussi dans les années 1980, tes années New Age, où tu te produisais sur les scènes les plus cool des boîtes de Paris, non ? Alors, laisse-moi faire mes expériences aussi, maman.* Je ne lui dis pas tout ça. Je la respecte trop pour l'envoyer promener, surtout parce qu'elle est d'un soutien indéfectible depuis que je suis malade. Mais je le pense quand même. Et je souffle une bouffée à dix centimètres de son visage.

Un matin, Anne m'annonce qu'un de mes amis, dont je suis plus ou moins proche mais que j'ai toujours bien apprécié, souhaiterait venir me voir à l'hôpital, qu'il s'en fait vraiment. Elle me demande si c'est OK pour moi. J'hésite un peu parce que je l'ai toujours trouvé mignon, et en ce moment je suis particulièrement moche, maigre, grise et mal habillée, mais on s'en fout, c'est un ami, ce n'est pas ça qui compte. Lui et moi, on est liés, mais pas tant que ça, il n'y a que les proches très proches qui m'ont vue dans cet état. Je ne me suis pas fait épiler les sourcils ou la moustache depuis des mois. Je ne veux pas qu'il me perçoive dorénavant comme la prochaine femme à barbe. À part Anne et Krissi, qui est aussi ma photographe attitrée, je n'ai pas envie que quelqu'un du milieu me voie ainsi. Cet homme m'a toujours paru au-dessus de ses affaires, bien mis, classe, semblant garder tous ses canards en rangée en toutes circonstances, et oui, j'ai peur de me faire juger. Mais j'accepte quand même qu'il vienne, sans trop savoir pourquoi.

Il se pointe à la salle communautaire de l'étage psychiatrique par un bel après-midi de janvier, avec une boîte de pizza provenant de ma pizzeria pré-férée, située en face du lieu où nous nous sommes rencontrés. Lui et moi avions l'habitude de plai-santer en nous disant que, si un jour je devenais réellement très riche et très célèbre, on achèterait la pizzeria ensemble et on en ferait des franchises, assurant ainsi nos vieux jours. J'avais même com-posé un nouveau jingle pour l'occasion, toujours en rigolant, sur l'air de la pub *Da Giovanni*. Je le vois qui entre dans la salle des fous avec sa pizza, ses six pieds, son grand sourire et son regard téné-breux de Sicilien. On se salue. Il prend des nou-velles. C'est drôle parce que pas une seconde il ne fait allusion au lieu dans lequel nous nous trou-vons. Nous aurions pu être assis à une table dans un Starbucks, ça aurait été la même chose. Je lui demande des nouvelles de son fils.

— Oui, oui, tout va bien. Tu veux de la pizza ?

— OK.

À la seconde où il ouvre le carton, une dizaine de patients se rassemblent autour de notre table et lui demandent un morceau. Nous nous regardons, nous sourions. Il offre de la pizza à tous. Cela ne dure qu'une vingtaine de minutes. Tout le long de notre rencontre, je me cache la moustache avec mon index. C'est bon signe, si je redeviens *self-conscious*, si j'ai peur qu'il remarque à quel point je me suis négligée depuis des mois. Il repart. Et Anne me regarde en souriant et en disant: «Tu vois, Flo, c'est avec ce genre de mec que je te vois.»

Merci, Anne. J'apprécie toujours tes conseils matrimoniaux. Je vais commencer par être capable de sortir d'ici et de régler mes propres affaires avant de m'aventurer encore une fois dans une histoire d'amour. Après ça, on verra.

2-0

Cela prend un certain temps avant que les antidépresseurs fassent effet. On dit même parfois de six à huit semaines. Alors, si vraiment ces antidépresseurs sont la cause principale de ma remise sur pied, cela paraît logique compte tenu du calendrier. Six semaines que je suis sous cette médication, que je prends religieusement (les infirmières nous font tirer la langue après nous avoir distribué nos pilules, pour être certaines que nous ne les avons pas cachées dans un recoin de notre bouche). Inévitablement, si certaines connexions se font plus aisément dans mon cerveau, si je me bats de moins en moins contre une armée d'idées noires, si le vortex de l'anxiété est de plus en plus repoussé lorsqu'il se pointe sur le pas de ma porte et si je dors un certain nombre d'heures chaque nuit, eh bien, je mange mieux. Et si je mange avec un peu plus d'appétit, alors je reprends des forces. En reprenant des forces, je marche avec plus d'entrain et j'anéantis ma léthargie. Cela me permettra de stimuler mon système nerveux, mes muscles et ma volonté, et de réaliser plusieurs nouvelles petites choses, comme tricoter, dessiner Mickey et Pluto, lire un peu et me brosser les cheveux. Et ces petites choses-là sont des premiers pas, des étapes vers de petits objectifs que je peux atteindre au jour le jour et qui aideront les heures à passer plus rapidement. Et si mes journées me paraissent moins longues, je m'attacherai un peu plus à elles, je commencerai peut-être à les aimer, et je retrouverai peu à peu le goût de vivre. En retrouvant le goût de vivre, je pourrai peut-être réapprendre à m'aimer et à me tenir debout devant le cyclone de l'anxiété. Et si je résiste au cyclone, si je le laisse passer sans qu'il m'emporte, ma tête ira de mieux en mieux. Et vlan. Dans ta face, la dépression. 2-0 pour Florence K.

PERMISSION

Ça fait maintenant cinq semaines que je vis ici, dans cet hôpital. Je dois me rendre à l'évidence que c'est un séjour pour le moins bénéfique pour moi. Dire que j'en ai tellement voulu à mes proches de ne pas m'avoir laissée pourrir chez moi, sous mes draps, ou même de ne pas m'avoir laissée tout simplement disparaître de la circulation, je leur en ai tellement voulu de croire que cet endroit d'apparence asilaire me rendrait ma tête et ma santé. Aujourd'hui, j'admets en mon for intérieur qu'ils avaient probablement raison. Je ne suis pas encore prête à leur faire cet aveu, mais celui-ci dort au fond de moi. Un jour, je les remercierai. J'ai peur de l'après, c'est certain. Que va-t-il se passer lorsque je remettrai les pieds dans mon appartement? Pour l'instant, je continue de faire ce qu'on me dit de faire en ergo, je fume toujours, je n'ai pas du tout l'intention d'arrêter, même si ce choix finira par devenir inévitable, et je sympathise avec les autres patients. J'aime les observer quand ils entrent à l'étage puis quand ils en sortent. Au moins la moitié d'entre eux reviendront sous peu, et j'espère ne jamais faire partie du lot.

Aujourd'hui, alors que je passe au poste des infirmières pour signer ma feuille de temps, qui indique que je descends fumer, Nancy me dit qu'elle a une bonne nouvelle pour moi. Pendant un instant, je crois qu'elle va m'annoncer que j'ai été une bonne fille et que j'ai obtenu mon congé. Et cette idée me glace. Si je pars de l'hôpital aujourd'hui et que je retourne vivre chez moi, ce serait comme revenir dans un endroit qu'on a quitté parce que le malheur l'a frappé. C'est chez moi que ma guerre contre moi-même s'est déclarée, je n'ai jamais eu l'occasion de me réapproprier mon logement, de le visiter lentement, pièce par pièce, en constatant l'état des lieux et en comptant les fantômes que j'y ai laissés vivre en liberté pendant mon absence.

Il faudrait que j'y retourne tout d'abord une heure ou deux. Que j'ouvre les rideaux des fenêtres d'un geste rapide pour qu'y pénètre d'un seul coup, à la manière des tableaux clairs-obscurs, un peu de lumière, un peu de vie. Que je mette des fleurs sur la table de la salle à manger, en leur demandant de m'attendre quelques jours encore avant de faner. Que je parfume mes draps d'huile essentielle de lavande, que peut-être même je traverse chacune des pièces avec un bâton d'encens à la main, suivant la tradition indienne de la purification d'un lieu, afin de le débarrasser d'un passé trop lourd ou de lui donner une nouvelle vocation. Puis il faudrait que j'y procède à une activité de la vie de tous les jours, pour me remémorer ces gestes quotidiens dans le contexte d'un retour à la maison. Il faudrait que j'y mange, que j'y fasse la vaisselle. Puis j'aurais besoin de recréer de nouveaux souvenirs dans ce chez-moi. Dessiner avec ma fille dans la cuisine, inviter Catherine et regarder un épisode de *Fringe* avec elle, laisser Bastien cuisiner de petits plats que nous partagerions tous les trois en regardant leurs enfants et ma fille jouer dans le salon. Je peux me l'imaginer, c'est déjà un grand pas de plus vers ma rémission. Sauf que ça n'a pas encore été fait, et sans cela, j'ai peur de rentrer chez moi. Alors, j'espère du fond du cœur que Nancy ne me donnera pas mon congé.

Mon souhait se réalise lorsque je l'entends qui m'annonce que le Dr Wang me permet désormais d'allonger la durée de mes permissions à deux heures, que je peux sortir non accompagnée et aller où je veux, dans la mesure où je reviens

moins de cent vingt minutes après mon départ.
Faute de quoi, ils avertiront les autorités. *Ne vous
inquiétez pas, docteur Wang, étonnamment, je n'ai ni
l'intention ni l'envie de m'en aller d'ici tout de suite.
Je ne suis pas prête.*

PETIT MAROC

Pour célébrer cette nouvelle victoire personnelle,
Bastien m'invite à l'accompagner le lendemain
dans un café sur Côte-des-Neiges. Il m'attendra à
l'entrée de l'hôpital et nous marcherons ensemble
jusqu'au café, nous y mangerons une bouchée puis
nous flânerons un peu dans les alentours, comme
deux adolescents qui ont trop de temps libre. Nous
faisons comme il l'a dit. Je marche lentement. C'est
la première fois que je sors du périmètre de l'hôpital.
Je regarde le ballet des gens dans la rue, une mère
qui installe son bébé dans le siège de son auto, un
homme qui peine à rester stable avec sa marchette
sur le trottoir enneigé, deux adolescents qui gesti-
culent fort, une femme enceinte, deux amoureux,
beaucoup, beaucoup trop de voitures, des autobus,
énormément d'autobus. Des klaxons, des lumières,
du bruit, de la *slush* qui revole, ma tête tourne, il y
a beaucoup d'informations à gérer, je réclame une
cigarette à Bastien. Je lui demande de ralentir le
pas, il me demande si ça va. « Oui, oui, t'inquiète. »
On fume une clope, je lui tiens le bras, j'ai peur de
glisser, j'ai peur de tomber, j'ai peur de faire une
crise de panique, j'entends le vortex qui approche
à grands pas, ça me glace le sang. *Florence, reviens*

à ta respiration. Fiou. Bastien me dit qu'on peut revenir à l'hôpital si je le préfère. «Non, non, Bastien, j'ai besoin de voir de la vie.»

On poursuit notre chemin vers le café et on finit par y arriver. Bastien va commander au comptoir et je reste assise seule, face à l'écran de télé géant qui diffuse un match de foot, au va-et-vient continuel des clients vers les toilettes. J'entends la musique trop forte qui résonne dans les haut-parleurs, je lis le grand titre du *Journal de Montréal* qui traîne devant moi, ma tête se remet à tourner. J'interpelle Bastien et lui fais signe de m'apporter de l'eau. Il fronce un sourcil en signe d'inquiétude, mais je lui réponds que ça va aller. Ce n'est pas une psychose, ça je le sais. La psychose, c'était différent. C'était une perte de contact avec la réalité, c'était effrayant, ça devait mener inévitablement à la mort ou à la destruction de quelque chose, ça me faisait mal, physiquement même, c'était la chose la plus horrible que j'aie jamais expérimentée. Là, je suis en contact avec la réalité. La télé est forte, mais elle n'est pas déformée. Personne ne me veut du mal, personne ne me pourchasse, les murs ne se renferment pas sur moi, je ne veux pas me défenestrer. Le vortex ne réussit même pas à s'emballer en ce moment. C'est juste que tout autour est fort, tout me donne le tournis, tout me fatigue, m'épuise.

Nous mangeons rapidement puis je demande à Bastien de me ramener, je suis crevée. Mon cerveau n'est plus habitué à traiter toute cette information et me réclame un temps de repos. Il comprend tout à fait. Nous sortons et nous nous mettons en route.

À mi-chemin vers l'hôpital, je remarque de l'autre côté de la rue une épicerie dont l'enseigne est en caractères arabes. Nous entrons dans le petit commerce. De la musique arabe y est diffusée à tue-tête. Des effluves d'épices flottent dans l'air. C'est un mini-mini-Maroc. Je m'y sens bien. L'épicier me sourit, je lui rends son sourire. Il y a de la chaleur, de l'amour dans ce commerce. Les épices sont disposées selon leur couleur, il y a des olives de toutes les tailles, de toutes les formes, vertes, noires, brunes, les légumes et les fruits sont frais, des bouteilles d'huile d'olive et d'eau de fleur d'oranger décorent les étagères. Le Maroc. Y retournerai-je un jour? Je m'adresse à Bastien. «Bien, Flo, si tu veux y retourner, commence par mettre K.O. ton cauchemar.»

Une raison de plus de surmonter cette montagne, et surtout d'y aller un petit pas à la fois, pour ne pas rechuter. Je remettrai les pieds au Maroc. De nouveau, je souhaite pouvoir finir mes jours à Essaouira. Dans très longtemps. Et peut-être même que j'irai un jour visiter les pays de mon père. Avec lui. Le Caire. Voir son immeuble, s'il y est encore, me recueillir sur la tombe de mon grand-père, voir le Sphinx, les pyramides, le Nil et le désert. Et puis aller au Liban. Aller chez mon oncle, me perdre dans ce lieu où toutes les femmes ont un nez méditerranéen, où jamais on ne dirait de moi «la fille avec un gros nez», marcher sur une terre qui plus d'une fois a été le terrain de combats ensanglantés, mais qui s'est relevée, coup après coup, voir la mer, voir la montagne, manger des baklavas et boire le meilleur café du monde.

Marcher partout avec mon père. Le prendre par la main, le remercier d'être ce qu'il est, parce que rares sont les petites filles qui grandissent avec un père qui les réveille à la guitare en chantant *La Poupée qui fait non* et en plaçant ses doigts de la main gauche sur les frettes, laissant libres les cordes pour que mes petits doigts les grattent au son de sa voix et que j'aie l'impression que c'est moi qui suis capable de jouer ce succès des belles années. Lui dire que malgré nos différends, malgré l'immense clash culturel qui se dresse en permanence entre nous, je l'aime.

MÈRE-FILLE

Ma permission passe rapidement de deux heures à une demi-journée. Ma mère m'organise une expédition avec ma fille dans un restaurant près de l'hôpital, puis dans une librairie, histoire que je passe un peu de temps avec elle dans le rayon des jeux et des livres pour enfants. Alice est toute contente de me voir et de faire une activité mère-fille avec moi. Et moi donc! Elle apporte un cahier qu'elle a préparé à l'école. Elle avait un exposé oral à faire sur sa famille dans sa classe de maternelle. Normalement, un parent devait y aller pour qu'elle le présente à ses amis et à sa professeure pendant son oral. Son père n'est pas là. Il travaille au Nunavut. Je suis à l'hôpital. C'est ma mère qui y est allée. Ma fille a lu devant toute la classe une petite fiche qu'elle avait remplie sur ses parents. Nom de mon papa, nom de ma maman. Leur âge. Métier de mon papa : pilote. Métier de ma maman : se reposer. Ma mère m'a apporté la fiche à l'hôpital.

En lisant cette ligne, je me retrouve soudainement nez à nez avec sa perception de ce que je fais de mes journées. C'est comme ça que ça lui a été présenté. Maman est malade, maman est fatiguée, maman doit se reposer. C'est vrai qu'il s'agit de ma plus grande occupation depuis un certain temps. Je regarde ma mère, assise en face de moi. Je la remercie de prendre soin de ma petite, au même titre que Yan et Geneviève. Je la remercie d'avoir fait en sorte que, pour ma fille, ce ne soit pas compliqué : maman était malade, et maman se repose. Je la remercie parce qu'elle aura peut-être réussi à la préserver d'un traumatisme. Quand une mère ne veut plus vivre, à quoi pense son enfant ? *Est-ce que je ne vaux pas la peine, moi, qu'elle veuille vivre ? Est-ce que je ne suis pas assez aimable pour qu'elle souhaite rester à mes côtés ?* Tout peut traverser l'esprit d'un enfant dont le parent souffre, surtout lorsque cette souffrance est d'origine psychologique. Ma mère a protégé ma fille, qui, bien qu'elle soit encore toute jeune, aurait pu remettre en question sa propre personne. Mais là, elle semble heureuse, épanouie, et pour elle ce n'est pas compliqué, maman sera bientôt complètement rétablie, quand elle aura fini de se reposer, maman reviendra à la maison. Mon amour maternel pour elle ne sera jamais mis en doute. Ni ma volonté d'être à ses côtés. Cela sera toujours une certitude dans sa vie. Enfin, je le souhaite de tout cœur.

Quarante jours pile après mon entrée aux urgences psychiatriques, peu avant le Nouvel An, le Dr Wang me convoque à son bureau.

— *How are you, Florence ? The nurses tell me you are doing much better*[12].

— Oui, docteur Wang. Je me sens mieux. Chaque jour un petit peu plus.

— *How would you feel about going home*[13] ?

—Je dois être honnête avec vous, docteur. Ça me fout la trouille. Mais d'un autre côté, il faut que je l'affronte, cette peur, il faut que je sois capable de me sentir mieux ailleurs que dans un environnement où tout le monde semble souffrir plus que moi.

— *Do you still have thoughts about killing yourself*[14] ?

— Pour vous dire la vérité, elles apparaissent encore de temps en temps, lorsque mon cerveau appuie sur le bouton « mélancolie », « découragement » ou « peur ». Mais maintenant elles se dissipent d'elles-mêmes, et assez rapidement, je dirais. Elles ne restent jamais longtemps. On dirait qu'elles passent par habitude plutôt que par conviction.

— OK, OK. Parfait. Je vous donne votre prescription. Vous viendrez me voir chaque semaine durant le prochain mois. Puis vous serez suivie en

---

12. Comment allez-vous, Florence ? Les infirmières me disent que vous allez beaucoup mieux.

13. Comment vous sentiriez-vous à l'idée de rentrer à la maison ?

14. Avez-vous encore des pensées suicidaires ?

psychiatrie en consultation externe. Nous allons d'abord diminuer le Seroquel, puis la zopiclone, et si tout va bien, l'Effexor. Mais nous devons faire les choses en douceur.

Il ajoute quelques recommandations, me suggère d'entamer une psychothérapie, chose avec laquelle je suis entièrement d'accord et que, bien franchement, j'attends impatiemment d'entreprendre. Ici, j'ai le sentiment d'avoir grandement atténué mes symptômes. Sauf que, pour éviter à tout prix une rechute, je reconnais qu'il faudra remonter jusqu'aux origines de mon mal. Qu'il faudra que j'en comprenne les causes, les facteurs aggravants, les prédispositions génétiques qui en sont peut-être en partie responsables, que je connaisse la façon de mettre le vortex à la porte définitivement, que je divorce de certaines de mes anciennes manières de penser, que je refaçonne ma perception de la réalité, que je défasse les fils à l'origine des connexions défectueuses, que je les réorganise différemment. Bref, il y a beaucoup de pain sur la planche. Et si j'y pense trop, je suis mal barrée. La phrase de Natalie, ma prof de yoga, résonne dans ma tête : « *Come back to your breath.* » Ce n'est pas facile. Pas du tout, même, mais l'effort que je fournis pour me concentrer sur ma respiration m'aide à résister au vortex.

QUARANTAINE

Quarante jours. Ça m'a pris quarante jours pour me remettre de six mois de chute libre. Une chute qui m'a bien amochée, mais qui aurait pu me coûter la vie. J'avais tout essayé pour la freiner. Mais il m'aura fallu une mise en quarantaine. Un retrait complet de ma propre vie. Un repos forcé, un temps pour que mon corps assimile les traitements qu'on lui a donnés, pour que ma tête digère l'information des derniers mois, qu'elle la mâchouille, qu'elle l'avale et qu'elle en rejette les détritus.

Quarante est un nombre important dans l'histoire. En Russie, on considère que c'est au quarantième jour après le décès de quelqu'un que son âme quitte la surface de notre Terre pour s'élever au ciel. Quarante jours, c'est le carême, les quarante jours de jeûne du Christ dans le désert. C'est le temps qu'a duré la pluie pendant le déluge vécu par Noé. On dit qu'il faut quarante jours pour qu'une femme se remette d'un accouchement, et les nouveaux immigrés attendaient quarante jours à Ellis Island avant de pouvoir enfin mettre les pieds sur leur terre d'accueil. Quarante a toujours impressionné. Ali Baba et les quarante voleurs. *Forty*, le seul nombre dont les lettres qui le composent sont en ordre alphabétique, la crise de la quarantaine, l'isolement en quarantaine, moins quarante est la température à laquelle les degrés Celsius et Fahrenheit ont la même valeur.

Dans un tout autre ordre de grandeur, il m'aura fallu quarante jours pour me sortir de mon calvaire. Ce constat suscite en moi une réflexion pendant laquelle j'ai envie d'y voir un signe. Mais pour l'instant, mieux vaut que je me tienne loin des signes, de la pensée magique, de la synchronicité, de ce qui ne touche pas directement à quelque chose de concret. Mes croyances m'ont déjà conduite en enfer, j'ai trop cherché de réponses dans des hasards, j'ai trop tiré de conclusions basées sur mon interprétation de la réalité, j'ai trop vécu dans l'irréel pour pouvoir me le permettre tout de suite. Il faut que j'instaure une zone tampon, un terrain neutre entre la fin de ce cauchemar et la suite des choses, avant de pouvoir à nouveau laisser mon imagination se promener en liberté. Et ce, même si c'est lorsque mon imagination se fait des idées que je suis capable de créer de la musique, que je suis capable d'aller plus loin que le simple cadre des perceptions de mes sens. Pour l'instant, c'est mieux que je continue à colorier des Mickey Mouse prétracés si l'envie me prend de jouer à l'artiste. Après-demain, j'aurai vingt-neuf ans. Il me restera une année pour corriger la fin de ma vingtaine, afin qu'elle et moi nous quittions en bons termes.

BELLA CIAO

Je dis au revoir à mes camarades d'infortune. Quelques-uns d'entre eux me laissent leur courriel. Ici, quand quelqu'un reçoit son congé, les autres se réjouissent pour lui. Il n'y a pas d'envie, de jalousie, juste des encouragements. Parce que c'en est un de plus qui réintègre la société. On se fait des accolades, on se souhaite de ne jamais revenir ici. Je quitte donc le nid de coucous. Ça y est. Mon état, c'est le jour et la nuit par rapport au moment où je suis entrée à l'hôpital, en pleine névrose, escortée par les policiers, cachée sous le drap de la civière pour que personne ne me voie, prête à m'arracher les cheveux, en pleurs, dans la plus grande confusion, tremblante de peur à l'idée d'être internée. L'État me rend ma propre tutelle. Il l'a tout de même gardée quarante jours, j'ai été généreuse avec lui ! Un coup de fil du médecin, une petite signature, et hop, je redeviens entièrement responsable de ma personne. Ma mère est venue m'apporter une valise. J'ai accumulé beaucoup d'affaires durant mon séjour. Surtout des DVD de séries télévisées et des bandes dessinées d'Astérix. Quelques vêtements aussi puisque, depuis deux semaines, j'ai le droit de m'habiller à ma convenance et non plus avec cet uniforme de prisonnier psychiatrique du *High Care.*

J'ai une cartouche de cigarettes dans mon petit casier, ça je l'emporte, c'est certain. Je n'ai pas encore arrêté, loin de là, mais j'ai décidé avec mon médecin que la priorité serait de mener à terme chacune de mes journées en essayant d'accomplir de petites tâches, de petits buts quotidiens. Arrêter de fumer, c'est un grand défi pour moi, je m'accroche à la cigarette par peur. J'ai peur d'avoir peur si le vortex s'amuse à tenter mon cerveau sans que je puisse m'appuyer sur la cigarette pour m'aider à l'affronter. J'angoisse à cette simple idée. Donc, on va y aller une étape à la fois. Ça fait cinq mois que je fume, ce n'est pas comme si cela faisait vingt ans, ça ne devrait pas être trop dur de laisser tomber lorsque je serai prête. Le temps me prouvera que j'ai tort, mais j'aime mieux voir la chose ainsi pour le moment.

VINGT-NEUF ANS

Ma mère vient me chercher, elle m'emmène chez elle, pour commencer. Puis, chaque jour, elle m'accompagnera quelques heures chez moi, pour que je redonne vie à mon condo, pour que j'y efface les mauvais souvenirs, que j'en crée de nouveaux. On va attendre quelques jours aussi avant que ma fille y réemménage avec moi. Elle vit encore chez Yan et Geneviève, parce que ma mère se trouve toujours entre deux spectacles. Chaque jour, on va passer un peu plus de temps ensemble. Chaque jour, on va se rapprocher, on va se retrouver, elle et moi, et ce lien étanche et insubmersible que l'on appelle la maternité fera ses preuves encore une fois, je le sais. Elle m'accueille chez ma mère, avec Jean. « Maman !!! » Elle veut me montrer un paquet de choses. Son nouveau livre, les dessins qu'elle a faits, son cahier de devoirs, elle me prend par la main et m'emmène à travers la maison de ma mère en me donnant à sa façon les nouvelles de son quotidien. Demain, c'est mon anniversaire. Je suis encore très fatiguée, je ne sais pas si je tiendrai le coup toute la soirée, c'est encore un peu tôt pour moi. C'est un drôle de sentiment que de se remettre d'un tel coup de blues, d'une telle léthargie. Mais je me prépare. Je me fais belle dans les limites du possible, parce que toute cette histoire m'a beaucoup abîmée. Il va falloir que je me remette en forme. Je n'ai plus de forme. Je ne dois pas trop y penser. *Rappelle-toi, Florence, une journée à la fois. Une étape à la fois. Si c'est trop gros, tu n'y arriveras pas.*

Le 5 février, je célèbre mes vingt-neuf ans. Francine m'organise un souper d'anniversaire. Sont présents à cette soirée tous ceux qui m'ont accompagnée pendant cette aventure, et aussi mon ex, le père de ma petite, qui m'offre des aiguilles et des pelotes de laine. J'apprécie le geste. Est-ce qu'il souhaiterait que l'on reprenne ? Peut-être. Mais même si je le voulais réellement, j'en serais incapable. Pour moi, et surtout avec ce qui s'est passé, c'est terminé, bien que mon plus grand souhait soit de continuer à entretenir une relation saine avec lui, bon an, mal an. Nous avons tout de même créé un petit être magnifique ensemble.

Cette année, je le sais, sera majoritairement consacrée à me refaire une santé. À me recréer de nouveaux souvenirs, à construire un pont entre ces sinistres mois de 2011 et mon avenir. Je suis traumatisée par toute cette histoire. La vie m'avait épargnée jusque-là. Je m'étais rendue jusqu'à la fin de la vingtaine sans drame majeur. D'autres, à mon âge, avaient déjà reçu de la vie de nombreuses raclées et s'étaient relevés quand même, un peu amochés, mais prêts à repartir au combat. Et moi, la vie, elle m'a attaquée par l'intérieur, comme Sigourney Weaver qui constate que la reine alien pousse en elle. J'en parle à tout le monde que je croise. Comme lorsque l'on vit une séparation, un divorce et que l'on vide sur chaque personne rencontrée notre désarroi face à l'injustice que l'on subit, notre haine envers celui qui nous a quitté, que l'on est prêt à exposer dans les moindres détails les coups de chien dont on est évidemment la victime. Je raconte, et chaque fois que je raconte, je repousse cet épisode un peu plus loin derrière moi. Maintenant, reste à reconstruire. Les champs de bataille sont jonchés de détritus, on doit nettoyer. Je dois me faire un plan Marshall.

IN THERAPY

Maintenant que mes neurotransmetteurs se remettent tranquillement en marche, que je suis capable de prendre ma douche toute seule, que je n'ai plus besoin de ma mère pour me brosser les dents, que je considère que ma vie n'est pas terminée, que le Responsable aux affaires du destin a décrété depuis là-haut, ou depuis là-dessous (qui sait?) que mon heure n'a pas sonné et que je ne serai pas moi-même l'auteure de mon propre meurtre, il faut que je réapprenne à vivre. Je ne veux plus fonctionner comme avant. Je ne veux plus vivre en prenant des décisions au gré de ma pensée magique du jour, je ne veux plus camoufler, enfouir, enterrer profondément ce qui ne va pas, laissant l'occasion à l'insécurité de se transformer en bactérie mangeuse d'âme.

La première étape de mon plan Marshall, c'est de commencer une thérapie, une vraie, une thérapie de fond avec quelqu'un qui est diplômé, qui les a tous étudiés, analysés, comparés, intégrés: Freud, Jung, Rogers, Erikson, Bandura, Mischel, puis qui en a fait une synthèse afin de développer son propre style d'écoute et de consultation. Un thérapeute qui a appris ses leçons, qui a eu à défendre sa thèse devant des plus pros que lui, qui a été interrogé, qui a fait des stages. C'est dangereux de mettre sa tête entre les mains de n'importe qui. Et c'est très facile de déconstruire les schémas de pensée de quelqu'un, mais de les reconstruire comme il faut, c'est une autre paire de manches. Je veux creuser, comprendre ce qui en moi a pu créer tout ce tumulte, les nœuds qui ont pu le causer, qui ont fait en sorte que le terrain friable qu'est ma constitution psychologique se transforme en sable mouvant. Un ou une psy qui ne s'est pas inventé un type de thérapie, qui n'est pas un charlatan, qui ne travaille pas avec des pendules, des cartes d'anges manufacturées en Chine ou des cristaux. Quelqu'un qui ne fait pas dans le coaching de vie, ni dans le gris-gris, ni dans la sudation. Pas de religion *born again*, pas de scientologie, pas de Raël ni de *landmark* pour moi. Pas de *patching*, pas de *band-aids*. Pas de recettes miraculeuses non plus. Je ne veux pas colmater. Je veux aller au fond du problème, reconstruire mes fondations après en avoir découvert les failles.

Je sais que ça va faire mal, que je me retrouverai plusieurs fois le nez dans ma propre merde, que ça va puer, que ça va être long, que des fois je pleurerai, que je devrai passer entièrement par-dessus mon ego pour admettre des *patterns* avec lesquels j'ai toujours fonctionné, qu'il faudra que je m'ouvre au sujet de ma tendance à la dépendance affective et, surtout, que j'apprenne à le faire sans me dénigrer entièrement, sans me jeter par terre et m'autoflageller. Je veux travailler avec quelqu'un qui a plusieurs années d'expérience dans le ventre, qui en a vu d'autres.

Je trouve la bonne personne. Alison. Elle a également une spécialisation dans la thérapie pour enfants, et ça, ça me plaît. Ceux qui travaillent avec des enfants sont souvent ceux qui savent percevoir une dimension profonde de l'être humain, une dimension que l'on ne décèle pas nécessairement au premier abord. Je commence à raison de deux fois par semaine. Puis j'y emmène ma fille de cinq ans, qui à la fois retrouve sa maman, traverse la séparation de ses parents et souffre du départ définitif de son papa dans sa région natale. Ouf. Ça fait beaucoup pour une toute petite personne. On y va aussi ensemble parfois. La thérapie par le jeu, par le dessin, je vois les résultats chez elle. Je commence également à les voir chez moi après quelques semaines. Ce n'est pas simple. On fouille. On creuse. On analyse. On fait des liens. Des fois, ça fait mal, je pleure souvent. Parfois même sans arrêt. Je me retrouve face à face avec des choses qui sont plus faciles à ignorer lorsqu'elles demeurent enfouies. Mais on les sort, on les trie, on les classe, une à une, et elles font leur chemin hors de mon système ou arrivent finalement à l'intégrer de manière saine. Certaines vérités fouettent directement mon ego. C'est trop facile de blâmer les autres pour nos malheurs. C'est le réflexe premier de l'être humain. D'ailleurs, la tendance naturelle est d'automatiquement rejeter la faute sur quelque chose, quelqu'un, ou même soi-même lorsque la vie nous présente des événements non désirés, ou inversement.

Au début, je suis fébrile. Quand je mets les pieds chez ma psy, je parle beaucoup de l'hôpital, mais en même temps j'en parle comme si j'y avais été une touriste, que maintenant c'était fini, et qu'ayant survécu à la dépression, à mes essais de tentative de suicide et à l'internement en psychiatrie, j'étais dorénavant devenue invincible. Qu'ayant surmonté ces épreuves que j'ose à l'époque encore parfois qualifier d'auto-imposées, comme si même après tout ça j'avais encore de la difficulté à admettre que j'étais malade, je pouvais désormais survivre à n'importe quoi. Donc, je suis fragile, physiquement parce que les médicaments, la sous-alimentation et le manque de sommeil naturel ont fait leur marque sur mon état, mais mentalement aussi. Très fragile parce que, parfois encore, la pensée magique m'envahit et que je me dis que la vie m'a donné une deuxième chance, que maintenant je suis une nouvelle personne, que plus jamais rien ne sera pareil, qu'au fond, ma dépression, c'est un cadeau qui me permet de vivre d'une nouvelle façon, que je suis une survivante, une guerrière, que je vais visualiser que ça ne m'arrivera plus jamais, que ma vie sera désormais couronnée de succès parce que j'ai connu la misère mentale et que je ne sais pas trop quoi, que ci, que ça...

Tout se bouscule dans ma tête à une vitesse supersonique. Je commence à me sentir sur un gros *high*. Je suis encore sous médication : je prends une forte dose d'antidépresseurs, une dose réduite de Seroquel et de la zopiclone pour dormir. Or, je ne suis plus aussi inactive que lorsque j'étais à l'hôpital. Et comme l'activité physique déclenche la libération d'endorphines, les opiacés naturels du cerveau, et l'augmentation du niveau de norépinéphrine, mon corps fabrique lui-même des remontants auxquels je n'avais pas accès lorsque j'étais au plus bas de ma dépression. Maintenant que je bouge dans ma journée, que je me lève le matin, que je marche un peu, que j'accomplis certains petits objectifs, un pas à la fois, j'ai parfois l'impression de recevoir des décharges électriques au cerveau, des courts-circuits qui font danser des points noirs dans mon champ de vision. Ce n'est pas de la psychose. Je suis entièrement présente, à tous les niveaux. C'est mon cerveau qui doit avoir de la difficulté à gérer toutes ces nouvelles doses de « ine » à la fois.

Je revois le Dr Wang. Ça fait déjà trois semaines que je suis sortie de l'hopital. Il m'a presque manqué. Je lui parle de mes petits courts-circuits. Il me dit qu'il croit qu'il est temps de diminuer un peu l'Effexor, me faisant passer de 150 à 112,5 milligrammes, et les somnifères, allant d'une pilule entière aux trois quarts d'un comprimé. On observera pendant quelques semaines comment je me sens, puis quand je reviendrai le voir au prochain rendez-vous, on réajustera si besoin est, ou on réduira encore les doses. Le Dr Wang m'annonce ensuite qu'après notre prochain rendez-vous je serai prise en charge à la consultation externe de psychiatrie de l'hôpital. Oh non ! Je crois que je vais m'ennuyer du Dr Wang. Je me rendrai une fois par mois en consultation externe pendant un an, en marge de la thérapie que j'ai entamée dans ma démarche personnelle. Il me dit que ce suivi est d'une importance extrême. Il me met bien en garde par la suite : on ne s'automédicamente pas toute seule, et on n'arrête pas la médication toute seule non plus. *Je ne veux pas faire de rechute, docteur. Ça, c'est clair. Je vous le promets.* Bon, après, c'est sûr qu'il y a une partie de cela qui ne dépend pas de ma volonté, qui est liée à tout jamais à ma constitution génétique et physiologique, peut-être même psychologique, mais je veux tout savoir sur ce qu'il faut faire pour ne plus jamais repasser par là.

PREMIERS PAS

Catherine et Bastien sont extrêmement présents pendant la période qui suit ma sortie de l'hôpital. Ma mère, Francine, Anne et Krissi aussi, mais comme Catherine habite à cinq cents mètres de chez moi et qu'elle est entre deux boulots, elle vient me voir quotidiennement. Elle m'aide. Elle m'écoute. Bastien également. Ils sont mes piliers pendant ma reconstruction. Nous recommençons à faire des activités, les enfants passent tous leurs week-ends ensemble. Mes amies Maïna et Manou sont aussi d'un soutien indéfectible. Elles me téléphonent tous les jours. S'assurent que je suis OK. Je peux tout leur dire. Je n'ai jamais été une fille qui cultivait de larges réseaux d'amis. Je compte ceux-ci sur mes doigts, parce que, pendant ma vingtaine, j'ai tellement mis l'accent sur ma carrière que je n'ai gardé que très peu de temps pour entretenir mes amitiés. Mais celles que j'ai, rien ne pourrait les défaire. La preuve, c'est que, malgré tout ce qui s'est passé, elles sont encore plus solides qu'avant.

LE RETOUR

1er mars 2012. Ce soir, je remonterai sur scène pour la première fois depuis ma sortie de l'hôpital, il y a un peu moins d'un mois, et surtout depuis le 28 décembre dernier, dernière date de ma tournée de *Havana Angels*. J'étais convaincue à ce moment-là que je donnais mon ultime spectacle, que plus jamais je ne serais capable d'offrir quoi que ce soit à mon public, et que les psychoses qui commençaient à m'envahir prendraient bientôt le dessus sur ma vie. Et je me retrouve, deux mois plus tard, dans une loge, en coulisses, prête à refaire surface dans ce métier que j'ai toujours aimé plus que moi-même. C'est une sensation bizarre. Je suis encore extrêmement fatiguée, mon corps se rétablit plus lentement que j'aurais pensé, mais jour après jour, je suis capable d'en faire un peu plus. Je n'ai pas encore arrêté de fumer. Je fume quand même un peu moins qu'il y a trois mois ou même qu'il y a cinq semaines, mais chaque jour, lorsque je m'allume celle que j'aimerais baptiser « ma dernière cigarette officielle », c'est évident que je me mens. Chaque moment d'émotion, chaque peur, chaque incertitude est une excuse parfaite pour que je m'en prenne une nouvelle dernière. Et Dieu sait que je suis encore bourrée d'incertitudes et de doutes ! Mais des doutes raisonnables, des doutes de convalescence. J'essaie encore de trouver un sens à tout ça, de démêler les fils. Est-ce que ce que j'ai vécu est un cadeau ? J'ai tellement entendu de gens parler de leur dépression comme d'un cadeau qu'ils avaient reçu de la vie pour les remettre sur le droit

chemin, du concept de «toucher le fond du baril»
pour remonter. Je ne sais pas. Je n'en suis pas là. On
ne devrait pas avoir à passer par là pour apprendre
à vivre mieux.

Pour l'instant, je me contente de marcher à
tâtons. Un pas à la fois. J'ai réussi pour la première
fois il y a deux semaines à faire le grand ménage
de mon condo. Ma mère est venue m'aider. J'étais
épuisée, mais pour moi qui n'arrivais même pas
à me laver les cheveux toute seule il y a un mois,
ce fut un grand moment que de passer la *mop*, de
faire mon lavage, de plier mes vêtements, sous les
ordres bienveillants de maman, qui s'assurait que
la motivation restait au rendez-vous.

Puis j'ai aussi recommencé à enregistrer mon
émission de radio pour la première fois depuis mon
épisode psychotique de La Havane. Avant l'enregistrement, on a eu une réunion, mon réalisateur,
ma patronne et moi. Parce que je suis encore fragile, j'y suis allée avec ma Catherine pour qu'elle
m'aide à prendre des notes, à rassembler mes idées
et à éviter d'être sujette à une éventuelle crise de
panique en remettant les pieds au bureau. Catherine est mon chaperon en ce moment. Elle n'a pas
encore recommencé à travailler, alors elle m'accompagne un peu partout, me soutenant, m'écoutant
si le vortex se pointe et que j'ai besoin d'en parler,
fumant avec moi, m'aidant avec ma petite. J'ai enregistré mon émission piano solo, sur le thème du
rêve. Je dois avouer que je suis encore un peu *space*.
Un mélange de fatigue, de médicaments, d'incertitude et de fragilité se loge au creux de moi.
Mais j'ai la ferme intention de le diluer jusqu'à ce

qu'il finisse par se dissoudre de lui-même et qu'il laisse de nouveau place à la joie, à la créativité, à la volonté de reprendre ma vie en main de plus belle.

Aujourd'hui, je monterai sur scène dans moins d'une heure, avec mes fidèles musiciens Domenico et Kiko, et je chanterai, la voix un peu plus rauque qu'avant, mais toujours là. J'ai pris un peu de temps pour réviser mes morceaux, la musique revient petit à petit dans mes doigts, dans mon cœur, dans mon âme, ce que je vais partager avec mon public ce soir, c'est quelque chose d'humain, quelque chose de vrai, de brut, et peut-être en même temps de beau. Je m'allume une cigarette. Puis je me maquille. Je respire un bon coup. J'enfile les Louboutin que je me suis achetées dans un élan de « shopaholisme » la semaine dernière, croyant me féliciter ainsi d'avoir réussi à surmonter l'insurmontable. Je mets ma robe, je suis encore maigre, je me donne un coup de brosse, ça va, il me reste encore assez de cheveux pour les faire retomber librement sur mes épaules, même après tous ceux que j'ai laissés sur mon lit d'hôpital. Je suis prête. Je prends les mains de mes musiciens.

J'entre sur scène, par la salle. Le public m'applaudit. Il ne sait rien de ce qui vient de secouer ma vie. Je marche lentement, laissant les talons de mes chaussures résonner sur le plancher noir. Je m'assois au piano. Je regarde mes musiciens. Ils ont la larme à l'œil, leurs yeux luisent. Les miens aussi. Je prends une grande respiration, et j'entame les premières notes de *Vol de nuit*. Même si ma voix est éraillée, même si ma technique au piano a souffert de ces mois d'abandon de mon instrument, même si mes réflexes et ma concentration ne sont pas à leur maximum, l'émotion de la musique m'enveloppe, mon expérience dans le métier prend le dessus et je savoure chaque seconde de ce retour sur scène, de ce retour dans ma propre vie.

BIG

Mon ami qui m'avait apporté de la pizza à l'hôpital m'épaule beaucoup en ces temps où j'ai l'impression de marcher sur un fil de fer suspendu dans le vide, posant délicatement un pied devant l'autre, essayant du mieux que je peux de maintenir l'équilibre et d'éviter de tomber à nouveau. Pour les besoins de la cause, appelons cet ami Mr Big. Pour deux raisons, la première étant qu'il préfère ne pas être nommé et que nous avons fait le choix à l'époque de ne pas exposer publiquement le couple que nous allions former, et la seconde parce que, honnêtement, notre relation allait me faire beaucoup penser à celle de Carrie Bradshaw et de Mr Big dans ma sacro-sainte série préférée *Sex and the City*.

Donc, Mr Big me texte tous les matins, me demandant comment je me sens, si j'ai bien dormi, quels sont mes plans pour la journée, comment s'est passée ma séance chez la psy... Il me soutient, il me fait me sentir bien. Nous nous rapprochons. Il me parle aussi de sa vie, de ce qui va, de ce qui ne va plus. Son mariage croule de toutes parts depuis des années. Il est malheureux. On se voit beaucoup. De plus en plus. Dangereusement. C'est très rapide, et pour lui, et pour moi. Pour moi, parce que je sors de l'hôpital psychiatrique, que j'ai besoin de prendre du recul par rapport à tout ce qui s'est passé et que je n'ai officialisé ma séparation d'avec mon ex que quelques semaines plus tôt. Pour lui, parce qu'il s'apprête à mettre fin à une relation dans laquelle il n'est plus du tout épanoui et que ce n'est pas facile là non plus. Mais nous sommes comme deux aimants. Big et moi nous voyons souvent, nous nous parlons au téléphone nuit et jour, nous rions ensemble comme deux gamins, et un beau matin, ce qui devait arriver finit par arriver. Phéromones, feux d'artifice et papillons. La totale. Je ne vois plus que lui dans ma soupe. C'est super, mais ma psy essaie de m'expliquer qu'en ce moment la personne que je devrais voir le plus dans ma soupe, c'est moi-même, pour me retrouver, pour me solidifier avant de me lancer dans une nouvelle relation. Je l'écoute, mais je ne l'écoute pas du tout en fait, parce que je me jette corps et âme dans les bras de Big, qui me le rend bien, d'ailleurs. Donc, additionnée à ma recette de venlafaxine, de norépinéphrine et d'endorphines se retrouve la phényléthylamine, une sorte d'amphétamine naturelle de l'amour et du bonheur.

Pour être survoltée, je le suis. C'est presque trop de joie et de bonheur après avoir connu tant de souffrance et de douleur. Je m'accroche à cette sensation, à mon cœur qui bat, en vie et en santé, au regard de Big et à ses textos, encore une fois (apparemment, je n'ai pas appris ma leçon : les textos en amour, c'est pas toujours ce qu'il y a de mieux, et pour preuve, dans les années qui suivront, nos disputes les plus intenses se dérouleront majoritairement par textos, ce qui peut tout de même être un avantage pour préserver nos cordes vocales). Je me sens comme Beyoncé et ses copines de Destiny's Child dans le vidéoclip de *Survivor*, à travers de grands élans de mélancolie que j'affronte lorsque j'écoute *Space Oddity* de David Bowie sur mon balcon en fumant toujours mes cigarettes. Je me sens de plus en plus invincible, en raison de toute cette joie retrouvée, et aussi parce que je suis en lune de miel. En même temps, je pleure beaucoup, pour tout et pour rien. De joie, de tristesse aussi parfois. Je ne crois pas que ce soient des larmes de crocodile, mais je suis en train de devenir une vraie Madeleine. Une guerrière à fleur de peau et encore très vulnérable dans sa pseudo-invincibilité.

HEY, BIG SPENDER

Deux ou trois mois après ma sortie de l'hôpital, je mets progressivement les pieds dans une phase de *high* incontrôlable, propulsée par le simple fait de m'être sortie de la dépression – comme si j'avais littéralement ressuscité, comme si j'étais désormais invincible, juste parce que j'ai survécu – et par toutes les phéromones que mon nouvel amour me procure, et je suis en voie de devenir une réelle *shopaholic*. Comme si j'avais vécu trop longtemps cachée sous mes draps et qu'enfin je voyais le soleil se pointer chez moi, que je voulais en attraper chaque rayon avec mes mains, le toucher, le caresser, sans même ressentir la peur qu'il me brûle le bout des doigts. Je sors tout le temps, je suis en quête perpétuelle de fêtes, de plaisirs, de *highs*. Je dépense de manière complètement insouciante l'avance que ma maison de disques m'avait faite et qui devait servir à financer l'enregistrement de mon prochain album. J'achète des fringues, des bijoux, je pars en voyage, je gâte ma fille à outrance, je gâte ma famille, mes amis, j'achète une nouvelle maison, hors de mes moyens, je déborde d'idées, de projets, d'initiatives, je parle vite, vite, vite, mon cœur bat fort, fort, c'en est étourdissant. Je ne suis pas conne. Non. Je suis complètement survoltée. Sujette à un ajustement chimique dans mon cerveau? Peut-être. Mais je suis en feu. Je *tripe*. Je vis sur un nuage. Contrairement à ces premières journées où je remettais les pieds hors de l'hôpital et où je marchais à tâtons, je n'ai plus peur de rien.

Dans ma logique erronée de pensée magique qui survient à nouveau, je suis convaincue que je n'aurai plus jamais de problèmes, car je me dis que, si j'ai réussi à survivre à quelque chose d'aussi dévastateur que ma dépression, je pourrai affronter n'importe quoi. Cette logique ne tient évidemment pas la route, c'est en fait un sophisme très dangereux, mais elle m'arrange, alors je la suis. Je n'ai jamais été particulièrement douée pour la gestion financière, mais là, je me surpasse en tous points. Je surfe sur ce *high* qui vient compenser tous les *lows*. Entre de grandes périodes de vulnérabilité, pendant lesquelles je fume et je fume encore en repensant à l'hôpital, j'ai de longs moments de surconfiance en moi, et ce sont ceux-ci qui me propulsent vers les boutiques. Je me fais belle, je refais entièrement ma garde-robe, je déménage dans cette maison trop grande, en me disant que Mr Big viendra m'y retrouver une fois ses procédures de divorce terminées, et que *ils vécurent heureux et eurent beaucoup d'enfants*. J'ai des œillères tout le tour de la tête.

Ma psy me met constamment en garde. Elle me donne de précieux conseils, d'excellentes directives, mais je fais de l'attention sélective en thérapie. Je choisis d'écouter ce qui me plaît et de faire la sourde oreille à ce qui ne me plaît pas. Malheureusement pour moi, ma psy ne vit pas avec moi, ses paroles ont leurs limites sur ma vie, et à la fin de la journée, c'est moi qui en ai les rênes. Anne me regarde aller. Elle ne comprend pas trop au début. Elle aussi me met en garde. Je ne l'écoute pas. «Oui, oui, Anne, t'inquiète, tu vas voir, tout va bien aller.» Elle est soucieuse. En même temps, elle est épuisée par tout ce qui vient de se passer et elle doit aussi s'occuper d'elle-même. Sa mère, qui vit encore en France, est malade. C'est une année lourde pour Anne. Et puis on me voit fonctionner, je suis à des années-lumière de ma léthargie maladive des mois derniers ou de mes psychoses, donc on se réjouit quand même de la tournure des choses. Mieux vaut des dettes que la corde au cou. Et mes parents sont si heureux de me voir célébrer la vie à fond qu'ils sourient à leur enfant en tapant des mains, en l'applaudissant, probablement de la même manière qu'ils m'ont applaudie quand j'ai fait mes premiers pas à onze mois.

Rien ni personne ne peut me freiner dans mon élan, je suis inarrêtable. Je suis toutes les Spice Girls en même temps, dans leur autobus magique de *Spice World*. Je suis Carrie Bradshaw lorsqu'elle réalise qu'elle a huit cents paires de souliers, mais 300 dollars dans son compte en banque. Je suis sur une autre planète et j'aime ça. Mais au fin fond de moi-même, je sais qu'il y a quelque chose qui cloche dans mon comportement, et j'en parle à la psychiatre de la consultation externe. Je me demande si je ne suis pas bipolaire et si ce n'est pas le résultat d'une phase maniaque. Non. La psychiatre ne me diagnostique pas bipolaire. Ce que je vis est un symptôme que l'on a souvent observé chez les rescapés d'épisodes dépressifs majeurs. C'est la résurgence, la résurrection après avoir frôlé l'abîme. C'est également le résultat de toutes ces nouvelles « ines » qu'a recommencé à générer mon cerveau. La psychiatre diminue encore ma dose de venlafaxine, peut-être pour me calmer un peu. Pour l'instant, ça ne change pas grand-chose, je sors toujours autant, j'ai le cœur à la fête et je continue à flamber mes économies.

D'une certaine façon, je me mens à moi-même, parce que je sais très bien que ce rythme ne peut pas durer, que je cours à ma propre perte, mais c'est trop bon, ça fait trop de bien. Tout mon être, privé d'une telle sensation de plaisir depuis des mois, en redemande. Alors, je continue. Je me fais tatouer. Impulsivement. Plein de tatouages qui signifient la renaissance. Un *cherry blossom* sur la cheville, une orchidée sur l'épaule droite, pour célébrer mon amour pour Mr Big, que je veux éternel, et surtout pour camoufler un ancien œil de Râ que je m'étais fait tatouer pour me protéger du mauvais œil, à l'époque où j'étais accro à la superstition qui venait avec certaines de mes origines moyen-orientales. Pour signifier la fin de ma relation avec le père de ma fille, je me fais tatouer un coucher de soleil sur la hanche, par-dessus un tatouage de dauphin que je m'étais fait faire à l'époque et qui symbolisait notre amour commun de l'eau (il avait choisi un requin). Je me fais tatouer les mots *Love Now*, parce que j'essaie tant bien que mal de m'abandonner au moment présent. Bref, je suis une vraie planche à dessin. Je ne sais pas ce que je cherche en me faisant faire tout ça. Mais je ne le fais pas nécessairement par amour pour cette forme d'art. Je le fais plutôt dans la perspective de me rappeler à tout jamais ces étapes par lesquelles je suis en train de passer, tant elles revêtent une importance significative à mes yeux.

AU BOULOT, MA BELLE

Je le sais bien, à ce rythme-là, il va falloir que je me mette à écrire à nouveau, et ça a intérêt à être bon, parce que je commence déjà, quelques mois après ma sortie de l'hôpital, à m'enfoncer dans la merde. Je pensais qu'après m'avoir autant fait souffrir avec ma maudite maladie la vie m'enverrait des éclairs de génie, un billet de loterie gagnant ou un passe-droit pour le succès. *Pensée magique merdique, tu n'as pas fonctionné, qu'est-ce qui se passe? Ton foutu livre de psycho pop à la con, il m'a vendu que je n'avais qu'à visualiser le bonheur pour y avoir droit.* Ma psy avait raison. J'aurais dû l'écouter. Je dois composer cet album et, honnêtement, tout ce que j'écris en ce moment est nul, poche, du pareil au même. Je fais des rimes à moitié poétiques dans deux ou trois langues en me prenant pour un mélange de Courtney Love, Alicia Keys et Nina Hagen, j'essaie de me réinventer artistiquement, de me dire que, parce que j'ai vécu quelque chose de profond, ce que j'écrirai le sera aussi. Tout ça entre les bisous de mon nouvel amoureux, qui, mine de rien, tente de m'encourager à bosser plus fort. Mais j'ai la tête dans les nuages. J'essaie de me prendre en main, mais par le mauvais chemin. Parce que, oui, il y a toute cette partie « maladie » que j'ai vécue. Mais pour ne pas rechuter, je dois faire attention de ne pas me retrouver au point où j'ai basculé la dernière fois. Je ne suis pas encore venue à bout de ces *patterns* qui me nuisaient avant ma dépression : m'en remettre à des forces externes pour prendre mes décisions, parce que si ça rate, c'est plus facile d'accuser le destin que d'en assumer la responsabilité, manquer de ponctualité dans tout, laisser tous mes surplus d'émotions tirer les rênes de mes pensées, de mes paroles, de mes gestes, de mes actions, réagir dramatiquement à tout et à rien.

Nos *patterns* nuisibles, il faut d'abord être capable de les cerner, de les admettre, d'écraser de notre talon notre ego qui s'agite et se révolte en disant « Non, non, non, ce n'est pas toi, c'est les autres » et qui nous fournit une myriade d'excuses pour expliquer notre comportement, puis de comprendre d'où ils viennent, pourquoi ils se sont insérés en nous au point de se cristalliser, de se fossiliser, s'ils sont le résultat d'un mécanisme de défense établi dès notre enfance ou tout simplement des techniques inconscientes que nous avons mises en place pour nous auto-excuser de n'être pas parfait, s'ils sont irrévérencieux ou irrespectueux envers les autres ou envers nous-même et pourquoi. Ensuite, il faut être en mesure d'y aller un à un, de déterminer les circonstances dans lesquelles ils reviennent, de les pointer du doigt dans notre tête lorsque l'on passe par eux pour traverser nos journées et d'apprendre à les freiner dans leur élan avant même qu'ils s'élancent là où ils ont l'habitude de le faire, puis de les remplacer par la manière de penser ou d'agir qui est la moins nuisible pour nous et pour les autres. Des mois et des mois de travail en perspective. *You've got to get your shit together, Flo. Or else, you won't be able to make it*[15].

DÉFI 30 JOURS

Une fois ma santé physique récupérée, entre deux séances de shopping, je me lance corps et âme dans une pratique quotidienne du yoga. Je m'abonne à nouveau au studio que j'avais l'habitude de fréquenter avant de tomber malade, et je deviens officiellement une *yogaholic*. Défi 30 jours, défi sans gluten, défi sans produits laitiers, défi compassion, défi *headstand*, défi *backbend*, défi bio, défi 108 jours, défi *kindness*, tous les défis sont bons. Je me lance dans ces challenges comme une vraie personnalité de type A en quête de gloire personnelle sur

---

15. Rassemble tes petits, Flo. Sinon, tu ne t'en sortiras jamais.

son tapis de yoga, une fille qui, même après des mois à frôler l'idée de la mort, demeure addict au verbe *faire* pour oublier qu'elle ne sait plus trop ce que le verbe *être* veut dire. Et puis il faut que je me prouve à moi-même que je suis capable de me ressaisir plus vite que l'éclair, même si en vérité une telle reconstruction, trop rapide, où l'on prête plus d'attention à la décoration qu'à la solidité des fondations, où l'on investit plus dans le revêtement des comptoirs que dans la qualité de la brique, ne peut que me mener tout droit à une rechute. Ce sont les trois petits cochons. Je suis le premier et le deuxième. Je n'ai pas encore assez de patience pour faire comme le troisième. Alors, je continue à foncer à droite et à gauche, un peu comme une queue de veau, entre mon amoureux, que je veux prince de Disney, chevalier à tout faire, sauveur invétéré de mon état d'ex-dépressive, et une pratique obsédée du yoga, au point où, si je saute une journée, je suis d'une humeur exécrable et je me remets entièrement en question. Et je fume toujours. Je n'arrive pas à m'arrêter. Je fais du yoga comme une défoncée et je m'allume une cigarette en sortant du cours. Je ne suis pas sortie du bois.

ADIEU, DISNEY WORLD

Automne 2012. J'observe de loin mon Mr Big, qui, une fois passés les premiers mois extatiques et remplis de phéromones de notre relation, doit désormais affronter la réalité et faire avancer ses procédures de divorce. Il a besoin de temps, de recul, de se concentrer, sinon il va tout faire basculer, il est crevé, il travaille sans arrêt, nuit et jour, mène de front plusieurs projets au travail tout en gérant la dissolution de son mariage. Il se referme sur lui-même, il plonge de plus belle dans son boulot. Il a de moins en moins de temps et d'énergie pour moi. Merde. Je le regarde prendre de la distance et je ne peux y croire. Non, ce n'est pas possible, Big, c'est mon prince charmant envoyé du ciel pour me féliciter d'avoir survécu à mon suicide, Big, c'est mon *happy ending*, Big, c'est mon sauveur, c'est lui qui m'a épaulée pendant mon retour à la maison. Je suis Cendrillon avec une Louboutin et il est le prince à cheval du dessin animé. *Non, non, non, Mr Big, tu ne peux pas me faire ça!* Je m'accroche à sa manche comme une petite fille qui a peur de se retrouver seule dans le Frontierland de Disney World. Une petite fille qui *tripe* dans le parc d'attractions géant et qui ne veut pas arrêter de faire des manèges, même si la journée tire à sa fin, et qui en même temps tremble de peur à l'idée de demeurer toute seule dans ce monde imaginaire, entre les pirates des Caraïbes et Donald Duck. Il s'en va, il se dirige vers la sortie. Moi, je ne veux ni m'en aller du parc d'attractions, ni le laisser partir. Et lui, ce n'est pas qu'il veut me laisser là toute seule, il s'en fait, il ne veut tout de même pas que les pirates me gobent tout rond ou que je me perde dans la Maison hantée, mais il a des choses à faire. Je tape du pied, je fais une crise, je pleure, je hurle, il continue son chemin vers la sortie. Alors, je décide de le suivre et de quitter Disney World et son Fantasy Land. On sort.

Il marche toujours deux mètres devant moi, c'est à peine s'il jette un regard par-dessus son épaule pour voir si je suis encore là derrière lui. Et vlan! La réalité me fouette en pleine face, on se retrouve dans un stationnement géant et moche, lui qui se dirige sans s'arrêter vers son auto et ses choses à régler, et moi qui pleure toute seule en arrière parce que Disney World, c'était bien plus joyeux que le vrai monde, avec sa solitude et son sérieux, et que j'ai peur que le vrai monde avale cet amour qui joue un rôle si important dans ma convalescence.

RECHUTE

Octobre 2012. L'hiver s'en vient. J'ai peur du froid, j'ai peur de la noirceur, j'ai peur de retomber. Les couleurs du ciel, les couleurs des arbres, la pluie, la grisaille, l'odeur dehors, absolument tout me rappelle l'environnement qui m'entourait lors de ma chute, il y a un an. Ma psy appelle cela la mémoire cellulaire, elle me dit que tout mon corps, à qui mes cinq sens envoient les mêmes signaux qu'il y a un an, se met en état d'alerte parce qu'il les reconnaît et qu'il se souvient de ceux-ci comme faisant partie du contexte qui a mené à ma perte. Je suis mortifiée. Big a la tête complètement ailleurs, trop occupé qu'il est avec son boulot et le poids de ses procédures de divorce, et je n'ai pas encore la clarté d'esprit ou l'équilibre ou la confiance en moi ou, bref, ce qui fait que normalement on est capable de déclarer ces choses-là à quelqu'un, de lui dire d'aller régler ses affaires et de me rappeler une fois le tout rentré dans l'ordre, que l'on verra bien si on se retrouvera ou non. Je me souviens de cette phrase extraordinaire que Samantha (jouée par Kim Cattrall) a lancée à son amoureux lorsque ce dernier ne mettait plus de temps et d'énergie dans leur couple, à la fin du film *Sex and the City* : « *I love you, but I love myself more.* »

Eh bien, cette petite phrase qui résume si bien ce qui devrait déterminer le point de rupture dans un couple, je suis incapable de la dire à Mr Big. Pas la partie *I love you*. Je n'ai aucun problème avec ça. Mais la partie *I love myself more*. Je ne savais même pas que c'était possible, ça. Je la vois comme une phrase que seuls les gens extrêmement forts, sûrs d'eux-mêmes, beaux, en confiance, sont en mesure de prononcer. Et moi, en ce moment, toute cette histoire de mémoire cellulaire et les problèmes d'argent, conséquences directes de mon *high* du printemps, me rappellent constamment que je suis loin de m'aimer. *Merde. Est-ce que je rechute, là ? C'est quoi, cette histoire ? J'étais censée devenir invincible depuis que je me suis sortie de cette putain de dépression de merde à la con.* Fuck. Fuck. Fuck. *Ça n'a pas marché. Suis-je un échec total ?* Je ne veux pas replonger. Par contre, je suis capable de demeurer une mère présente pour ma fille. C'est la différence majeure avec l'année dernière. Je ne décroche pas de ma maternité. Ma petite a failli perdre sa maman, elle n'en aura pas l'impression deux fois. Ça, c'est sûr. Et c'est ça qui me tient. Ça et ma pratique régulière du yoga. Et l'espoir de m'en sortir. Ça aussi, il y a un an, je ne l'avais pas. *C'est bon, tiens bon, Flo, ce n'est pas pareil. Tu*

*ne revis pas un deuxième cauchemar. Tu vas garder
la tête hors de l'eau cette fois-ci.*

I'M LEAVING YOU

Je pars à L.A. pour écrire avec Larry Klein, qui a
accepté de travailler avec moi après ma sortie de
l'hôpital, et son collègue David Batteau, qui est
selon moi un grand poète des temps modernes.
La faille ne se rouvre pas, mais je m'en approche
tous les jours un peu plus. Vais-je m'arrêter avant
de tomber dedans à nouveau ? *Et qu'est-ce que j'ai
à leur montrer à ces grandes figures de la musique ?
Qu'est-ce que je vais écrire à part des putains de chansons déprimantes si je suis dans cet état ? Les gens, ils
veulent la Florence soleil,* Las calles del sur, *tralala,
Buena Vista et Cuba, non ? Est-ce que je suis en train
de cracher sur une opportunité, une deuxième chance
que la vie m'a envoyée ?*

Je pars, j'écris, de peine et de misère, mais Larry
et David sont extra. Et L.A. me plaît beaucoup.
Je séjourne à la Marina del Rey, et je loue un vélo
pour me rendre au studio de Santa Monica tous
les jours, par la piste cyclable de la plage. Ça me
fait un bien immense. Les couchers de soleil sur
la mer, les cigarettes sur le balcon de l'hôtel, les
textos de Mr Big, qui malgré tout m'encourage à
écrire, à composer, qui m'envoie même des fleurs,
quand tout ce que je veux c'est une relation stable,
une vie de couple tranquille malgré un amour pas-
sionnel (mais est-ce que ça existe vraiment, ça ?).
Tant bien que mal, pendant l'automne 2012 et

l'hiver 2013, je réussis à écrire *I'm Leaving You*. Bientôt, je verrai ce disque comme une possibilité salvatrice. Pensée magique encore ? Je ne sais pas. Mais je me dis que si Adele a écrit *21* en étant en peine d'amour et au bord de la déprime, et que son disque a cartonné de la sorte, il doit y avoir quelque chose de bon dans ces émotions désespérées. J'enregistre *I'm Leaving You*. À L.A. Puis à Montréal. Les titres des chansons sont, entre autres : *I'm Leaving You*, *Don't Come around Anymore*, *No salgo de aqui (I Don't Get out of Here)*, *You're Breaking my Heart*, *Remember Me*, *Milagros (Miracles)*, *Si de toi* et *Impossible*. Wow. On est loin de *Las calles del sur* et de « la vie est belle » et de « hourra, je suis la fille de Cuba, vive la joie ». Mais ce disque, s'il y a une chose dont je suis fière à son propos, outre le fait que j'ai réussi à le terminer (et qu'à maintes reprises je ne m'en sentais pas capable), c'est que je le trouve beau. Larry a su donner à ma mélancolie la place idéale dans cette musique, et Anne en a assuré une direction artistique qui collait entièrement à l'identité de l'album.

Mais il y a une chose sur laquelle j'ai menti sur toute la ligne. C'est que tout ce disque, contrairement à ce que j'ai raconté dans les médias parce que encore une fois j'avais trop honte de la réalité, ce n'est pas celui de ma rupture avec le père de ma fille, ni le résultat de mois d'écriture en dépression, c'est tout simplement la traduction musicale de ma relation avec Mr Big telle qu'elle était en 2012 et en 2013. Et Mr Big le sait très bien.

LE FOND DU BARIL

Les choses ne peuvent plus continuer comme ça. Cette fois-ci, je le vois bien, je le sens bien, je danse autour de ma faille et c'est un jeu dangereux. Je jongle avec des sentiments un peu confus qui me causent, je le sais, du tort, sauf que j'arrive toujours à me lever tous les matins, à m'habiller, à me faire belle, à aller au travail, à m'occuper de ma fille, bref, je réussis à passer outre mes émotions et à faire ce que je dois faire. Mais, comme une perpétuelle mélancolie m'habite en ce moment, avec tous ces trucs liés à Mr Big et mes craintes de retomber en dépression, j'ai l'impression de toucher le fond du baril. Sauf que je ne suis pas malade. Ce n'est pas pareil. Bien que la nuance entre trouble psychique et mauvaise passe soit parfois difficile à discerner, ce qui me montre que j'ai encore le contrôle sur mon état est qu'il y a certaines choses en moi que j'arrive à maîtriser, à calmer. Derrière l'écran de toutes ces émotions fortes que je ressens, j'arrive encore à percevoir un filet de clarté. En dépression, il n'y avait rien à faire. Et je suis fonctionnelle. Alors, si je ne suis pas malade, je peux me ressaisir. Et c'est ce que je fais. Parce qu'il est hors de question de tout perdre encore une fois. Je retrousse mes manches et je mets les bouchées doubles. Je veux changer. Je dois changer.

REMONTE-PENTE

Deux ans plus tard, Big et moi nous taquinerons avec ça. Parce que même si l'album s'appelle *I'm*

Leaving You je ne l'ai pas laissé. Parce que, à la fin de la journée, avec le recul et le temps, l'humour peut réparer l'amour. Parce que, avec lui, je ris. Beaucoup, tout le temps. Parce que malgré tout j'ai fini par réussir à décrocher de mon addiction aux sensations amoureuses fortes, parce que j'ai cessé de m'accrocher à sa manche comme une enfant perdue et que, aujourd'hui, ce qu'il y a d'important dans ma vie, c'est lui, mais ce n'est plus seulement lui. L'important, c'est un tout. Oui, c'est Mr Big, parce que c'est mon amoureux et que je l'aime, parce qu'on a traversé ensemble des choses intenses, souvent très belles et parfois assez moches, parce que à travers cette relation je me suis calmée, parce que, lui, je crois qu'il a aussi appris un tas de choses de son côté, parce qu'on s'est rejoints au bout du compte et qu'on est sur la même longueur d'onde, parce que je me vois dans l'avenir avec lui. Parce qu'on a des projets ensemble, et parce que tous les matins en me réveillant je le choisis. Pour le reste, qui vivra verra, je comprends désormais que la vie est en fait un flux incessant de changements. Et qu'on ne sait jamais.

Mais l'important, c'est surtout l'équilibre entre ce qui participe de mon quotidien. Pas que ma fille (c'est mettre beaucoup de pression sur des petites épaules que de baser notre bonheur uniquement sur celles-ci), pas que ma carrière (parce que, être une *workaholic*, c'est un passeport direct vers le *burn-out* pour moi et que le *burn-out* est le frère de la dépression), pas que mes amis et ma famille (parce que je ne veux pas être un poids pour eux non plus, Catherine et Anne, par exemple, m'ont à maintes reprises fait passer avant elles-mêmes et, à long terme, c'est leur santé qu'elles auraient fini par bousiller), pas que le yoga (même si, lorsque ma pratique est quotidienne ou du moins très constante, c'est clair que je me sens mieux, je ne souhaite pas en devenir une esclave), pas que la musique (parce qu'elle fait appel en moi à tant d'émotions que c'est parfois difficile à gérer) et pas que la scène (parce que je ne monte pas sur scène tous les soirs et que je ne veux pas que ma vie ne soit belle que si je chante). C'est tout ça à la fois. Et c'est ce que je dois m'occuper à entretenir dès maintenant.

CLOPIN-CLOPANT

J'ai officiellement arrêté de fumer le 25 décembre 2013, deux ans et quelques mois après avoir commencé. J'avais essayé à maintes reprises auparavant, mais je n'étais pas prête. J'avais trop peur encore que l'anxiété reprenne. Je faisais du yoga comme une débile, mais je m'allumais toujours une cigarette après. Ma prof me disait que ce n'était pas grave, que j'allais arrêter au moment où mon corps rejetterait automatiquement jusqu'à l'idée même d'une cigarette. Dans mon cas, c'est ce qui s'est passé. Je m'occupais tellement de ma forme que, du jour au lendemain, celle-ci a littéralement refusé d'être attirée par une clope. Ce dernier sevrage n'a pas été au-delà de mes forces. Il a été en deçà. Mais ceux d'avant, les sevrages ratés, c'était à coups de patch et de vaporette, et ça ne marchait pas. C'est juste venu tout seul finalement. Mais il aura fallu que je sois à nouveau fichtrement au-dessus de mes affaires dans ma vie pour arrêter définitivement. Et aussi que mon ORL me dise que j'avais des nodules sur la corde vocale droite et que, si je voulais continuer à chanter, il fallait que je me calme. Je n'ai pas recommencé.

Encore une fois, il ne m'appartient pas de connaître l'avenir, mais mon intention est de continuer à faire de ma santé une priorité et, donc, de ne plus jamais fumer. Oui, j'aurais bien aimé que ce ne soit qu'un geste romantique, que le fait que la cigarette me réchauffe le cœur soit le résultat de quelque gracieux mystère, celui-là même qui donnait à Sinatra toute son allure lorsqu'il enregistrait en studio (allez voir sur YouTube ma vidéo préférée, celle de Frank qui chante *It Was a Very Good Year*). Carrie Bradshaw, dans les premières saisons de *Sex and the City*, fumait non-stop. Ce n'était pas encore mal vu. Jusqu'à ce qu'elle aussi prenne le virage des années 2000 et que la cigarette devienne presque taboue. Dans ma tête, quand je fumais, je voulais avoir l'allure d'un John Lennon, d'une Elizabeth Taylor, d'un Sinatra, d'un Don Draper ou d'une Kate Moss, cigarette au bec, cheveux au vent, yeux plissés, regard de feu et style à tout casser. Mais au fond, j'étais en train de devenir une esclave. Ça m'aura pris près de deux ans après ma sortie de l'hôpital pour arrêter complètement de fumer, mais j'ai fini par y arriver. Et ça, je suis loin de le regretter.

LE LOTUS

Le lotus est une fleur qui tire son existence de la boue, qui prend forme dans une vase épaisse dont la texture est d'apparence peu ragoûtante. Néanmoins, c'est dans cette mare où nul ne mettrait volontairement les pieds que le lotus réussit à pousser, travaillant fort pour y installer tout d'abord ses racines, pour extirper ses feuilles de l'eau brunâtre puis enfin pour laisser ses pétales blancs faire surface au-delà de tout ce qui semblait être au départ un obstacle à sa beauté. Le miracle qu'est cette fleur a inspiré des poètes et des peintres de l'Orient comme de l'Occident et a donné son nom à une posture assise de yoga. J'avais quelquefois croisé le lotus auparavant, dans des livres, dans des jardins asiatiques, sur mon tapis de yoga, mais je n'en avais jamais dressé le parallèle avec ma propre vie, jusqu'à tout récemment.

Il y a de ces moments où l'on peut avoir l'impression de patauger dans une boue solide, presque opaque, à travers laquelle la lumière peine à passer. Et pourtant, lorsqu'on s'y attarde un peu, combien de fois tirons-nous nos initiatives les plus courageuses, nos créations les plus belles, nos décisions les plus sages au moment où nous sommes nous-mêmes couverts de boue, lorsque nous nous retrouvons dans la merde jusqu'au cou ? Combien de fois est-ce que ce qui nous semblait perdu à tout jamais a-t-il donné naissance à quelque chose en nous ou autour de nous de nouveau, différent peut-être de ce qui était auparavant, mais tout aussi valable, sinon plus encore ?

FAUSSE PROPHÉTIE

Récemment, Anne et moi avons reparlé de cette histoire de Juan Pedro qui avait voulu réaliser *Havana Angels* et de sa vilaine femme Marta qui m'avait dit qu'un jour je serais gravement malade. Sa prophétie bidon, elle l'avait formulée pour se venger que l'on n'ait pas voulu travailler avec eux. À l'époque, j'étais déjà fragile et le pouvoir de ses mots m'avait frappée en plein cœur. Sa déclaration m'avait prise de court, car pendant quelques instants j'y avais cru, à sa prédiction à deux balles. Et la pensée qu'elle m'avait jeté un sort et qu'il s'était réalisé m'a quelquefois effleuré l'esprit lorsque j'étais à l'hôpital. Au plus mal, je pouvais croire n'importe quoi, n'importe qui. Anne, ma fidèle amie et soldate, m'avait dit sur le moment qu'elle était allée l'engueuler. Or, il y a quelque temps, elle m'a avoué qu'elle n'avait jamais retrouvé Marta dans l'aéroport. Si elle m'avait raconté toute cette histoire, c'est parce qu'elle savait que si je ne croyais pas Marta remise à sa place, si je n'avais pas l'impression qu'Anne avait annulé ses paroles de malheur, je ne m'en remettrais pas. J'étais déjà vulnérable. Un an avant d'entrer à l'hôpital.

COMING OUT

Quand je suis sortie de l'hôpital, même si je racontais à tout un chacun ce que je venais de vivre, Anne, Francine et moi avons pris la décision de ne pas exposer médiatiquement ce qui m'était arrivé. Au début, je n'étais pas entièrement d'accord avec cela parce que je trouvais que ça alimentait un certain tabou et que mon histoire pourrait peut-être en aider d'autres qui traversaient des situations similaires. Mais nous avons choisi de miser en entrevue sur les mots « période difficile », « rupture avec le père de sa fille », « renaissance », « disque de lumière au bout du tunnel », « *I'm Leaving You* qui veut dire laisser derrière un pan de sa vie avec lequel on n'est plus à l'aise », bref, de miser sur l'aspect « le phénix renaît de ses cendres » lors de la promotion entourant la sortie de l'album.

Il y avait plusieurs raisons pour cela. La première, c'est que je n'étais pas encore entièrement remise. Et que je ne sais pas si j'aurais été capable d'affronter, quelques mois après ma sortie de l'hôpital seulement, les questions, les conclusions ou les préjugés liés à la dépression. La deuxième, c'est que, franchement, personne d'autre que moi n'aurait pu trouver les mots justes pour relater de la façon la plus fidèle possible ce qui m'est arrivé, et dans le cas de la dépression, de la maladie mentale, on ne peut pas ne raconter qu'un seul pan, qu'un seul aspect. Ce n'est pas rendre justice à tous ceux qui souffrent de ce mal. Il aura fallu que j'aie assez de recul pour pouvoir l'écrire moi-même, cette histoire. Je n'avais pas envie de donner deux, trois entrevues et que les magazines à potins titrent par la suite « Florence K. Au bord du suicide ». Ou bien « Florence K : Mon séjour dans un hôpital psychiatrique ». On ne peut décrire de manière juste cette maladie en quelques colonnes, sans en expliquer préalablement le contexte et les enjeux.

C'est pour ça, je crois, que j'ai écrit ce bouquin. Pas par souci de sensationnalisme, je n'ai jamais trouvé que ma vie personnelle avait tant d'importance qu'elle méritait de se retrouver à la première page d'une revue et, honnêtement, je préfère être reconnue pour mon travail plutôt que pour ce qui se passe chez moi. Et bien que je ne l'aie pas non plus écrit avec une intention thérapeutique, je me suis surprise moi-même, à la fin de l'écriture de cet ouvrage, à avoir l'impression d'avoir mis une distance supplémentaire entre cette période de ma vie et ma vie aujourd'hui. Et ce, même si j'ai fait et refait mille fois l'autopsie de ma dépression, autant pendant mon certificat en psycho, où à peu près tous mes travaux avaient pour sujet cette maladie, que chez ma psy, que sur mon tapis de yoga, qu'à travers mes mille et une lectures sur ce sujet.

Je n'ai pas non plus écrit ce livre par nombrilisme, parce que je suis loin de trouver que mon histoire mérite plus que celle de quelqu'un d'autre d'être racontée. Je l'ai peut-être un peu écrit pour que d'autres qui traversent des moments semblables à ceux que j'ai vécus sachent qu'ils ne sont pas les seuls. Parce que ça aide de savoir qu'on n'est pas seul au monde. Mais comme Anne me l'a rappelé en réunion chez mon éditeur : « Flo, souviens-toi. À ton pic de dépression, crois-tu sincèrement que tu aurais été en mesure de lire un tel bouquin ? » Non. T'as raison, Anne, je n'étais même pas capable d'écrire mon propre nom. Alors, peut-être que j'ai aussi un peu écrit ce livre pour ceux dont un proche vit une expérience similaire et qui ne savent plus à quel saint se vouer. Pour qu'ils sachent que bien que chaque solution et chaque chemin soient différents, on peut s'en sortir, et la preuve en est que, si je ne m'en étais pas sortie, j'aurais été complètement incapable d'écrire toutes les pages de ce récit. En fin de compte, j'ai écrit ce livre parce que quelque chose de plus fort que le doute et la peur du jugement m'a poussée à le faire.

WALDEN POND

Au début, Anne ne trouvait pas que cette idée de raconter par écrit toute ma dépression soit la meilleure que j'aie eue. Elle était réticente au projet. Parce que, oui, il y a la peur de l'étiquette, surtout lorsque l'on fait un métier public, lorsque, déjà, on s'expose constamment sur scène ou en entrevue. « Flo. Flo ! Flo ! Oui pour que t'écrives un bouquin, tu as toujours eu de l'imagination, mais pourquoi tu ne fais pas un roman, de la fiction ? Pourquoi tu veux replonger dans toutes les étapes de cette période de ta vie ? C'est enfin derrière, tout ça, tu vas bien, les choses vont bien, ça roule. Je ne suis pas certaine que ce soit une bonne idée. Et puis trente-deux ans, ma belle, c'est pas un peu jeune pour écrire ton autobio ? Tu écriras sur ta vie à soixante-cinq ans, voyons ! » C'est son rôle, à Anne. Elle est la gardienne de mon boulot. C'est l'avocate de mon diable. Je lui fais confiance. Alors, je l'ai écoutée, je lui ai dit que j'y réfléchirais. J'y ai réfléchi, j'ai douté, je n'étais plus certaine, je faisais part de mes doutes à mon éditeur, je censurais, j'embellissais, pour que ce soit moins laid, pour que ça paraisse mieux. C'est quand même plus chouette d'être reconnue pour sa musique que pour la «trashitude» de sa dépression, non ?! Mais en embellissant, je ne respectais pas la vérité. Et si je ne respectais pas la vérité, je ne respectais pas tous ceux et celles qui souffrent ou qui ont souffert d'un trouble psychique. Je parlais récemment à mon amie Jennifer de mon bouquin. Elle feuilletait des extraits de mon manuscrit. Elle est partie me chercher le livre *Walden*[16] de Henry David Thoreau. Elle m'a dit : «Tiens, lis ça.» Dans ses premières pages, il écrit la chose suivante :

> *I should not talk so much about myself if there were anybody else whom I knew as well. Unfortunately, I am confined to this theme by the narrowness of my experience.*

Je prends la liberté de traduire cet extrait ainsi : «Je ne parlerais pas autant de moi-même s'il y avait quelqu'un d'autre que je connaisse aussi bien. Malheureusement, je suis confiné à ce sujet par l'étroitesse de mon expérience.» Je n'ai pas la prétention d'être écrivain. Et si je cite tout naïvement Thoreau de la sorte, c'est parce que ce passage m'a piquée droit au cœur. Ce sont ces mots, si j'avais sa plume, que j'utiliserais pour résumer le pourquoi de ce livre. Parce que je ne connais rien d'autre aussi bien que

---

16. THOREAU, Henry David, *Walden, and on the Duty of Civil Disobedience*, The Project Gutenberg, 1995.

ma propre histoire et que, si je dois raconter par écrit quelque chose pour la première fois, ce sera celle-ci.

MONTÉE DE LAIT

Des fois, dans le vrai monde, il m'est arrivé après l'hôpital d'avoir encore honte de prendre tant de médicaments. J'ai aussi développé une allergie virulente à tous ceux qui se targuent d'avoir été assez «forts» pour se sortir de leurs moments difficiles ou de leur dépression sans toucher à des pilules ou sans avoir eu recours à de l'aide professionnelle. Je me mets presque à les détester. Bravo, sincèrement, c'est super si vous, monsieur Untel, avez réussi à traverser une dépression sans antidépresseurs ou sans aide, sérieusement, c'est magnifique. À chacun ses remèdes. Mais lorsque vous vous en vantez, ou que vous vous autoproclamez «fort», que voulez-vous dire en fait? Que, moi, je suis foutument faible parce que j'ai pris des antidépresseurs et des anxiolytiques et parce que je trouve que la psychothérapie peut grandement aider à passer à travers les aléas de la vie? Donc, vous êtes fort et ceux dont la dépression n'a pas pu être stoppée toute seule ou par une épiphanie, ils sont faibles?

C'est comme cet article qui circule sur le Net, un article dont l'auteure critique de manière condescendante les professeurs de yoga qui prennent des antidépresseurs. Selon elle, un professeur de yoga ne devrait pas avoir besoin de médication pour stabiliser ses troubles de l'humeur, sa dépression ou sa bipolarité. Cette auteure se vante d'être capable de traverser les hauts et les bas de sa vie sans jamais avoir besoin d'aide médicale, et affirme qu'un professeur de yoga devrait être en mesure d'en faire autant. Cet article m'a révoltée intérieurement. Parce que la jeune femme qui l'a écrit n'était probablement pas au courant de la réalité d'un trouble psychique, de la difficulté de reprendre le taureau par les cornes de sa propre vie lorsqu'on est aspiré au plus bas, et parce que chaque être humain est différent. Point.

Chaque cas a besoin de soins distincts. Je ne peux parler que pour moi-même, au nom de ma propre expérience. Notre esprit, contrairement à un genou ou à un poumon, n'est pas observable par rayons X, on ne peut en détecter les maux par une simple prise de sang, et on ne peut faire un *scan* des neurotransmetteurs. On commence à peine à découvrir les coins et les recoins du cerveau. Encore ce matin, je lisais dans *La Presse* la chose suivante: « Chez des Québécois qui se sont suicidés, des cellules en forme d'étoile appelées astrocytes fonctionnaient sans doute mal, comme si elles avaient été abîmées par le stress et l'inflammation. La découverte de ce dérèglement – qui se manifeste exclusivement dans les zones cérébrales impliquées dans la dépression – pourrait permettre un jour l'élaboration d'antidépresseurs révolutionnaires[17]. » Les progrès de la neuroscience devraient

---

17. MALBOEUF, Marie-Claude, *La Presse*, « Dépression : un dérèglement du cerveau serait impliqué », 2 juin 2015, extrait d'une recherche publiée le 2 juin 2015 par le *Molecular Psychiatry* et menée par le neuroscientifique Naguib Mechawar, du Groupe d'études sur le suicide à l'Institut Douglas.

nous permettre d'en savoir plus dans les années à venir.

Il faut aussi tenir compte de l'implication des systèmes nerveux sympathique et parasympathique, qui jouent un rôle majeur dans notre gestion du stress. Et la façon dont on a appris à gérer la vie. Et les traumatismes qu'on a vécus. Et notre alimentation. Et la quantité de sport que l'on fait. Et évidemment notre héritage génétique. Chacun d'entre nous a une physiologie, un passé, un bagage, une culture, un environnement social, une enfance, des traumatismes différents. Et le traitement doit s'adapter à tous ces éléments, en plus de s'attaquer aux différents symptômes qui y sont liés : l'insomnie, l'anxiété, la perte d'appétit, la perte de volonté, le fait d'entretenir des pensées négatives. Dans bien des cas, ceux qui souffrent de dépression ou d'anxiété vont avoir recours à ce qu'ils nomment parfois des « remontants naturels », ce qui se traduit par une surconsommation d'alcool ou la prise de drogues. Un surplus de quelque chose, c'est pour combler un manque de quelque chose d'autre. Et là, c'est le bordel. Entre opiacés, gueules de bois, somnifères et anxiolytiques, la tête ne voit plus clair. On s'enfonce.

Je n'ai pas eu d'addiction à ces substances, à part la cigarette, mais je comprends entièrement le processus qui fait en sorte que l'on peut y être sujet. J'aurais pu être cette personne. Parfois, lorsque je recevais à la fois des anxiolytiques, des antipsychotiques, des antidépresseurs et des somnifères, je me demandais si je n'aurais pas été mieux avec une bouteille de rhum et un joint. Mais ce n'est pas la même chose. Les uns, si l'on en abuse, mènent tout droit à notre perte, et les autres, bien qu'il soit difficile et parfois long de trouver la bonne formule et la bonne dose, peuvent nous remettre sur pied. Dans mon cas, il m'a fallu respecter la progression du traitement et faire preuve de patience, chose très difficile lorsque l'on souffre d'anxiété et que tout, absolument tout est un problème. Mais ça s'est avéré salvateur.

Je ne sais pas comment je m'en serais sortie si je n'avais pas reçu la bonne médication. Je serais probablement morte aujourd'hui. Oui, les méthodes holistiques, oui, le yoga, dont je suis une fervente défenseure, oui, la respiration, oui, la naturopathie et l'*ayurveda*, qui, je crois, jusqu'à une certaine limite, peuvent prévenir et aider à traiter ce qui ne va pas dans le corps ou dans la tête, oui, le sport, oui, les rencontres communautaires, oui, la luminothérapie. Oui, tout ça. Je suis la première à y voir des façons d'aider le corps et l'esprit à maintenir un bon équilibre. Mais ces outils, il faut savoir s'en servir de façon préventive d'abord et avant tout. Et après que l'orage est passé, les consacrer à la reconstruction. Parce que, bien honnêtement, lorsqu'on est si profondément touché par la dépression que l'on ne peut même pas envisager de sortir du lit pour se brosser les dents ou, pire, de sortir sa tête de sous les draps, les chances sont minces pour que l'on réussisse à effectuer une salutation au soleil dans un cours de yoga. Et méditer, n'en parlons pas. Rester plus d'une minute avec mes pensées, au point où j'en étais à l'hôpital, ça équivalait à songer au suicide et peut-être finalement à passer à l'acte.

Alors, bravo, monsieur Untel, toi qui as payé une fortune pour une formation d'un week-end dans une salle d'hôtel sans fenêtres, avec du café filtre et des sandwichs sur pain blanc aux œufs qui puent, bravo pour ta formation pour les *winners*. Bravo si tu te complais à te croire guéri à la suite d'une conférence pendant laquelle un pseudo-gourou moderne t'a dit de foncer dans la vie et de tout raser sur ton passage parce que « *You are worth it* ». Ces méthodes peuvent soulager. Mais s'accrocher à un gourou, à une seule voie pour nous sauver, peut être un couteau à double tranchant. Tout peut rapidement basculer à nouveau. Et si tout bascule à nouveau, et que les mêmes schémas, les mêmes *patterns* dont nous souhaitions nous débarrasser se produisent à nouveau, si le change-ment que nous voulions effectuer dans nos vies se révèle beaucoup plus ardu à entreprendre, si l'opti-misme irréaliste et l'évaluation excessivement posi-tive de soi obtenus à la suite de la lecture ou de l'écoute d'un seul et unique maître à penser, si tout cela ne suffit pas à enrayer de nos vies les sources de nos tracas, le syndrome du « faux espoir », « où la personne ne parvient pas à changer malgré des efforts répétés, ce qui entraîne des conséquences négatives sur le plan psychologique[18] », pourrait être engendré.

Bravo, monsieur Untel, toi qui as lu ce fameux ouvrage de pseudo-psychologie qui affirme haut

---

18. VALLERAND, Robert J., sous la direction de, *Les Fondements de la psychologie sociale*, 2ᵉ édition, Gaëtan Morin éditeur, Chenelière Éducation, 2006, p. 105.

et fort que, si 1 % des gens possèdent 96 % des richesses de la terre, c'est parce qu'ils ont compris un certain secret, qu'ils utilisent la fameuse «loi de l'attraction». OK. Donc, si je te comprends bien, docteur Bob, toi qui as eu cette magnifique révélation divine, ton secret, tel que révélé dans ton livre, c'est que pour être heureux il faut «posséder» des richesses, des choses. Et si tes 99 % du reste de la population bouffent de la poussière, c'est parce qu'ils n'ont pas compris ton secret divin. Donc, le mec qui a été amputé de ses deux jambes à quinze ans à cause des bombes de Daech, il n'avait pas compris le secret. Et les kidnappées de Boko Haram non plus. Et les enfants qui jouent nu-pieds sur des dépotoirs informatiques en Inde, c'est parce qu'ils n'ont pas compris ton putain de secret de la loi de l'attraction de l'univers. Et la jeune fille de huit ans que l'on a violée lors de sa nuit de noces en Afghanistan non plus. Et ton 1 % de riches, tes illuminés du secret, docteur Bob, ils n'ont jamais exploité qui que ce soit, pas vrai ? Vraiment, docteur Bob, c'est de la grande médecine de l'âme, ton truc. C'est bien beau de visualiser jour et nuit, docteur Bob, au bout du compte, si on n'agit pas, ça ne mène pas à grand-chose.

Et vous savez, docteur Bob et monsieur Untel, peut-être que toute ma vie je devrai gérer cette part d'ombre, cette faille de ma nature, au fond de mon être. Peut-être que je devrai passer le restant de mes jours avec une dose minime d'Effexor, juste pour que l'on s'assure que ma faille ne se rouvrira plus jamais. Peut-être qu'un jour aussi je ferai une rechute, peut-être que je n'en ferai jamais. Je dois apprendre à danser avec la dépression, parce qu'elle me suivra peut-être toute ma vie comme mon ombre. Ou pas. Mais ce que je sais aujourd'hui, monsieur Untel, docteur Bob, messieurs faits forts, vous qui avez compris le *fucking* secret, c'est que je ne suis pas faible. Nous sommes peut-être, vous et moi, constitués différemment, et peut-être que certaines choses qui vous troublent ne me troubleront jamais et vice-versa, peut-être que vous avez une autre façon que moi de réagir aux aléas de la vie. Peut-être que tout ça, mais je ne suis pas faible. Tout comme ceux qui malheureusement auront succombé à cette maladie de malheur que l'on nomme dépression. Ou bien tout comme ceux qui auront à vivre avec une bipolarité, un trouble de comportement, un trouble de personnalité ou un trouble psychique non diagnostiqué, et non traité, et qui en souffriront jusqu'à la fin de leurs jours.

Quand L'Wren Scott s'est suicidée, quand Robin Williams s'est pendu, je lisais les coupures de journaux et surtout tous les commentaires partagés sur les réseaux sociaux, ces véhicules à la fois fascinants, utiles, inutiles et malsains. « Elle avait tout! » « Hah! Ce sont souvent ceux qui ont l'air le plus heureux qui le sont le moins. » « Incroyable, comment un clown qui faisait rire tout le monde pouvait souffrir ainsi? » « Ils étaient riches, célèbres. Pourquoi? » Je me souviens d'un article dans le *Vanity Fair*, sur Courtney Love[19]. Pas le fameux article « Strange Love », dans lequel la journaliste soulignait que Love avait consommé de l'héroïne

---

19. SESSUMS, Kevin, *Vanity Fair*, « Love Child », juin 1995.

pendant sa grossesse, mais un autre, un an après la mort de Kurt. Dans cette entrevue où Courtney parle, entre autres, beaucoup de la mort de son mari, le journaliste déclare que, bien qu'il comprenne que Kurt vivait dans une grande souffrance, il trouve que le suicide est un acte méchant et égoïste.

« *Though I know Kurt was in a lot of pain, I still think suicide is a mean and selfish act.* »

Mais moi, je ne suis pas d'accord et je crois que le suicide est rarement envisagé comme tel, comme un acte méchant et égoïste, ou même lâche selon certains. Le suicide, c'est d'abord et avant tout un acte d'une grande tristesse, et bien souvent le résultat d'une maladie jamais diagnostiquée ou jamais soignée, jamais comprise, jamais entendue. Je crois que celui qui songe au suicide, il ne le fait jamais parce qu'il désire ardemment la mort. Je crois qu'il le fait parce que la souffrance est si dure, si douloureuse, si étouffante, que la seule façon qu'il puisse envisager pour l'enrayer à tout jamais – parce que lorsqu'on est en plein dedans, l'espoir est devenu quelque chose de complètement inaccessible –, c'est d'arrêter de vivre. Elle est là, la maladie. Malade, oui. Faible, non.

L'HIVER

Parfois, l'hiver est trop lourd. Parfois, le ciel est un plafond. Parfois, j'ai peur de voir la faille. Parfois, j'en ai marre aussi que, chaque fois que je suis triste ou fâchée, que je suis SPM ou nerveuse, je me demande si c'est ma faille qui se rouvre. Mais je sais que c'est là que je dois prendre du recul, que je dois me raisonner, et surtout reconnaître que, dans certaines circonstances, il est tout à fait normal et sain de ressentir une émotion qui n'est pas nécessairement agréable. Ma vulnérabilité est encore là, et je crois qu'elle y sera jusqu'à la fin de mes jours. Mais au moins je le sais. J'apprends à vivre avec cette faille. Et lorsque je sens que j'approche trop près de la falaise ou que la faille s'apprête à s'ouvrir, quand je sens que je commence à perdre pied, alors je fais ce que je dois faire : j'en parle à mes proches, parce qu'ils m'aident à relativiser, à juger s'il y a de quoi s'alarmer ou pas, je vais voir ma psy, je fais plus de sport, je sors jouer dehors, je me plante devant ma lampe de luminothérapie, je médite, je fais mon yoga *ashtanga*, je révise mon alimentation, je vais courir. Bref, je fais tout ce qu'il faut. Parce que plus jamais je ne souhaite retourner là où je suis déjà allée. Apprendre à vivre avec la maladie. C'est comme pour le diabète. On prend notre insuline. On fait attention.

Les infirmières me le présentaient ainsi à l'hôpital : on travaille pour le meilleur, mais on se prépare pour le pire.

LETTRE À MA FILLE

PRINTEMPS 2015

Mon petit ange, tu dors auprès de moi. Tu as presque neuf ans aujourd'hui, mais quand tu dors, les traits tout doux de ton visage abandonné au sommeil sont les mêmes que lorsque tu étais bébé. Et ce sont aussi les mêmes que lorsque tu étais une toute petite fille de cinq ans qui me regardait de ses grands yeux vert bouteille avec tout l'amour du monde, même si tu ne comprenais pas trop ce qui était en train d'arriver à ta maman.

Tu ne te souviens peut-être pas de grand-chose de cette période de ta vie et, franchement, c'est mieux comme ça, mais sache que maman n'a jamais cessé de t'aimer, même si maman n'était plus vraiment là. Je disparaissais petit à petit de ma tête et je te voyais au loin, si belle et si enjouée, avec tes petites mains qui venaient parfois encore se poser sur moi pour m'inviter à jouer avec toi. Et toi qui disais à tous : « Chut, il ne faut pas faire de bruit, maman se repose, elle est très, très fatiguée » quand je me couchais dans ma chambre en plein jour, la porte fermée. Mais j'entendais tout de même ta petite voix qui affirmait cela avec toute ta bonne volonté. Tu rentrais dans ma chambre et tu caressais mes cheveux du bout de tes petits doigts, comme si de rien n'était.

En fait, maman ne voulait plus que tu la voies dans cet état, maman avait peur de te bousiller, de te causer du tort, de traumatiser ton enfance et de t'empêcher de devenir la personne épanouie que tu mérites d'être toute ta vie, alors maman se cachait, maman préférait que des gens plus solides, plus stables, comme grand-maman, comme ton oncle Yan et ta tante Geneviève, comme ta tatie Catherine et ton tonton Bastien, t'élèvent. Et ton papa, il était parti travailler dans le Grand Nord, et moi j'étais partie loin, loin dans ma tête, encore plus loin que Kuujjuaq.

Quand je suis sortie de l'hôpital, mamie m'a raconté qu'à Noël tu étais allée la voir du haut de tes cinq ans pendant que je fumais des chaînes de cigarettes sur le balcon, les cheveux mouillés enveloppés dans une serviette parce que je passais constamment de la salle de bain au balcon. Tu lui avais dit : «Tu sais, mamie, moi je n'ai plus de maman. J'ai juste un papa. Et il est même pas là.»

Maman devait mettre son propre masque à oxygène avant de te mettre le tien. Comme les hôtesses de l'air nous le rappelent dans l'avion.

Ma chérie, je sais que ça fait déjà un bout de temps tout ça, je sais qu'après ma sortie de l'hôpital nous sommes allées chez la psy ensemble pour que tu comprennes bien que maman n'a jamais voulu t'abandonner, mais que maman était malade, tout simplement. Je sais qu'aujourd'hui, quand un petit souvenir de cette période te traverse l'esprit, tu me dis : «Tu sais, maman, quand tu étais à l'hôpital, parce que ta tête était malade…» Tu dissocies complètement la personne que j'étais à ce moment-là et la mère que je suis pour toi depuis, mais quand même, je veux que tu saches, ma chérie, que tu es la personne la plus importante de ma vie, que je t'aime plus que tout au monde, que j'ai tout fait pour compenser auprès de toi cette absence d'esprit momentanée, et que j'espère du fond du cœur que tu ne me tiendras jamais rigueur de ce qui s'est passé.

ALICE

Avril 2015. Ma fille est couchée à côté de moi dans mon lit, un samedi matin. Mon café chaud répand son parfum depuis ma table de chevet et je travaille sur les corrections de ce manuscrit. Alice dépose sa bande dessinée et se penche soudainement par-dessus mon épaule.

— Qu'est-ce que tu fais, maman ?

— J'écris.

— C'est pour ton livre ?

— Oui, ma chérie.

Elle regarde de plus près. Au moment où elle m'a interrompue, j'étais exactement en train de relire le passage ci-dessus, intitulé « Lettre à ma fille ».

— Hein, maman ! C'est une lettre pour moi !? Est-ce que je peux la lire ?

Mmmmm… Je m'attendais plutôt à ce qu'elle lise mon livre dans quelques années, et ce passage évidemment aussi, mais bon, puisqu'on y est et qu'elle et moi avons toujours été ouvertes sur le sujet depuis que « maman a été malade », je me décide à la lui lire moi-même. Elle m'écoute attentivement, les yeux rivés sur l'écran, elle acquiesce de la tête lorsqu'elle se souvient de périodes particulières mentionnées dans la lettre. J'approche de la fin du texte. Je lui lis la dernière phrase : « J'espère du fond du cœur que tu ne me tiendras jamais rigueur de ce qui s'est passé. »

— Maman, qu'est-ce que ça veut dire « que tu ne m'en tiendras jamais rigueur » ?

— Ça veut dire que j'espère que tu ne m'en voudras jamais.

— Mais, maman, voyons ! Pourquoi est-ce que je t'en voudrais ? C'est pas de ta faute si t'étais malade !

Voilà. Tout a été dit. De la bouche d'une petite fille de huit ans. Merci, Alice.

RESPONSABILITÉ

Ma responsabilité, aujourd'hui, envers ma fille, outre celle de toujours prendre soin de moi afin de demeurer une mère présente, c'est de garder en tête que ma faille peut être le résultat d'un tirage au sort génétique. Et qu'elle aussi pourrait en être affectée. Jusqu'à maintenant, je trouve sa personnalité très différente de la mienne à son âge. Elle ne semble pas présenter de signes qui pourraient révéler la présence d'un futur trouble psychique. Mais, encore une fois, on ne sait jamais. Donc, mon rôle, c'est d'être consciente de cela et de réajuster mon encadrement du mieux possible, surtout pendant les périodes qui entourent l'adolescence, et jusqu'à mon dernier souffle.

Aujourd'hui, je vais bien. Je vais même très bien. Pas nécessairement parce que la vie m'a envoyé de quoi cocher les cases du tableau des éléments requis pour atteindre le nirvana et célébrer cette conception bucolique du bonheur que l'on nous sert à tort et à travers, mais plutôt parce que je suis allée chercher des outils, de tous bords tous côtés, pour m'équiper et travailler avec elle. Travailler avec la vie. J'ai fait et refait mon bilan un millier de fois. Je suis tombée pour une multitude de raisons, dont la première est probablement celle du terrain friable. Génétiquement parlant, il y a de quoi. On ne vient pas d'une famille où il y a eu des suicides, des bipolaires, des alcooliques, des électrochocs sans se poser de questions sur sa constitution. La deuxième, c'est que j'ai probablement développé une panoplie de mécanismes de défense lorsque j'étais petite pour me stabiliser moi-même quand tout autour n'était pas assez solide. Et beaucoup de ces mécanismes impliquent que je me créais une réalité un peu parallèle pour échapper à la mienne, que je vivais la tête dans les nuages, brandissant un monde presque imaginaire dans lequel je me plaisais parfois mieux que dans le mien. Ce phéno-mène m'a probablement joué des tours vingt ans plus tard, me facilitant la tâche lorsqu'il s'est agi de me déconnecter de ma propre réalité.

Je suis aussi tombée parce que j'étais en proie à un grand perfectionnisme dans tout et surtout en ce qui concernait ma propre personne, plaçant tout ce que j'ai pu percevoir comme une défaite ou un échec au niveau d'une grave erreur dont j'étais l'auteure, me permettant de m'attaquer moi-même et de me dénigrer, me faisant souvent sombrer dans une spirale nocive pour l'estime de soi. Je suis aussi une artiste. Je carbure aux émotions fortes. Et si je ne me parle pas, si je ne décroche pas de la *story line* dans laquelle ma tête est capable d'embarquer rapidement, chacune de ces petites émotions peut devenir le point de départ d'un grand élan sentimental ou d'une crise de larmes ou d'anxiété. J'ai dû apprendre à cerner ces émotions, à les observer de loin, en témoin silencieux, et à ne pas les laisser m'emporter dans un grand tourbillon sans fin.

En cela, ma pratique du yoga m'a beaucoup aidée. J'y ai appris à connaître chaque coin et recoin de ma personne, les endroits qui ont besoin de plus d'attention, de plus de soin, les endroits que j'ai dû renforcer, travailler ou assouplir, ce qui bloquait ma respiration, les lieux où je me sentais coincée, j'y ai appris à agrandir les limites de mes zones de confort, à dissoudre les préjugés que j'entretenais sur moi-même et sur les autres, à me ressaisir lorsque je portais trop mon regard sur eux, poussée par la nature humaine qui nous met d'emblée dans le collimateur de la compétition. J'ai pris ma thérapie au sérieux aussi.

Et pour le reste, j'ai méticuleusement suivi les indications du psychiatre quant à ma prise de médicaments. Je n'ai pas essayé de la diminuer toute seule. Je n'ai pas non plus hésité à lui parler de ces moments pendant lesquels, en hiver, le manque de lumière et le froid m'affectent particulièrement. Après Noël et jusqu'à la fin du mois de février. Il a alors réajusté mes doses en conséquence. J'ai aussi augmenté ma prise de vitamine D durant cette période, et j'ai fait des séances de thérapie lumineuse, plaçant cette petite lampe qui reproduit les rayons du soleil près de ma table de travail. J'ai lu, lu et lu. Sur tous les aspects de cette maladie. Et j'ai lu une panoplie d'ouvrages sur le bouddhisme. Des livres de Pema Chödrön, de Noah Levine, de Matthieu Ricard, du dalaï-lama. J'ai souvent trouvé un grand réconfort à parcourir ces textes. À un moment donné, j'étais même devenue une encyclopédie de citations bouddhistes, au point où j'aurais pu en inonder ma page Facebook, avec des photos d'océan et d'arc-en-ciel ou de licornes en arrière-plan.

Je suis allée deux fois à des réunions des dépendants affectifs anonymes, Anne m'a accompagnée à une de celles-ci lorsque j'étais au plus mal, lorsque j'avais peur de rechuter, lorsque je recommençais à me perdre parce que je m'accrochais trop à Big. Je me suis également rendue à quelques rencontres chez les AA parce que, même si je n'ai pas eu de problèmes d'alcool, l'amour m'en donnait les mêmes symptômes. Mon addiction à Big et le trou qui recommençait à se creuser au fond de moi auraient très bien pu me mener vers la bouteille. J'ai aimé l'esprit de communauté que j'y ai trouvé. L'aspect humain, le renforcement positif, la compassion, le sens du partage, l'importance du groupe.

J'ai beaucoup marché dehors, hiver comme été, j'ai suivi une formation de trois cents heures pour devenir prof de yoga, j'ai développé un programme de yoga pour enfants. J'ai acheté tous les magazines possibles sur la neuropsychologie et j'ai essayé d'y trouver des réponses scientifiques à propos de la bactérie mangeuse d'esprit qui m'avait envahie. J'ai entamé un certificat universitaire en psychologie parce que, si je voulais ne plus jamais retomber de la sorte, la meilleure chose à faire, selon moi, c'était d'en comprendre tous les rouages. C'est en connaissant les faiblesses et les habitudes de l'ennemi que l'on arrive à déjouer sa stratégie et à éviter une attaque.

J'y ai découvert toutes sortes de théories intéressantes, en particulier sur la façon dont notre personnalité est formée. Je me suis notamment intéressée à l'approche phénoménologique du psychologue Carl Rogers. Celle-ci considère que chacun détient sa propre perception, consciente et inconsciente, du monde et de l'expérience qu'il en fait. C'est ce que l'on nomme le champ phénoménal d'un individu. Cette théorie travaille également avec le concept du «soi». Ce soi, qui est propre à chaque individu, englobe ses valeurs et la signification qu'il donne aux expériences qu'il perçoit et aux sentiments qu'il y rattache. Le concept du soi constitue donc la façon dont s'organisent les perceptions de l'individu et, bien qu'il soit sujet à quelques fluctuations, il demeure d'emblée intégré et constant. Attaché au soi de l'individu se trouve le «soi idéal», qui représente le soi auquel l'individu aspire, le soi qu'il aimerait être, selon les valeurs et les significations des perceptions qui ont une grande importance pour lui. Lorsque toutes les perceptions du soi sont en accord les unes avec les autres, Rogers parle de cohérence. Lorsqu'il existe un conflit entre celles-ci, l'individu fait face à une incohérence. De même, si quelqu'un est confronté à une expérience dans laquelle il ressent des sentiments qui s'écartent de son concept du soi, Rogers parle de processus d'incongruence. Ce processus peut mener l'individu à avoir un malaise ou même à éprouver de l'angoisse ou de l'anxiété.

Je crois qu'avant ma dépression il y avait en moi une grande incohérence entre la perception de mon soi et mon soi idéal, de même que mon soi imposé par ce que je pensais que la société attendait de moi. Entre autres lorsque je souhaitais, au nom de la famille que j'imaginais parfaite, rester là où je n'étais plus bien et que je trouvais des milliers de détours pour me mentir à moi-même et aux autres. Ou bien quand j'essayais de me prendre pour quelque chose que je n'étais pas. En allant plus loin, j'ai découvert en la théorie de Pyszczynski et Greenberg quelque chose qui faisait beaucoup de sens à mes yeux dans la perspective de ce que j'ai vécu. Effectivement, ces deux chercheurs en psychologie ont proposé la théorie de la dépression réactive de la conscience de soi, selon laquelle «la dépression réactive résulterait de la perte d'une source importante d'estime de soi […] qui plongerait la personne dans un cercle vicieux d'autorégulation, où elle ne voit aucun moyen de réduire l'écart entre l'état réel et l'état souhaité […]. La difficulté éprouvée à diminuer cet écart amène alors la personne à redoubler d'efforts pour le réduire et donc à adopter un état de conscience de soi privée presque constant, ce qui accroît l'effet négatif et conduit la personne à se déprécier davantage, et parfois à plonger dans une dépression, qui est alors entretenue par le fait que son attention est constamment fixée sur elle-même. Plusieurs études vont dans ce sens et montrent que la tendance à fixer son attention sur soi est liée à des émotions négatives et à la dépression[20] ».

Certains chercheurs établissent également des liens entre cet état dépressif, où l'écart entre le soi réel et le soi idéal est prononcé, et la recherche de la fuite, d'une échappatoire à la conscience de soi en « ayant recours à des comportements autodestructeurs, tels que l'abus d'alcool, la boulimie, le masochisme et même le suicide[21] ».

Un million de raisons. Mais la vérité, c'est que, de toutes les explications que je pourrai donner à ma dépression, aucune ne sera coulée dans le béton. Il y a de multiples théories qui sauraient en expliquer les causes. Chez Jung, chez Erikson, chez Bandura, chez Freud, les façons de voir et d'analyser la chose sont nombreuses. Les psychiatres, à l'hôpital, lorsqu'on leur demandait des explications sur les origines de ma maladie, sur mon temps de rémission, sur les moyens d'éviter la rechute, répondaient toujour : « *Maybe it is because, maybe it will take…* » Ou bien : « *We don't know.* »

Une dépression, c'est un peu comme les films *Magnolia*, *Traffic*, *Crash* ou *Amores Perros*. Ces films dont l'addition des circonstances et des événements provoque un fil conducteur responsable d'une histoire, d'un scénario. Et pour moi, le traitement et la

---

20. Vallerand, Robert J., sous la direction de, *Les Fondements de la. psychologie sociale*, 2ᵉ édition, Gaëtan Morin éditeur, Chenelière Éducation, 2006, p. 114.

21. *Idem.*

guérison de ma dépression ressemblent aussi à ces films, puisqu'ils découlent de l'addition de nombreux gestes, actions, pensées destinés à m'en sortir. Je suis tombée pour un millier de raisons, je me suis relevée grâce à un millier de choses.

FULL CIRCLE

Je me suis donc outillée, préparée comme une guerrière avec tous ces exercices, ces connaissances, ces lectures, ces méditations, ces médicaments, ces proverbes, comme si l'ennemi pouvait réattaquer sans prévenir, n'importe quand, et que je voulais être certaine d'être prête à l'affronter. Mais trop, c'est comme pas assez. Je devenais déséquilibrée dans l'autre sens. Je risquais de me déconnecter à nouveau, du bon côté des choses, certes, mais sans toucher terre non plus. Une overdose de bien-être. Et, à un moment donné, je dirais même récemment, j'ai commencé à lâcher prise sur le lâcher-prise. À me détacher de cette obsession du bonheur, de la gratitude, du *love and light*, du namasté, du *#lifeisbeautiful*, du *#mercilavie*, de tous les *hashtags* possibles et imaginables que l'on appose désormais à côté des descriptions de nos vies. Poufff. Je me suis sentie tellement soulagée. Plus besoin de me prouver qu'après avoir eu le monopole de la souffrance je détenais désormais le monopole du bonheur. Plus besoin de me prouver qu'après avoir sombré si bas j'étais devenue la reine du bien-être et de la sérénité. J'ai gardé de ces deux ans de travail intensif sur le bonheur d'excellents outils, de magnifiques moments, et j'ai probablement travaillé sur ma patience.

Mais un beau soir, après avoir donné mon tout premier cours de yoga pour adultes, au studio où j'enseigne toujours de temps en temps, j'ai mangé avec Mr Big, et le sentiment au plus profond de ma poitrine ne mentait pas. Je l'ai regardé dans les yeux et je lui ai dit : « *My Luv*. J'ai travaillé comme une folle. Je suis devenue prof de yoga spécialisée dans le traitement de la dépression et de l'anxiété, j'ai fait des dizaines et des dizaines d'heures de thérapie, j'ai lu à peu près tous les livres sur le sujet, sur le bouddhisme, sur l'évolution de la psychologie, sur les nouvelles découvertes en neuropsychologie. Je me connais mieux que je ne me suis jamais connue. Je peux aisément déterminer ce qui me rend triste, heureuse, en colère, anxieuse, nerveuse, bref, toute la palette des émotions et la façon dont elles m'affectent physiquement et mentalement, et travailler avec celles-ci de manière beaucoup plus saine qu'avant. Mais tu sais quoi ? *Fuck*. Je m'ennuie vraiment, mais vraiment de la musique. »

Il m'a alors répondu, tout simplement : « *Full circle.* »

Et c'est après avoir donné ce premier cours de yoga, au milieu du mois de mars 2015, que j'ai décidé de refaire de la musique une priorité dans ma vie. Non pas que je n'avais pas continué à travailler depuis ma sortie de l'hôpital. J'ai fait un disque, j'ai maintenu mon émission de radio, j'ai fait une tournée. Mais je ne sais pas si le cœur y était vraiment, entièrement. C'était devenu une job pour moi. J'étais plus préoccupée par ma pratique du yoga, par mes études en psycho, par mon obsession du bien-être et ma peur invétérée de faire une rechute un jour, que par la musique. Je jouais, je chantais, certes, je le faisais tout de même avec amour, mais pas comme avant. Pas comme avant de tomber. Pas comme lorsque, dans la vingtaine, la perspective de ne plus faire ce métier me donnait le vertige. C'est ce soir-là, au restaurant, avec Mr Big, que je me suis rendu compte que la musique, de la façon dont je l'avais toujours abordée, avec le cœur, avec les tripes, avec le recul aussi, avec la pratique quotidienne, avec cette volonté d'en apprendre toujours plus, de m'améliorer tous les jours, cette musique me manquait terriblement.

Et qu'en fait, si je n'avais pas entièrement renoué avec elle jusqu'à aujourd'hui, c'était par peur. Je craignais que, si je me donnais encore à fond, si je lui consacrais encore une fois ma vie, elle ne me quitte à nouveau, comme lors de ma dépression. Et ça, je ne pouvais pas l'envisager. Je fuyais la musique de peur qu'elle ne me fuie. Je suis prête à reprendre notre relation. Et à l'épouser pour de bon, cette musique, pour le meilleur et pour le pire.

BUENA VIDA

Après tout ça, après ces tornades qui m'ont ravagée et le vide qu'elles ont laissé, je crois bien avoir reconstruit quelque chose de meilleur que ce qui s'y trouvait auparavant. Je crois bien m'être retrouvée. Enfin, pour l'instant, car, encore une fois, qui vivra verra. Mais j'ai l'impression en tout cas d'avoir atteint un équilibre qui me permet d'embrasser à nouveau tout ce que la vie m'offre et de lui en être infiniment reconnaissante. Encore une fois, je ne peux parler que pour aujourd'hui. Je ne lis pas l'avenir. Je me suis débarrassée de la plupart de mes certitudes. Je préfère évoluer en étant pleinement consciente que la vie change. Tous les jours, tout le temps. Qu'elle est en mouvement perpétuel et que c'est à moi d'apprendre à être à l'aise dans l'incertitude. Je crois que la plus belle chose que la thérapie et la pratique du yoga m'aient apportée, c'est la capacité à observer à distance toutes les émotions et les pensées qui m'envahissent constamment, sans à tout coup les laisser me kidnapper et m'emporter dans leur tourbillon. Je suis sensible. Je suis porteuse d'une faille quelque part qui a déjà permis à la folie et à la psychose de s'infiltrer en moi. Mais au moins, aujourd'hui, je le sais. Et je l'accepte. Totalement.

Et l'un de mes plus grands souhaits à l'heure actuelle, c'est que l'entretien de la santé mentale atteigne dans notre société une importance aussi grande que celui de la santé physique. Les années 1980 ont été l'époque du *Let's get physical*. Du gym et de l'exercice. Les années 1990 ont fait place à un souci de l'alimentation qui n'a pas cessé de croître jusqu'à présent, tout le monde a écrasé ses mégots pendant les années 2000, et les années 2010 ont rempli les librairies de livres de développement personnel, de manuels de pilates, de yoga, de pleine conscience, de livres de recettes pour les diètes sans gluten, etc.

Mais allons chercher un peu plus loin que ces jolis livres inspirants et ces milliers de théories du bonheur. Sachons que le bonheur ne doit pas forcément être une obligation. Que, parfois, ça ne va pas et que c'est correct que ça n'aille pas. Mais qu'il y a des solutions. Qu'elles sont différentes pour chacun d'entre nous et qu'elles ne sont pas nécessairement miraculeuses. Que, parfois, elles demandent énormément de travail, de patience et de temps. Mais qu'elles en valent la peine. Et moi, je souhaite que les soins de santé mentale deviennent facilement accessibles. Que l'on sache vers qui se tourner lorsque l'on perd pied, que la dépression, que l'anxiété, que la bipolarité, que le trouble psychique ne soient plus des mots que l'on prononce à demi-voix, parce que c'est quand même moins bien vu que d'avoir à affronter un cancer, un diabète, une fracture ou à la limite un *burn-out*.

J'ai eu de la chance dans mon malheur. Beaucoup de chance. Tout d'abord, parce que j'étais bien entourée. Toute ma vie, je les remercierai, ces gens qui ne m'ont jamais lâchée, qui m'ont portée à bout de bras quand je ne pouvais plus marcher : Anne, Catherine, Bastien, maman, papa, Francine, Georges-Hébert, Jean, Marie-Claude, Luc, Krissi, Geneviève, Yan, Ali, Domenic, Reggie, le Dr Wang, mamie, papi, Maïna, Manou, Edgar, Aline, Francine, Alain, Natalie, Élé et Ariane, ma belle Alice, qui m'a attendue et qui n'a jamais perdu confiance en sa maman, et mon amour, Mr Big. Ensuite, j'ai eu beaucoup de chance parce que j'ai pu suivre une thérapie régulière et constante. J'ai été écoutée, encadrée, guidée. Malheureusement, cette chance n'est pas donnée à tout le monde. Cela est d'une grande tristesse, parce que la santé mentale, elle, n'attend pas.

Et, comme me l'a si bien dit ma bonne Anne dans un corridor de l'urgence psychiatrique, une veille du jour de l'An, en 2011, penchée sur un lit duquel je ne réussissais pas à m'extirper depuis un bon bout de temps et où je souhaitais ardemment mourir plus que toute autre chose : « La vie, c'est tout ce qu'on a. »

ÉPILOGUE

Lentement, j'enfile le haut noir à paillettes, la jupe et les escarpins. Je prends ma trousse de maquillage dans mon sac et je retouche au khôl le contour de mes yeux. J'applique deux couches de rouge à lèvres d'un rouge sanguin. Un rouge vivant. Une heure plus tard, je suis prête. Mes réserves sont pleines de tout ce qu'il me faut pour donner le meilleur de moi-même. On ne me donne pas de *belt pack*, ni d'écouteurs. Pour ce spectacle, nous travaillons aux moniteurs, ces haut-parleurs qui nous renvoient sur scène tous les sons qui sortent de nos instruments et de nos voix, ces « retours ». Je me dis intérieurement que c'est génial, que c'est ce que je préfère, que c'est authentique, vrai, cru, lorsqu'on travaille ainsi. Lorsqu'on entend autant la foule et ses réactions que notre propre musique. L'antipode même du *lipsync*. Les musiciens passent devant ma loge. Ils arborent un sourire magnifique et affichent sur leur visage une joie à toute épreuve, même si, comme tout le monde, ils en ont certainement déjà traversé un paquet. Je suis fière et heureuse de monter sur scène avec eux ce soir. Je n'échangerais ma place avec personne. Je passe devant un miroir. Je m'attarde à mon reflet. Je suis contente de me voir en ce moment, dans cet état, préparée et prête à mordre à pleines dents dans la musique qui m'attend. L'énergie du Quartier des spectacles en plein centre-ville de Montréal est électrisante, tout vibre autour de moi, avec les trente-cinq mille personnes qui hurlent de tous bords tous côtés. La lune nous observe paisiblement depuis un coin de mon champ de vision. Je regarde la scène où je dois me rendre. Je devrai monter quelques marches métalliques puis traverser une trentaine de mètres à l'arrière-scène avant de l'atteindre. Je ne fais pas un seul faux pas. Je marche comme une reine. Le sourire aux lèvres. Un vrai sourire. Celui qui naît au plus profond de soi-même et qui s'affiche sans se poser de question, en même temps qu'une étincelle prend forme dans les yeux. Ce n'est pas le moment de trébucher avec mes talons plus hauts que nature. Focuse, *ma fille*, focuse. *Respire, tu vas y arriver.* Anne me regarde dans les yeux et prononce cette petite phrase qu'elle me dit avant que je monte sur scène. Un code secret. C'est notre code secret, donc je ne le répéterai pas. Et elle ajoute : « Flo, je sais que t'es capable. Vas-y. T'es la meilleure. » C'est le moment...

Les sources mêmes de ma vie, mes origines, m'ont toujours ramenée auprès de la musique, et en ce moment, sur scène, en plein Festival de jazz, je connais le nirvana, le bonheur absolu, celui que l'on nomme en anglais *bliss*. Mes mains s'activent sur le piano, ma tête, ma voix et mon cœur sont tournés vers le public. Je lui donne tout.

À travers les centaines de notes que je lui chante et que je lui joue, je lui raconte mon histoire. L'histoire du temps, qui, comme les vagues de la mer nettoyant la plage, nous offre à chaque instant une nouvelle chance. L'histoire de l'amour, qui, à travers cet amas de cellules et de molécules et de muscles et de neurones et de sang et de tissus dont nous sommes constitués, nous prouve par sa seule existence que nous sommes absolument tous des miracles. L'histoire de la tristesse, que l'on préfère chasser du revers de la main plutôt que de lui adresser la parole, par peur de devoir faire face à la vérité au creux de laquelle elle se loge. Puis enfin l'histoire de l'espoir, qui habite dans chaque moment de clarté, entre chaque battement de cœur, entre chaque inspiration et chaque expiration, entre chaque sourire sincère qui est échangé entre deux étrangers, ce sourire qui sait nous éclairer en nous rappelant que nous ne sommes pas seuls, que quelqu'un, quelque part, a déjà ressenti la même chose que nous.

Il paraîtrait que la créativité est l'enfant de la folie. Ou bien de l'une de ses semblables.

Suivez les Éditions Libre Expression sur le Web :
www.edlibreexpression.com

Cet ouvrage a été composé en Adobe Caslon 12,25/15,3 et achevé
d'imprimer en septembre 2015 sur les presses de Marquis Imprimeur,
Québec, Canada.

Imprimé sur du papier 100 % postconsommation,
traité sans chlore, accrédité Éco-Logo et fait à partir de biogaz.

certifié   procédé sans chlore   100 % post-consommation   archives permanentes   énergie biogaz